U0094781

乘　客

戈馬克・麥卡錫

葉佳怡 譯

THE PASSENGER

譯序　文字的無意識宇宙

文／本書譯者　葉佳怡

戈馬克・麥卡錫在二〇〇六出版了《長路》，之後又過了十六年才在二〇二二年出版了生涯的最後兩本小說《乘客》與《海星聖母》。無論就內容及形式而言，這兩本系列小說似乎都呼應了他在二〇一七年的非虛構文章〈凱庫勒問題〉（*Kekulé Problem*），其中結合了他多年來在聖塔菲智庫中心（Santa Fe Institute）擔任研究員的心得，包括人類的無意識、語言學、哲學與進化生物學的相關知識。

麥卡錫本來就是喜歡進行語言實驗的作家，他曾表示自己會為了順暢度大量省略標點，而在這兩部小說中，尤其是《乘客》，他不只省略了標點，還常省略掉字與字之間的空格（比如：parking lot會變成parkinglot）。精通西班牙文的他以前就常在小說中穿插西班牙文，而這兩部小說當然也不例外。不過，這兩部小說中進行的語言實驗走得比以往都更深遠。除了文字語言之外，他還加入了數學及音樂這些象徵性語言。更重要的是，他要探討的是「無意識與語言」之間的關係。而如何用語言去接近無意識？《海星聖母》中提到凱庫勒這位科學家是在夢中看到了繞成一圈的蛇，才想通了苯環的問題。而這兩本小說似乎正是麥卡錫製造出來的文字之夢，他要讀者藉由這樣的夢境去接近人生的真相。

而為了製造這個夢境，這兩本小說中有一個關鍵角色，也就是主角之一艾莉西亞因為思覺失調症而出現的幻想朋友「沙利竇邁小子」。這個「小子」的說話方式反映出了思覺失調症可能會有的症狀，比如音韻連結（Clang association），因此小子會在說完一句話後硬接一個跟句子最後一個字押韻的人名，但那個人名跟之前的內容毫無關聯。此外，小子也會不停把既有諺語及笑話改成自己的亂說版本，但那些亂說版本卻又夾藏著一些回應小說內容的詩意。某種程度來說，這也是在回應文學傳統中「瘋人」作為「看見真相者」的一種手法。此外，即便是沒有罹患精神疾病的角色，在說話時也常使用大量文字遊戲，而作者也在行文間不停使用的冷僻古字、罕用字及自創字。再加上小說中不停出現其他文本中的角色，或是其他創作者的概念、意象和文句，我們閱讀時也像在透過這部小說穿越時空，直接走進一個人類集體心靈空間。

除了角色的說話方式及風格之外，麥卡錫還加入了大量的物理學、數學及音樂的專業內容及人物故事。比起語言文字，他似乎相信這些學問更能反映出人生真理的原貌，而他的文字也是在透過這些學問逼近真理。在〈凱庫勒問題〉中，麥卡錫寫道，「無意識就是不習慣給予口頭指令，而且也不願意這樣做。兩百萬年的習慣很難打破。」因此比起語言，對麥卡錫來說，物理學、數學及音樂更接近無意識，而《乘客》就是嘗試將語言與無意識「混為一談」。《海星聖母》則是記錄這次嘗試的一份註解、一部對話錄。

為了回應這樣龐大的語言實驗，我在斟酌許久後決定保留原文節奏。這樣就能忠實區分出麥卡錫利用節奏較為自然的「對話」所呈現出的現實世界，以及反映龐大內在世界時使用的繁複敘事模式。當然，打破英文原有文法及慣用文字句法所呈現出來的詩意，勢必在翻成中文後出現許多落差，尤其是文字遊戲及雙關語的部分。但無論是怎麼樣的遊戲，麥卡錫都在其中藏匿了一些訊號，因此我寧可選擇異化的翻譯方式，或甚至是利用註解讓讀者了解原文的狀態及可能的手法，也不希望讓過度轉化的中文抹消麥卡錫原文中的細節。畢竟說到底，這是屬於英文的無意識之夢，不是中文的，我們只是多藉由一個中文的媒介去欣賞他的技巧。在這樣偉大的嘗試之前，任何轉化都太容易變成僭越，而既然這兩部小說原本就被許多書評及讀者描述為「有意令人挫敗的小說」，我的工作就不該是把小說變得易讀。

然而即便是如此，我還是努力留下了作者呈現出的優美靈光，希望能在偶爾讓讀者舉步維艱的節奏中，排列出麥卡錫的為讀者建構的無意識宇宙。

夜裡下了一點雪她結凍的髮絲泛金清透雙眼冷若冰霜又堅硬如石。她腳上的一隻黃靴子掉在底下的雪地上。剛剛她大衣落下的地方在粉雪覆蓋後隱約浮現大衣形狀而現在的她身上只有一件白色連身裙整個人懸掛在冬天灰撲撲的細瘦樹幹間低垂著頭雙手稍微向外翻如同普世合一教派的雕像以此姿態希望大家深思他們的歷史。也深思這個世界得以成立都是奠基於她轄下生靈的痛楚才得以存在。獵人跪下把他的獵槍塞插進身旁雪地脫下手套任由手套掉落雙手交握。他覺得他該祈禱可是他不是會為這種事禱告的人。他低垂下頭。象牙塔啊，他說。黃金屋啊。他在那裡跪了很久。等張開眼睛時看見有一個小小的東西半埋在雪裡於是傾身把雪撥開撿起一條掛著鋼製鑰匙的金鍊子，還有一枚白金戒指。他把這些東西放進獵裝外套的口袋。他一直聽見夜晚的風。聽見那些風的作為。有一個垃圾桶在他房子後面的磚地上不停喀啦作響。黑暗中的森林有雪被風吹得翻飛的聲音。他抬眼望向在微弱冬季光線中閃爍出一點點藍光的珐瑯眼睛。她已經在她的連身裙綁上一條紅帶子好讓別人可以找到她。原本一絲不苟的孤絕中因此有了一抹色彩。在耶誕節這天。在又冷又幾乎無人提起的耶誕節這天[1]。

1　本書有幾個特殊的語言使用方式：一、許多沒有逗點的長句、複雜句並幾乎只以句點斷句，頻繁省略縮略號；二、少見的冷僻用字或古字；三、作者自己創造出來的字；四、實際存在的詞彙連結成一整個英文單字；五、標點的省略；六、各式常見或少見的諺語使用；七、追求押韻的文字遊戲；八、大量專有名詞、品牌名稱、縮寫或外文。翻譯上選擇盡可能選擇保留作者的句構與節奏，在英文語境內不常用的外文及縮寫也盡可能原樣呈現。

一

那麼這就是她人生中最後一年冬天的芝加哥。之後不到一週她就會回到海星聖母[2]療養院並從那裡再次遊蕩入陰冷荒涼的威斯康辛森林中。沙利賓邁小子[3]在克拉克街上的出租房[4]找到她。就靠近北邊。他敲門。這作法對他來說可不常見。她當然知道來的是誰。她一直在等他。其實那也實在不太算是在敲門。只是在發出一些拍打的聲音。

他在她的床腳邊來回踱步。他停下來說話但後來覺得還是別說比較好所以又開始踱步還像是默片裡的壞人一樣不停在身體前方揉捏雙手。不過當然那兩隻也不太算是手。只是鰭狀肢。有點像海豹的鰭足。他現在停下腳步用左邊的鰭撐住下巴，站在那裡仔細觀察她。為了備受歡迎而回歸，他說。真人現身。

你還花了真多時間找到這裡。

對啦。一路上光線都對我們不利。

你怎麼知道是哪個房間？

太簡單了。4C號房。我早就預見了。你用什麼當錢？

我還有錢。

小子環顧四周。我喜歡你裝飾這地方的方式。說不定我們喝完茶之後可以去花園逛一逛。你的計畫是什麼？

我想你知道我的計畫是什麼。

對啦。情況看起來不太妙，對吧？

沒什麼是永遠的。

你有留下訊息嗎？

我正在寫一封信給我哥。

我敢打賭是一篇冷淡的簡短報告。

小子站在窗邊往外望向陰濕的冷。更遠處是覆滿雪的公園和結凍的湖泊。好吧，他說。人生嘛。我們能說什麼？不是每個人都適合。老天啊，冬天真是讓人寸步難行。

就這樣？

就哪樣。

你要說的就這樣？

我正在思考。

他又開始踱步。然後他停下腳步。要是我們打包後直接逃跑如何？

不會有什麼改變。

要是我們留下來呢？

什麼？再忍受八年的你還有你那些**如同廉價驚悚小說角色**的朋友嗎？

---

2 海星聖母（Stella Maris）這個拉丁文在天主教中是對童貞榮福聖母瑪利亞的古老尊稱。

3 沙利竇邁小子（The Thalidomide Kid）中的沙利竇邁是在一九五七年於德國首先上市的一種藥物，常被用來抑制孕婦的孕吐，但後來發現會造成胎兒畸形，在一九六一年被揭發造成藥害事件時已有大約一萬名嬰兒受害。

4 在本系列中作者經常將兩個（或多個）原本存在的字（或字首及字尾）結合在一起，像這裡的例子就是將rooming house結合成roominghouse。

是九年，數學女孩。

那就九年吧。

有什麼不行嗎？

不了，謝謝你。

他來回踱步，還用手緩慢地揉捏那顆滿是疤痕的頭。那顆頭看起來像是他出生時被人用冰塊夾夾出來。他又在窗邊停下腳步。你會想念我們的，他說。我們好不容易才聚在一起啊。

哇當然啊，她說。這一切真是太美好啦。聽著。這些都不是重點。沒有人會想念任何人。

我們甚至不需要過來，你知道的。

我不知道你們需要做什麼。我並不熟悉你們的工作內容。向來如此。而現在我也不在乎。

是啦。你總是想像最壞的結果。

而且很少失望。

不是所有會在你生日那天出現在你閨房的先天缺肢者幻象都會跑來找你。我們想在這個紛擾的世界中散播一點陽光。那有什麼問題嗎？

今天不是我生日。而且我想我們都知道你們在散播的是什麼。總之，你是不可能討我歡心的直接放棄吧。

你才沒歡心可討。早沒那個心了。

那更好了。

小子把房間看過一遍。老天，他說。這地方真爛。你有看到剛剛地上有什麼跑過去嗎？什麼？我們已經完全沒有齊克隆B[5]了？你從來不是那種能幫忙媽媽打掃的小管家性格但我想你在這裡還是超越了你自己。你以前死都不會被人發現在這種垃圾堆裡。你有在照顧你自己嗎？

不干你的事。

漫長歷史中又一個亂糟糟的住所[6]。好吧，算了。你不知道接下來會發生什麼事，對吧？如果可以的話請原諒我講的俏皮話[7]。所以有考慮去當修女嗎？好吧。我就是問問。

我們就盡可能賠罪吧，剩下就不管了。別把事情搞得比現在更糟。

對啦對啦當然當然。

你知道這遲早要發生的。你就喜歡假裝我有祕密不讓你知道。

你確實有啊。那些祕密。老天啊這裡真冷。你都可以把肉掛在這個天殺的地方保鮮了。你之前說我是個譜算子。

我之前說什麼？

說我是個譜算子。

我沒有這樣叫過你。那是個數學術語。

對啦。隨你怎麼說。

你可以去查啊。

你老是這樣說。

---

5 齊克隆B（Zyklon B）是一種殺蟲劑，但也曾被德國納粹用來當作種族滅絕的工具。

6 這裡的原文是「One more in a long history of unkempt premises.」其中的「unkempt premises」應該是「unkept promises」（未遵守的諾言）的諧音。

7 這裡的俏皮話應該是指前一句「You dont know what's in the offing, do you?」也可以讀成「You dont know what's in the offering, do you?」（你不知道要奉獻什麼，對吧？）的雙關語，也因此才連接到後面要不要去當修女的胡說八道。

你老是不查。

對啦，反正都已經來不及了。

所以是因為這樣嗎？什麼啦？你是在擔心你的工作報告被打低分嗎？

你想怎麼說都可以，公主大人。我們盡力了。但那惡病顯然還是沒消失。

沒關係。很快就要消失了。

對啦，我老是忘記。就快去到那個從未有旅人回來的該死的地方嘛。

你老是忘記？

就是種說法而已。我幾乎什麼都沒忘。當然關於我們第一次出現時發現你所處的狀態你似乎也沒記得太多。

我不需要記得。我還在那個狀態裡面。

對啦，最好是。如果我說錯了糾正我，但我想我還記得有個小女孩躡手躡腳地從很少被記錄在檔案中的高處縫隙偷看。她看見了什麼？門口的一個身影？可是該問的不是這個，對吧？該問的是那個身影有沒有看見她？那是個小小的光孔。誰會注意到呢？可是地獄獵犬可以穿過一枚戒指的窟窿。我可說對了吧？

你出現之前我都好好的。

老天你真有夠難搞。你知道嗎？不過我還是得佩服你。就像那些嫖客對待那個瞎子妓女的方式一樣。還真是極端敬重啊，又是流口水又是拋媚眼的，她還努力想從他們的肩膀上方望過去。那裡有什麼？不知。某個死去祖先返祖後從雨中出現走進來。就在角落那邊抽菸。哎呀活見鬼啊。讓我把燈打開。不好。把攝影機關起來。到底是誰訂了這個來？把投影布幕還有牆上那個該死的東西捲上去。你還說過我是病原體。

你是病原體啊。

你看吧？

他們到底有沒有要進來？

誰有沒有要進來？

別裝了。我知道他們在外面。

那些小夥[8]，你是指他們吧。

就是說他們。

就快了。

我可以在門下看見他們的腳。我可以看見他們腳的影子。

腳和腳的影子。說得跟真實世界一樣。

他們在等什麼？

誰知道？說不定他們覺得不受歡迎。

他們之前可沒因此卻步過。

小子彎起一邊像是被蛀蟲啃過的眉毛。是嗎？他說。

是啊，她說。她拉拉披在肩膀上的毛毯。沒人邀請你來。你還不是自己出現了。

好吧，小子說。你說有人在走廊上，對嗎？那我們來看看吧。

他一個漫長的滑步溜向門口，止步，拉起袖子，用他的鰭抓住門把。準備好了嗎？他喊。然後用力把門拉開。走廊空蕩蕩的。他轉頭望向她。看起來他們是逃之夭夭啦。除非——我該怎麼說呢——除非一切都只是你的想像？

8　這裡的原文「hort」應該是「cohort」的簡稱，於是在中文由「小夥伴」簡稱為「小夥」。

我知道他們在那裡。我可以聞到他們的味道。我可以聞到薇薇安小姐的香水。而且我絕對有聞到果爾根的味道。

是嗎？可能只是有人在走廊的另一端煮包心菜啊。還聞到什麼了嗎？硫味？硫磺味？

他把門關上。外頭那群人立刻回來了，而且不停拖著腳步走，不停咳嗽。他舉起兩隻鰭互相搓揉，像是要取暖一樣。好了。我剛剛講到哪裡？說不定我們該幫你更新一下某些計畫的進度。要是看見現有的進展，你可能會穩定一點。

穩定？

我們運算了從你那邊取得的東西，目前看起來都很好。

你們從我這邊取得了什麼？你們沒從我這邊取得任何東西。

對啦，是沒有啦。我們還是可以用一個德拉克瑪換到一百個小文錢[9]這沒問題因為不算是真的錯可是我們真希望這些經典的東西到最後能水到渠成而我們也可以重返正常。一旦把一切攤到光線底下看就能看到一堆不同的鬼東西。你就是會分辨出來，如此而已。在這個比例尺下當然不會有陰影。你獲得這些你正盯著瞧的黑色裂隙。我們現在知道連續體並不是真的連續，也沒有所謂線性，仙蒂[10]。無論你如何簡化都不會找到週期。當然光在這個層次不會對向延伸。不妨這麼說吧：不會從此岸到彼岸。所以在兩者之間你想惡搞但因為之前提到的困難而無法理解的到底是什麼？不知。你說什麼？沒什麼幫助？怎麼會這樣怎麼會那樣？我不知道。綿羊為什麼不會在雨中縮水？我們沒有退路。沒有空間的地方也無法外推。你能去哪裡？你發送東西出去但拿回來時不知道那些東西經歷過什麼。好吧。沒必要為了一點雞毛蒜皮的小事生氣。你只需要努力工作然後開始我的天哪計算。這是你可以介入的時候。你在這裡得到一些或許只是虛擬的事物又或許不是可是其中一定有些什麼規則不然你告訴我那些該死的規則到底在哪裡？這當然就是我們追求的，小艾莉。神聖歸於耶穌規則。你把一切放進一個罐子然後為罐子命名然後從那裡開始就 à la[11]哥德爾[12]還有教會信眾在此同時真實的東西總之大概是某些基質的基質正用可變形的速度使盡吃奶力氣沿路拖行前提是沒有質量的事物沒有體積差異或相反因此沒有形狀而且無法變得扁平的事物無法膨脹而且在最頂尖的溝通傳統中反之亦然而且此刻——讓我借用一個說法——我們困住了，是吧？

你根本**不**知道你在說什麼。全是胡言亂語。

是嗎？好吧只要記得是誰掌控著**反及閘**小鴨鴨。因為那可**不是搖搖籃人**也不是那個身穿古北歐符文短袖束腰長外衣的傢伙。如果你大概懂我的意思。先等等。我得接個電話。他從口袋裡翻找出一支巨大電話夾在他長滿結瘤的小小耳朵旁邊。有屁快放，迪克。我們在開會。對啦。半敵意。沒錯。地下室二號。我們上面這裡天殺的要靠氧氣。不。不。運氣不好。負負不一定得震[13]。他們就是一群臉上有酒窩的弱智，你可以跟他們說這是我的命令。再回電給我。

他掛掉電話用鰭的根部把天線壓回去然後將電話塞回衣服裡望向她。總是有人聽**不**懂話。

聽**不**懂**人**話。

對啦。回到剛剛的話題。我知道你在想什麼。但有時你就是得用有同等效果的方法。比如用蒙地卡羅

9 德拉克瑪和小文錢都是一種希臘的硬幣，可是小文錢（古希臘最小的硬幣）的原文「lepton」也有物理學上「輕子」的意思。

10 小子在說話時偶爾會在句尾加上一個跟前句最後一個詞押頭韻的人名，這裡的仙蒂是跟前面的線性讀音類似。之後小子也會偶爾用這個方式講出一些並不真實存在的人名。

11 à la是法文中「到」的意思。

12 這裡指的應該是奧匈帝國的數學家庫爾特・哥德爾（德語：Kurt Friedrich Gödel, 1906-1978）。

13 原文是「Two wrongs dont make a riot.」但原本正確的寫法應該是「Two wrongs dont make a right.」意思是負負無法得正，冤冤相報不可取的意思。

方法去運算那**狗娘渾蛋**然後就別管了。無論好壞。我們到耶誕節之前都**不**會有結果。

現在就是耶誕節。幾乎算是了。

對啦，好吧，隨便。我剛剛講到哪？

有差嗎？

你的第一號實驗室設備會是伺服機構。主人與奴隸。連接上一個集電弓。把探針放進一個進退兩難的困境中旋轉。數到四。一個訊號一個訊號進行。重複直到雙扭線出現。

小子做了踢踏舞的動作後又是一個長滑步溜過亞麻油地氈然後停住然後再次開始踱步。他們打算要去找大卡胡納[14]。大草原上的愛愛時間，史蒂。雖然女權科學家哀哀叫可是那群人當中也是有很多女的啊。我已經讓我的人去確認過了。有你的居禮夫人。還有你的潘蜜拉·狄拉克[15]。

你說你的誰？

更別提其他那些暫時還沒有名氣的人了。老天啊你可以開心起來嗎？你得多出門走走。你之前說的那是什麼？數學之後就是苦果[16]？我跟你說。來個喜劇小插曲。好嗎？如果你聽過就打斷我。米奇正在訴請離婚，法官低頭看著他說：根據我的理解，你主張你的妻子米妮已經精神錯亂，正確嗎？米奇說：不，法官大人，我不是這樣說的。我說的是她已經天殺的瘋了。

小子在房內四處用力跺步並抱住自己的腰不停捧腹大笑。

你總是沒辦法把笑話說好。你到底在笑什麼？

呼，他幾乎喘不過氣來。什麼？

你總是沒辦法把笑話說好。「她的腦子已經天殺的高飛了[17]。」不是她已經天殺的瘋了。

差別在哪？

她的腦子已經天殺的高飛了啊。你連聽都聽不懂啊。

好啦，隨便。我們挺你。反正重點在於你要擺脫憂鬱。你到底是怎麼想的？你覺得小鮑比．沙夫托[18]會在最後一刻死而復生跑來拯救你嗎？鞋子上還綁著銀釦或其他什麼鬼的現身嗎？他已經跟這個世界脫節，托妮。他把他的腦子像塞水手袋一樣塞進賽車遊戲機之後就這樣了。

她別開眼神。小子用一隻鰭遮住雙眼上方。哎呀，他說。這下可引起她的注意囉。

你不知道你在說什麼。

是嗎？他搞消失多久了？幾個月了？

他還活著。

他還活著啊。喔，真是狗屎。如果他還活著那現在是搞什麼鬼。你可不可以別裝了？我們都知道你無法留在這世上都是因為那個墮落傢伙。不是嗎？怎樣？貓咬走你的舌頭了嗎？

我要去睡了。

就是因為我們不知道清醒過來的會是什麼。是說如果有清醒的話。我們都很清楚他能像拉丁文**mentis intactus**一樣「心智完整」地恢復的機會有多低而且你這大膽女孩我實在看不出你會如此深深迷戀在那對朦朧雙眼以及口水橫流的嘴唇後方仍可能殘存的任何些什麼。哎呀管他去死。人生就像賭牌什麼都可能發

---

14 卡胡納（Kahuna）是一個夏威夷詞彙，指任何領域的「專家」。歷史上曾用來指稱巫師、牧師和醫師。

15 潘蜜拉．狄拉克（Pamela Dirac）這個名字應該是從著名物理學家保羅．狄拉克（Paul Adrien Maurice Dirac, P.A.M. Dirac, 1902-1984）的縮寫衍生而來。

16 原文「After the math comes the aftermath」，小子常使用這類文字遊戲，尤其是在開場的這第一個段落。

17 這個笑話的雙關語在於高飛（Goofy）是他們狗狗朋友的名字，但同時goofy也是呆傻的意思。

18 這裡的Bobby Shafto指英國古老童謠《鮑比沙夫托出海了》（*Bobby Shafto's Gone to Sea*）的一個航海角色。

生，對吧？說不定你最後還是回到**豬腸地**。就你們兩人。大吃著鹽醃肥豬肉佐滑順燕麥粥又或是他們在那個幹他媽的地方吃的其他什麼鬼東西。比不上在歐洲到處跟那些有車的上流階級套交情啦但至少那裡很安靜。

不會發生這種事。

我知道不會發生這種事。

很好。

所以你離開這裡要去哪裡？

我會寄明信片給你。

你以前可沒寄過。

這次會不一樣。

最好是。你打算打電話給你奶奶嗎？

是要跟她說什麼？

我**不**知道。隨便說囉。老天，勞拉。有很多事可以做你知道吧。

或許吧。但不是由我來做。

關於**夜門**[19]還有那些難以言說的傢伙的巢穴呢？不怕嗎？

我願意冒險。我猜我啟動斷路器時整個面板都會變黑。

我們真的為你花了很多心力你知道嗎。

抱歉。

要是我告訴你一些本來不該跟你講的事呢？

沒興趣。

是你一定會很想知道的事喔。
你什麼都不知道。你就是捏造一堆假消息。
對啦。可是有些真的很酷。
有些是。
這個如何：什麼東西身上全是黑色和白色還有紅色？
我甚至不知從何想起。
穿燕尾服的托洛斯基[20]。
太讚了。
好吧。那這個如何。有個農夫在他的棉花田裡發現兩隻棉子象鼻蟲。
你跟我說過了。
才沒有。
兩蟲相權取其輕嘛[21]。
對啦。好吧。聽著。我在組織一些新行動。我把一些以前的肖托夸活動[22]重新整理起來。你總是特別喜歡搞這些經典玩意兒。所以我們就稍微修補一下演出服。再來個幾週排演即可。

19 Nightgate，推測指的是通往地獄之門。
20 「什麼東西身上全是黑色和白色還有紅色？」的傳統答案是「報紙」（原因是報紙使用的油墨組合配色）。可是這裡是因為托洛斯基的共產思想（紅色思想）而把答案設定成「穿燕尾服的托洛斯基」。
21 兩害相權取其輕的的英文說法是「the lesser of two evils」，這裡原文中的「比較差的象鼻蟲」「the lesser of two weevils」是諧音哏。
22 肖托夸（Chautauqua）是一個美國成人集會教育活動，流行於十九世紀末至二十世紀早期。一度在美國農業地區廣為出現。

晚安。

我甚至又在一些八釐米底片中找到一些線索。更別說一個裝滿四〇年代快照的鞋盒。就是一些洛斯阿拉莫斯的東西。還有一些信。

什麼信？

家族通信。你母親寄來的信。

鬼扯。所有信都被偷走了。

是嗎？或許吧。你打算怎麼做？

去睡覺。

我是說長遠來說。

我的確是就長遠來說。

好吧。好酒沉甕底。當然嘛。

你**別**麻煩了。

沒事。我也不是**不**知道接下來會怎麼發展。誰知道呢？你或許會想看看自己之後會怎麼打發時間。過去就是未來。閉上眼睛。

如果我不想閉上眼睛呢？

就配合一下。

好啦，當然好。

好的。我們要用**老派**的方式來。誰知道呢？這一定會很精采。

他從她身上某處抽出一塊方形絲巾後往空中甩接住後拉開再把兩面都翻給她看。他把絲巾往前甩，抖動。然後又立刻抓回去。在一張**藤椅**上坐著一個身穿髒兮兮黑色爪槌襬大衣的老人。搭配條紋長褲和灰色背心。還有黑色小山羊皮及踝鞋和鼴鼠皮鞋罩搭配漂亮珍珠裝飾的鈕釦。小子鞠躬往後退一步，上下打量他。哎呀。我們是從哪把他挖出來的啊？嘿？狂笑狂笑狂笑。

他拍了老人的背，一陣煙霧揚起。老人彎腰咳嗽。小子退開用他的鰭揮開那些灰塵。老天。這傢伙有好一陣子不見天日了，是吧？好啦，老爹，這世界在你看來如何？我們可以參考一些外人的意見。

老人抬起頭四處看看。兩隻眼睛蒼白凹陷。他舉起一隻手動作不穩地調整領巾上的結，同時瞇眼往外看。

那西裝可經典了？嘿？小子說。只是因為地下潮濕狀況有點糟。但他當時可是穿著這套結婚。年紀小小的妻子才十六歲。當然他那時已經幹了她兩年所以據推測是十四歲開始幹。總之終於成功搞大她的肚子所以嘿，我們都為此聚在一起。這個幹小孩的骯髒傢伙比她父親還老。哎呀婚禮上確實有充滿夏日風情的鐘聲。一八九七年吧我想就是那一年。正式交換誓言。先上車後補票。總之大概就是那樣。我以為這個老鬼會有什麼話要說但他似乎有點搞不清楚狀況。他是不是有點像船一樣往右傾斜了啊？

小子把他在椅子上擺直然後退開用一隻眼睛測量他的身體是否垂直。舉起像是槳一樣的鰭瞇眼看。說不定我們可以用水平儀確認，你覺得呢？狂笑狂笑狂笑。哎呀，搞什麼鬼。所以他不是個開心果啊。等等。是因為牙齒啦。他天殺的缺牙啦。

老人打開那張像皮革一樣的嘴把染血的一顆顆棉球從臉頰內側取出後塞進大衣口袋。他清清喉嚨，陰鬱地盯著前方。

他在做什麼？小子說。他的背心口袋有東西。是什麼？他的手錶？老天。別告訴我他正在轉錶的齒輪？他正在聽？不可能見鬼的還在運轉吧。不。他在搖那東西。其實是滿好看的錶。半蓋懷錶。無疑是一秒一震盪的棘輪裝置。幹得好。甩一下。不行。完全沒動靜。

老人用牙齦上下撞出搭搭聲。等等，小子說。要來了。來自彼方不知那裡的消息。我為你做了這麼多苦差事真是沒人感激。

哪裡？老人氣若游絲地說，廁所在哪裡？

小子站直身體。搞什麼鬼。廁所在哪裡？就這樣？我還真是個傻狗娘養的。不如帶著你那長滿起司霉斑的老屁股滾出去啊？廁所在哪裡？天殺的耶穌基督啊。該死的走廊走到底。快見鬼的滾出去。

老人從椅子上站起來後垂頭喪氣地走向門口。一層輕薄的灰塵撒在他身後的地面。一些小生物從他的衣服掉出來後匆匆跑到床下。他弄了門把好久才把門打開，腳步蹣跚地走到走廊上然後看不見了。耶穌基督啊，小子說。他走到門口用力把門甩上，然後轉身靠在門上。他搖搖頭。哎呀。你能怎麼辦呢？這真是個壞主意，好嗎？去死。有些人就是連上場的機會都沒有。不如我們再搞幾個老傢伙來吧。說不定可以稍微逗我們開心。

我不想搞什麼老傢伙來。我想睡了。

你剛剛說過了。

很好。你看著吧。

聽著，小鴨仔，我不想嘮叨什麼可是你現在就是在加速奔向天殺的虛無。

而你是來這裡折磨我的。

你還好嗎？有沒有發燒？需要來杯水嗎？

她蜷縮在床上，把被子拉上來蓋住自己。你離開時記得熄燈。

小子來回踱步。你的名字不是抽籤決定的，你知道嗎。我不知道你該知道什麼又不該知道什麼。我只是在這裡工作。我是操作員嗎？那我就是操作員吧。或許有人知道未來會怎樣但絕對不是鄙人在下。好了啦。你用該死的被子蓋住頭我沒辦法跟你講話。你甚至不跟我說再見嗎？

她把被子推下去。只要你打開門我就跟你揮手。

小子走到門口打開門。他們都在那裡。他們努力往裡面瞧，揮手，有幾位還踮起腳尖。再見，她喊。

再見。小子用驅趕的手勢趕走他們。就像修女對待學童一樣。他推門關上。好了，他說。

我們談完了嗎？

我**不**知道，甜心。你讓這一切很不容易。你想把自己丟進垃圾桶但我可不想啊你知道吧。

很好。

精神失常的患者集中起來後會產生一種力量。並帶來一種令人不安的效果。你花點時間待在瘋人院就會懂了。

我知道。我待過一段時間。我待過。

你將自己別無選擇的一切命名為你的「選擇」。

別引用我的話了。

你不想跟我說話。

不想。

沒有任何想說的嗎？任何遺言留給活著的人？

有。**別**活。

老天。真冷酷。

我們就把燈關掉，人生到此為止。

我們會想你。

你會想念你自己嗎？

我們都會在。總是有工作需要做。

他站在那裡看起來有點**垂頭喪氣**可是又打起精神。好，他說。如果只能這樣那就這樣。我聽得懂暗示。

他把一隻鰭在小小的圓肚子上彎摺起來，做了個像是鞠躬的動作後消失。她把被子拉到頭上蓋住。然後聽見門再次打開。等她望過去時小子已經再次進來安靜走到房間中央抓住**藤椅**的一根木板條把整張椅子舉起扛上肩膀轉身走出去把門關上。

她睡了她正在睡她夢到她和哥哥追著一台火車沿著**煤渣道**跑到了早上她把這一切寫在信裡。我們正追著火車跑飽比那台火車正被拉遠逐漸沒入夜色而光線正慢慢變淡逐漸沒入黑暗而我們正沿軌道跌跌撞撞前進我想停下來可是你握住我的手而在夢中我們知道我們得讓火車保持在視線中不然我們會失去理智。跟著軌道走對我們沒有幫助。我們牽著手我們奔跑然後我醒來是白天了。

他坐著啜飲熱茶身上裹著緊急避難包裡的灰色求生毯。暗色的海拍打岸邊。停在一百碼外下的海岸巡防船隨著海浪搖晃行船燈還開著而在船的北方十英里外可以看見卡車的車燈沿公路移動從紐奧良出發後沿著美國九十號國道往東前往帕斯克里斯蒂安、比洛克西和莫比爾。錄音帶播放器正播放著莫札特的第二小提琴協奏曲。氣溫是攝氏六度，時間是凌晨三點十七分。

補給員正用兩隻手肘撐地趴著他的頭上戴著耳機雙眼望著他們下方的暗色海水。距離他們四十英尺處油老大正在工作海面上時不時會冒出彷彿來自地獄的火光就是他在使用**火焰切割槍**。威斯特恩看著補給員他吹了吹茶小口喝一邊看著光線沿公路移動如同細胞的水滴在一根電線上緩慢滑行並在經過水泥扶手後方時像螢幕上的雜訊般暫時閃動消失。有一陣向岸邊吹來的風經過貓島西部在那裡稍微改變方向後往海面吹。空氣中有油以及紅樹林散發的濃郁潮臭和島嶼上的鹽草味。補給員坐起身拿下耳機開始在工具箱裡快速翻找。

他還好嗎？

還行啊。

他要什麼？

那些大的側切剪。

他把那些大剪刀跟一個扣環勾在一起然後把扣環扣到工作索上看著那些大剪刀滑進海裡。他看著威斯特恩。

你可以在多深的地方使用乙炔？

三十，或三十五英尺吧。

之後就要用氧氣電弧火切機了。

沒錯。

補給員點點頭，重新戴上耳機。

威斯特恩把最後一點茶喝光甩掉剩下液體把杯子收回袋子裡再伸手去拿蛙鞋穿上。他扯下披在肩膀上的毯子站起身拉上潛水衣外套拉鏈彎腰抓住背帶拎起氧氣瓶穿戴到身上。他把綁帶固定好後戴上面罩。

補給員將耳機往後推。你會介意我換台嗎？

威斯特恩把面罩掀起來。那是錄音帶。

你會介意我換錄音帶嗎？

不會。

補給員搖搖頭。在這凍死人的冷天凌晨一點把我們用直升機送到這裡。我真不知道在趕什麼。

代表他們都死了。

對啦。

你怎麼會知道？

這樣才合理。

威斯特恩望向遠方的海岸巡防船。燈光的形影因為暗色海水的起伏中斷而四處散落。他看著補給員。合理，他說。沒錯。

他戴上手套。聚光燈的白色光束快速從水面掃過去掃回來然後暗去。他把腰帶綁上後勾好把呼吸調節器放入嘴裡拉下面罩走入水中。

他緩慢往下穿越黑暗朝底下斷續閃出火光的所在前進。他抵達安定翼再往下踩上飛機機身轉身沿機身緩慢游動同時用戴著手套的手一路輕撫滑順的鋁板表面。過程中摸到許多鉚釘的小突起。火切槍又再次閃出火光。機身形狀像隧道一樣往遠方沒入黑暗。他踢水游過裝載渦輪風扇引擎的笨重引擎艙後在機身旁往下潛進入一圈光線中。

油老大已經切開閉鎖結構所以機門開著。他在機門口不遠處靠著艙壁蹲下。他用頭的擺動示意於是威斯特恩游進門口後停下然後油老大用他的燈照亮飛機走道。那些人坐在座位上頭髮往上飄嘴巴張著眼中沒有任何猜疑。他們的工具籃就擱在機艙門口的地面上於是威斯特恩伸手又拿了另一個潛水燈游入機艙內。

他緩慢踢水沿走道游過座位上方他的氣瓶拖曳在頭頂上方。那些死者的臉距離他很近。所有可以浮起的東西都貼著天花板。鉛筆、靠枕、保麗龍咖啡杯。紙張因為墨水流失只剩彷彿象形文字的污跡。艙內有種逐漸緊縮的幽閉感。他在艙壁上踩了兩下後掉頭往回游。

油老大在機身外帶著燈往下游。燈光在雙層玻璃中間的空氣夾層創造出花冠的圖樣。威斯特恩往前游並用力擠進駕駛艙中。

副駕駛還被安全帶綁在座位裡可是駕駛已浮在天花板上往下垂的雙手雙腳讓他像個提線木偶。威斯特恩用燈光照亮那些設備。操控台上的雙油門桿被拉到完全關閉的位置。這些都是類比式儀器所以電線因為海水短路時會全數回歸原始設定。儀表板上有個方形缺口原本靠六顆螺絲和儀表板上的六個洞固定在此的一片航空電路板遭到移除現在只剩三個單孔接頭因輸出接頭被拔掉而垂在一旁。威斯特恩把兩邊膝蓋擠過去靠住兩個座位的椅背。副駕駛的手腕上戴著一只很好的豪雅牌不鏽鋼錶。他仔細檢視儀表板。不見的是什麼?這裡有高度計和垂直速度表。磅數油表。空速表指示為零。其他都是柯林斯航空電子的器材。不見的是導航架。他退出駕駛艙。呼吸調節器冒出的泡泡貼著他頭頂的圓弧天花板依照大小自行排列。他在所有可能的地方尋找駕駛的飛行袋但很確定不在這裡。他從門口游出去找油老大。他正在機翼上方來回游動。他一隻手劃圈往上指然後踢水往海面游去。

他們坐在一艘充氣艇的小甲板上拉下面罩把呼吸調節器的吹口吐出來往後靠向氧氣瓶再鬆開氣瓶。錄音帶播放器正在播放清水合唱團[23]的歌。威斯特恩拿出他的保溫瓶。

---

23 清水合唱團（Creedence Clearwater），活躍於六〇年代到七〇年代的美國搖滾樂團。

說。

現在幾點？油老大問。

四點十二分。

他把口中的水吐出來用手腕背部擦嘴。他傾身越過威斯特恩扭上瓦斯桶閥門。真討厭這種鳥事，他

討厭什麼？屍體？

欸，那個也討厭。但不是。就是這種毫無道理的鳥事。讓人根本**無**法理解。

對啦。

接下來兩小時甚至是三小時也不會有人來。你想怎麼做？

我想怎麼做？還是我覺得我們該怎麼做？

我**不**知道。你怎麼理解這件事。

沒辦法理解。

油老大扯下手套拉開潛水袋拉鏈拿出保溫瓶。他取下瓶子上的塑膠杯轉開蓋子後倒滿杯子然後對著杯子吹氣。補給員正把工作索和籃子拉起來。

根本**沒**辦法從海面上看到那架該死的飛機。然後某個漁夫就這樣發現了？根本鬼扯。

你**不**認為飛機的燈光有可能維持一陣子才熄滅嗎？

不。

確實不太可能。

油老大從袋子裡取出毛巾把手擦乾再拿出香菸和打火機他從菸盒抽出一根菸點燃然後坐在那裡望著不停來回拍打的黑色海水。他們就這樣坐在自己的座位上？搞什麼鬼？

我覺得他們在飛機沉入水中時已經死了。

油老大一邊抽菸一邊搖頭。是啦。而且沒有浮油。

設備中有片電路板不見了。駕駛的飛行袋也不見了。

是嗎？

你知道這是怎麼回事，對吧？

不知道。你知道？

外星人。

去你的威斯特恩。

威斯特恩微笑。

你覺得這種東西的移動距離能有多遠？

你說捷星的飛機嗎？

對。

可能幾千英里吧。為什麼問？

因為不可能不好奇是從哪裡飛來的吧。

也是啦。還有呢？

我覺得他們已經在下面待好幾天了。

幹。

他們看起來狀態不太好。屍體浮上來要幾天？

我不知道。兩、三天吧。要看水溫。下面有幾個？

七個。加上駕駛和副駕駛的話，總共有九個。

你想怎麼做？

回家上床睡覺。

油老大又對杯子吹氣然後喝了一小口咖啡。是啦，他說。

補給員的名字是坎貝爾。他仔細觀察威斯特恩的表情，然後望向油老大。下頭一定是有某些可怕的糟糕場面，他說。你們不會因此心煩嗎？

你想下去看看嗎？

不要。

見鬼了。我會幫你看東西。你想要的話威斯特恩可以跟你下去。

你在鬧我。

我沒鬧你。

哎呀。我不會去的。

我知道你不會去。可是如果你沒看見我們看見的或許就不該輕易告訴我們該有什麼感受。

坎貝爾看著威斯特恩。威斯特恩把杯子裡的茶葉斜斜地靠著杯壁立起。見鬼啦，油老大。他說這話沒什麼意思啦。

抱歉。只是關於飛機怎麼掉下去我沒有任何看法。而且只要想到可能出錯的地方我腦中那份出錯清單只會愈來愈長。

我同意。

說不定我們這位威斯特恩好博士可以想出一個可能的解釋。

威斯特恩搖搖頭。威斯特恩好博士一丁點想法也沒有。

我甚至不知道我們在這裡做什麼呀。

就是說啊。這裡的一切都不對勁。

所以我們到天亮前還有多少時間？兩小時？

差不多吧。或許一個半小時。

我沒打算把他們帶上來。

我也沒有。

倖存者。哪有這種鬼東西？

他們坐著時臉上因為燈的角度照不到而籠罩在陰影中而救生筏歪歪斜斜地被湧流推高。油老大把保溫瓶遞過去。要喝一點嗎？蓋瑞？

我不用。

喝吧。是熱的。

好吧。

我沒看見任何損傷。

對啊。看起來像是剛出廠一樣。

製造商是誰？那個什麼？捷星？

捷星，對啦。洛克希德公司。

哎呀。真是架了不起的飛機。四具噴射引擎？那東西速度有多快啊鮑比？

威斯特恩把茶葉搖出來再把保溫瓶的杯蓋重新轉好。我想就是剛好一小時六百英里。

要命。

油老大抽了最後一口菸那枚菸蒂被他彈入黑暗時不停旋轉。你從來沒把屍體帶上來過，對吧？

沒有。我只是覺得你不想做的事我大概也不會喜歡吧。

你可以把他們用繩索和繫帶拉上來但還是得先把他們從飛機裡弄出來。他們的兩隻手臂會一直環住你。有一次在佛羅里達外海我們把五十三具屍體從道格拉斯航空的班機裡撈出來時就是這樣。當時我還沒去幫泰勒工作。他們已經在底下待了好幾天你見鬼的不會希望讓一丁點海水跑進嘴巴。他們衣服底下的身體浮腫你必須剪斷安全帶才能把他們拉出來。而且只要一剪斷他們就會張開雙臂往上漂。有點像馬戲團的氣球。

這些人看起來不像大公司人物。

是嗎？他們有穿西裝。

我知道。可是不是正規的那種西裝。鞋子看起來是歐洲牌子。

哎呀。反正我也不會知道。我已經十年沒穿過任何一雙正常鞋子了。

你想怎麼做？

見鬼的離開這裡。我們得沖個澡。

好吧。

現在幾點。

四點二十六分。

快樂的時光總是過得特別快呢。

我們回去時可以在碼頭上用水管沖一下。沖一下我們的潛水衣。

以後就很難找到我了，鮑比。我不會再回來這裡了。

好吧。

你覺得已經有人下去過了，對嗎？

我不知道。

好啦。我們不會有答案。畢竟他們是怎麼進入飛機？他們必須跟我們一樣把機體切開才行。

說不定是有人開門讓他們進去。

油老大搖搖頭。該死，威斯特恩。我甚至不知道我為什麼要跟你講話。你一天到晚把我嚇個半死。蓋瑞，你要來發動這玩意兒嗎？

交給我。

威斯特恩把保溫瓶塞進潛水袋。然後呢？他說。

我告訴你然後什麼。我認為我對所有鳥事保持該死無知的渴望只會讓我陷入可怕的麻煩。我要說這種心態已經天殺的像一種宗教了。

蓋瑞已經走到充氣艇後方。威斯特恩和油老大把兩個錨拉起來於是蓋瑞單腳站在船尾邊緣開始用力扯那根發動索。掛在船尾外部的大約翰牌引擎立刻發動起來他們前進時船艇的氣泡也跟著移動終於他們徹底遠離那顆橘色浮球然後蓋瑞全力加速他們越過暗色海水朝著帕斯克里斯蒂安前進。

—

有艘古老的縱帆船聳立著無帆桅杆從河的上游行駛到下游。船體是黑色而吃水標誌是金色。船從橋底下經過後一路行駛到灰撲撲的臨河區域。像個優雅的幽靈。這艘船經過倉庫、碼頭以及高聳的起重機架。許多鏽跡斑斑的賴比瑞亞貨輪綁在阿爾及爾角岸邊的繫船柱上。幾個走在步道上的人停下腳步盯著看。這個來自其他時代的玩意兒啊。他越過軌道沿著德卡圖街走向聖路易教堂然後再沿著查崔街走。到了拿破崙旅店時他認識很久的那群人在門前那張小桌旁為他喝采。彷彿來自另一段人生的一個個熟面孔。有多少故事都是以此為開端呢？

威斯特恩閣下，高個子約翰大喊。剛從又黑又髒的海底深處浮上來是吧？跟我們一起好好來一杯吧。

如果我沒太糊塗的話太陽還沒落到船的橫桁下方呢。

他拉開一張以曲木細工打造的椅子把綠色潛水袋放在磁磚地上。碧安卡・法老把身體斜靠向他露出微笑。你袋子裡有什麼？寶物嗎？

他要出發去旅行了，親愛大衛[24]說。

胡說。閣下才不會丟下我們。服務生。

那只是我的裝備。

那只是他的裝備，布萊特對著坐在桌邊的所有人說。

希爾斯伯爵睡眼惺忪地轉過來。那是他的潛水裝備，他說。他是個潛水員。

嗚喔，碧安卡說。太令我感興趣了。讓我瞧瞧裡面。有什麼怪東西嗎？

這個男人穿著橡膠服去工作，你覺得呢？來吧我的好夥伴。讓我把裝著最烈黑啤酒的大酒瓶獻給我的好友。

男服務生離開了。遊客陸續從步道上經過。他們的空洞對話片段像線條一樣漂掛在空中彷彿斷斷續續的密碼。臨河區某處有打樁機在人們腳底下緩慢打出有節奏的重擊聲。威斯特恩向這桌的人打招呼。你最近如何，約翰？

我很好，閣下。我離開了一陣子。針對某些處方藥物的合法性和政府當局有一些意見分歧。

他隨口開始描述這段驚險的旅程。先是從田納西州莫里斯敦的影印店搞出幾疊偽造處方箋。上頭的醫生名字是真的，但聯絡方式卻被換上超市停車場的付費電話號碼。他女友在距離他幾英尺的一台車裡。對。沒錯。他母親的病已經是末期。對。二氫嗎啡酮。一百一十六顆。在阿帕拉契南部地區的小鎮搞這樁搞了三週然後到諾克斯維爾城的金斯頓派克公路上的山頂汽車旅館房間裡來回踱步。房間的錢是用偷來的信用卡支付。他等待聯絡人。鞋盒裡有一半裝滿第二級管制藥物街頭價值超過十萬美金。他因為熱脫光衣服只剩一雙鴕鳥皮靴以及頭上一頂寬邊巴薩利諾帽來回踱步。還抽著他的最後一根蒙特克里斯托雪茄。五點鐘到了。然後是六點。終於傳來敲門聲。他立刻把門扯開。你們見鬼的跑哪去了?他說。可是他眼睛盯著的是一把點三八口徑的警槍槍管另外旁邊還有名增援警力拿著一把泵動式散彈槍。TBI探員舉起他的識別證同時抬頭看著這個身高很高但沒穿衣服的重罪犯。老兄啊,他說,我們已經盡快趕來了。

你保釋出來了,威斯特恩說。

對。

我以為你不該離開你的州?

規定是這樣沒錯。不管怎麼說我已經在這裡啦但就幾天而已。希望這樣說可以讓你安心點。我生長的小鎮已經開始讓我惱火。在他們終於逮到我後我回家沖澡換了衣服沿著傑克森大道走看能不能拐到一杯酒喝結果撞見了一位以前認識的女性友人。怎麼可能啦,她說,是你嗎?約翰?好幾百年沒見到你了。都去哪啦?我說:我親愛的,我一直在蹲大牢啊。她說:真的嗎?你知道我姊姊跟一個來自溫斯頓—塞勒姆的男人結婚了嗎?於是我心想:我真的得離開這座小鎮。

威斯特恩微笑。男服務生拿來啤酒放在桌上後離開。高個子舉起玻璃杯。Salud[25]。他們喝酒。布萊特正在跟親愛大衛熱切聊著一些什麼並希望獲得一些建議。在這個夢裡,他說,我爬過一扇窗戶用肉錘把這個老女人在她床上打到失去知覺。她的頭上都是像鬆餅一樣的凹痕。

大衛把某個看不見的東西從桌面掃掉。你是在求助,他說。

24　親愛大衛(Darling Dave)中的Dave是David的小名,David在希伯來語中有摯愛的意思。所以這裡也可能是一個同義反覆的語言遊戲。

25　西班牙文:喝酒前說祝「健康」的意思。

什麼？

可能是你的身體有需求沒獲得滿足。

總是跟自由有關，碧安卡說。把有的沒的都拋棄掉。像是死了父母一樣。

希爾斯打起了精神。這傢伙是個養鳥人啊。在他廁所裡凶殘的猛禽像被吊死的人一樣戴著頭套在棲架上陰沉地挪動身體。有一隻是獵隼，一隻是蘭納雄隼。

就像死了鸚鵡？他說。

碧安卡微笑，拍拍他的膝蓋。我愛你，她說。

他們有好幾個人在找工作。約翰用玻璃杯指了指。布萊特幾乎要拿到一份工作了，他說。可是當然啦在最後一刻還是分崩亂了[26]。

我就是搞砸啦，布萊特說。我整個人就是突然變很怪。那個呼吸聲很大的傢伙一直在說這個政策那個政策什麼的。最後他說：還有一件事。我們這裡不看鐘。然後我說哎呀我沒辦法告訴你我聽你這樣說有多開心。我這輩子有個習慣就是不管做什麼事都會遲到一小時。

他說什麼？

他變得不太說話。就是坐著然後過一陣子後起身離開。不過那是他的辦公室。又過一陣子後祕書進來表示面試結束。我問她我有沒有拿到工作她說她覺得沒有。她看起來有點緊張。

你找到其他地方住了嗎？

還沒。

那些縱火罪的指控呢？

他們撤銷了。他們發現了一些貓。

貓？

貓。沒錯。問題在於一開始是從大概六個不同的地方起火所以他們覺得有點可疑可是之後他們開始發現那些貓。說到底就只是個簡單的綜合判斷囉。

那些貓打翻了一罐我的油漆稀釋劑，碧安卡說。然後牠們在裡面打滾。然後牠們跑去暖爐底下著火。然後他們又在套房裡面到處亂跑。

貓。

小貓啦，其實。就是剛出生沒多久的貓。她用兩隻手掌比出一個大小。我就說我怎麼可能會點火燒自己的公寓？而且話說回來，我們也只是租的啊老天。這樣哪裡划算？我是說任何人應該都有辦法想到是貓著火了吧。到底在想什麼呢？難道牠們只是坐在那裡等火燒起來才有辦法跳入火中嗎？當然貓一定是先著火才搞出這一切的嘛。真是天殺的蠢。

那些貓很蠢？

不是，不是貓。是那些天殺的保險公司人員。

真的很有趣，布萊特說。那位法警舉起手要她進行法庭宣誓時她伸出手跟對方擊掌。我不認為他們見過這種事。

我想不同品種的基因組成各有不同，約翰說，可是無論如何貓的自焚傾向在貓科譜系中似乎是個已確知存在的元素。很多古人都有提過這件事，阿斯克勒庇俄斯[27]也有在寫作中提到。

老天，希爾斯說。

---

26 特殊用法形容詞：uncottered。

27 阿斯克勒庇俄斯（Asclepius）是古希臘神話中的神醫。

不過這個說法似乎跟烏納穆諾[28]相反。是吧？閣下？他的格言是貓比起哀鳴更常講理不是嗎？當然根據里爾克[29]所說，牠們的存在本身就完全是假設性的。

貓的存在？

對，貓。

威斯特恩微笑。他喝了一口酒。真是在這座古城中一個涼爽又陽光普照的日子。初冬的正午光線軟軟的鋪在街上。

五號威利在哪？

他在傑克遜廣場擺畫架，當然是希望把他的那些塗塗抹抹的東西賣給觀光客啦。他和他那隻月亮色獵犬。

那東西會咬觀光客的屁股他會陷入法律糾紛。

或進監獄。

高個子約翰已經準備好要拆開一隻黑色大雪茄。他咬下雪茄屁股吐出來在舌頭上滾動雪茄後用牙齒咬住然後伸手去拿火柴。我做了跟你有關的夢，閣下。

做夢啊。

對。我夢到你穿著你那雙有加重量的鞋子在海床上閒晃。在一些深海區的谷底暗處找一些天曉得是什麼的東西。就在你走到納斯卡板塊的邊緣時有火焰從深淵竄出。海水沸騰。在夢裡看起來你就是不小心走到地獄入口我以為你會放條繩索讓之前下去的朋友爬上來但你沒有。

他用火柴劈劈啪啪地劃過桌面底下然後彎腰點燃他的雪茄。

你真的是潛水員嗎？碧安卡說。

不是你想像的那種，親愛的，大衛說。

他是你想像中每種潛水員的綜合化身，希爾斯說，他把一隻拳頭撐在桌面上努力想把歪斜的身體坐直。天殺的每種潛水員喔。

我是打撈潛水員，威斯特恩說。

你都打撈什麼？

別人僱我們打撈什麼就打撈什麼。只要是掉在海底的都撈。

寶藏？

不是。通常是比較商業性的東西。貨物之類的。

你遇過最怪的要求是什麼？

跟性無關吧？

我就知道我會喜歡他。

我不知道。我得想想。我有認識一些人曾撈起一艘裝滿蝙蝠屎的大型平底船。

聽見了嗎？希爾斯說。蝙蝠屎。

你是因為什麼機緣進入這一行？

別問這個，我親愛的，約翰說。你不會想知道的。他會說他多麼暗自希望能為了洗刷自己的罪孽而死在海底深處。而這才只是故事的開端喔。

喔這可有趣了。

別太興奮了。你可能已經注意到我們這傢伙其實有所保留。確實他是為了高薪去做這種危險的水下工

---

28 米蓋爾・德・烏納穆諾（Miguel de Unamuno, 1864-1936），西班牙著名作家。

29 萊納・瑪利亞・里爾克（Rainer Maria Rilke, 1875-1926），著名德語詩人。

作但他其實也也很怕進入海底深處。哎呀，有人說他已經克服了恐懼。但其實一點也沒有。他沉入的是一種連他自己都無法理解的黑暗。不只黑暗還有令人動彈不得的寒冷。如果他不談自己的話我倒是很愛談他。我確定你會想聽有關罪孽和贖罪的那段故事。不過無論如何他都是個有魅力的男人。女人都想拯救他。可是當然他早已不需要了。你說啥？閣下？跟真實情況差距多少？

繼續天花亂墜吧，薛登。

我想我就先陳述至此。我知道你在想什麼。你看到我有著龐大雜亂又毫無理由的自尊心。可是我必須拿出所有誠意說我沒有絲毫渴望去追求閣下那種愛重自己的高度。而且我不是沒有意識到那種態度甚至讓他的觀點多了一定程度的合法性。畢竟說到底，我只是社會的敵人，他卻是神的敵人。

哇，碧安卡說。她用飢渴的眼神轉向威斯特恩。你到底幹了什麼好事？

薛登在雙頰在吸雪茄時凹陷下去。他將一陣帶有香氣的煙吐過桌面後微笑。閣下始終不理解原諒這件事錯過了時機就已來不及。不過復仇永遠不嫌太遲。

威斯特恩把最後一口啤酒喝完然後把馬克杯放在桌上。我得走了，他說。

留下來啦，薛登說。我收回那些話。

我才不會這樣做。你知道我有多享受你的碎碎念。

你該不會又是要去進行海上工作了吧？

不。我要回家睡覺。

剛結束大夜班是嗎？

可以說完全沒錯。之後見。

他伸手去拿他的袋子起身對所有人點點頭然後把袋子揹到肩上走上波旁街。

我喜歡你的朋友，碧安卡說。屁股很讚。

那口枯井是挖不出水來的，親愛的。

為什麼？他喜歡男人嗎？

不。他心裡有人了。

可惜。

情況比你想的更糟。

怎麼說。

他愛的是他妹妹。

哇。週日早上有群上游的傢伙出現在這裡他也是其中之一嗎？

不是。他來自諾克斯維爾。哎呀，又一次的，情況比你想像的更糟。他其實是來自瓦爾特堡。田納西州的瓦爾特堡。

田納西州的瓦爾特堡。

對。

沒有這種地方。

恐怕是有。就靠近橡樹嶺。他父親的工作是設計並組裝巨大炸彈然後把一座座城市中沉睡在床上的人們焚化。都是些需要精巧設計並徒手打造的東西。一次性使用的炸彈，每顆都是。就像復古的賓利車。威斯特恩本人呢我是在大學時認識的。哎呀，其實我真正第一次見到他是在阿什維爾高速公路旁的五十二俱樂部。他正在台上和樂隊一起演奏曼陀鈴。藍草音樂[30]。我從沒見過他但知道他是誰。他主修數學而且成

30　藍草音樂（Bluegrass）是源自英國、愛爾蘭和蘇格蘭的一種民謠音樂，帶有藍調、爵士樂和福音音樂的元素。

績都在最前段班。我們這桌有人邀請他過來坐之後我們聊起來。在聊某個主題時，我引用了蕭沆[31]的話，

他則引用了柏拉圖[32]回應。他有個漂亮的妹妹。我想大概十四歲吧。他會把她帶到這些酒吧或俱樂部。兩

個人根本是公開約會。她甚至比他還聰明。而且真的是擁有迷死人的魅力。輕易可以奪走所有人的心。他

拿到加州理工學院的獎學金去讀物理學但始終沒拿到博士學位。他後來繼承到一些錢就跑去歐洲賽車。

他開過賽車？

對。

哪種賽車？

我不知道。反正就是他們在那裡開的那種小賽車。他高中時在橡樹嶺的原子賽車場開越野車。顯然他技術好。

他比的是二級方程式賽車。他的技術好，但還不夠好。

對。哎呀。他因為賽車遇到的麻煩狀況所以頭裡面有一片金屬板。有條腿裡也裝了金屬棍。諸如此類的。他有點跛腳。不過，那可能也算是不幸中的大幸。我想他之前是個很不錯的賽車手。畢竟不管有多少錢如果不是真的有能力他們是不會願意用安全帶把你綁在那種車裡。

他那些錢還在嗎？

我就在等你問這個。不在了。全揮霍光了。

然後這段時間他都在上他妹妹。

這是我思考過後的看法啦。

我很驚訝你沒問過他。

我問過啦。

他怎麼說？

他很不高興。當然是否認。他覺得我是變態而他很有可能是對的。反正陪審團還沒帶著判決回來嘛。不過他就是教科書上的那種封閉型自戀人格患者，就是呢，臉上的面具帶著謙遜微笑但自尊心有克里夫蘭鬧區這麼大。

他在我看來是個超級循規蹈矩的人。我甚至搞不懂你們這群人怎麼會認識他。

高個子看著他。循規蹈矩？你一定是在開玩笑吧。

他還幹過什麼其他事？

什麼其他事？天。那傢伙可是高級主教等級的渣男兼司法體制的買辦。他是個偷看信慣犯[33]還會用葛裡炸藥，在數學方面是柏拉圖學派信徒而且會猥褻**家禽**。主要是那種多明尼克品種的雞。如果不怎麼修飾地說，就是個**幹家禽者**。

約翰？

怎樣？

你剛剛說的是你自己。

我？完全不是。根本胡說八道。或許是幹過一隻歐絨鴨啦。就一次。

歐絨鴨？

大家會叫林鴛鴦。學名是**somateria mollissima**，我記得。

老天。

---

31 埃米爾．蕭沆（Emil Mihai Cioran, 1911-1995），羅馬尼亞旅法哲學家，虛無主義思想家。

32 柏拉圖（Plato），古希臘哲學家。

33 特殊用法名詞：**mailcandler**。

跟那些必須歸咎於你有興趣的這男人的大事相比這確實只是輕罪。他的夢中都是鳥禽的抱怨。包含雞棚中的躁動，包含口角。然後是**拍打翅膀**，然後是尖叫。明明是讓人退避三舍的事啊。但對他來說卻只是每日例行公事。去拿洗好的衣服、打電話給母親，然後偶爾幹一些家禽。我很驚訝這世上還有像你這樣的女人會輕易上當。

他沉思地吸著雪茄幾乎是悲傷地搖搖頭。不過我想如果這代表可以在最後一刻從屠夫的去骨刀下搶下一條命牠們可能也願意忍受這種羞辱。當然還有一個問題會出現也就是這種事發生後到底吃牠們還合不合適。如果我沒搞錯的話伊斯蘭律法對這點倒是規定得很清楚：這樣做確實不對。可是你的鄰居倒是可以吃。當然前提是他還有吃的心情。西方教會的話我想是對這個議題保持沉默。

你不可能是認真的吧。

再誠懇不過了。

碧安卡微笑。她小口啜飲著酒。再給我點情報吧，她說。

當然。

是諾克斯維爾生產瘋子？還是這地方會吸引瘋子？

有趣的問題。就像先天後天之爭。其實他們當中比較失常的都是從鄰近的偏遠地區來的。不過還是個好問題。我確認過後再回覆你。

哎呀在我看來他人很好。

他人是很好。我真的很喜歡他。

可是他愛著他的妹妹。

對。他愛著他的妹妹。但當然這還不是最糟的。

碧安卡露出她那種古怪的微笑，舔舔上唇。好。他愛著他的妹妹，而且……？

他愛著他的妹妹，而且他妹妹死了。

——

他一直睡到傍晚才起床沖澡然後換好衣服出門。他沿著聖菲利浦街走向七海酒吧。有台救護車引擎沒關停在街上而且人行道旁還有兩台警車。周遭站了一些人。

發生什麼事？威斯特恩說。

有個傢伙掛了。

發生什麼事？吉米？

是歪哥。他幹掉自己了。他們正把他搬下來。

何時？昨晚？

不知。我們已經一、兩天沒見到他了。

哈洛德．哈本哲正越過吉米的肩膀看過去。我們沒見到他是因為他死了。那就是他沒出現的原因。

兩名醫護人員正把輪床推出來。他們在經過門檻時抬起輪子把歪哥推到街上。然後用一條救難隊的灰毯子把他蓋起來。

還真是來去匆匆啊，哈洛德說。

他就在那條毯子底下，吉米說。千真萬確。

我們有聞到瓦斯味。今早味道真的很濃。

他把所有門窗都貼起來。

他把襪子塞在門底下的縫。你可以在走廊看到凸出來的襪子。就是這些襪子露出了馬腳。

你沒想過該確認一下他的狀況嗎？

去他的。尊重彼此選擇啦，我是這樣想。

他要走囉，哈洛德說。

他們把輪床推進救護車後方關上門。威斯特恩看著他們開走。他走進酒吧時有個市警局的警探正在跟喬西說話。

他是那種安靜的人嗎？

安靜？見鬼的不，他一點也不安靜。

常惹麻煩嗎？

喬西吸了一口香菸。她想過這件事。聽著，她說。我不是那種會說死者壞話的人。你不知道誰在附近也不知道有誰在聽。你懂嗎？你經營一個像這樣的地方就是會常遇到一些需要特別體諒的人。整晚喝得大醉或大吼大叫之類的。還有一些其他事我寧可不細聊。我只能說他之前沒幹過這種事。

警探在他的本子裡寫下一些筆記。你知道他有任何親屬嗎？

我不知道。他們似乎總是有個姊妹在哪裡之類的。

威斯特恩從珍恩手上拿到一瓶啤酒走到酒吧後方。紅仔和油老大走進來買了啤酒後走過來。是老歪哥啊，油老大說。

實在不覺得他是會幹出這種事的人。

人都是會騙人的。

威斯特恩點點頭。可不是嗎。你有告訴紅仔我們今早幹的小差事嗎？

有啊。

我在想或許這件事我們自己知道就好。

或許不是個壞主意。
你呢？鮑比？你覺得那架飛機在海底多久了？
我不知道。有一陣子了吧。至少有幾天了。
誰會負責打撈工作？
油老大搖搖頭。不是我們。
你說的「我們」是指泰勒底下的人手。
對啊。盧說他們會讓快遞送支票來。
「他們」是誰？
不知。
支票上一定得有人簽名。
那不是支票。是匯票。
你覺得這到底是怎麼回事？
油老大搖搖頭。
飛機上怎麼可能會有人？
誰知道。
哎呀那個數據盒總會在某人手上。駕駛不可能直接把那東西丟到窗外。
我沒有看法。我不想對這件事有任何看法。
威斯特恩點點頭。反正都沒差。這件事還沒完。
為什麼？
你不覺得之後還會有人來問我們這件事嗎？

我不知道。

你一定有想過吧。自己好好想想。

他走出酒吧前往後方露臺上的男生廁所。等他回來時紅仔已經離開而油老大坐在其中一張小桌子邊。

他是要急著趕去哪裡?

油老大把椅子往後踢。給我坐下。他有約會。

他有約會?

那傢伙是這麼說的。

約會。

對啊。我問他是不是要去接他之前勾搭上的賤貨去找個停車場給她吹屌之類的。你知道他說什麼嗎?

不知道。什麼?

他說對啦。是約會。

威斯特恩拿起油老大從吧檯拿過來的啤酒。他搖搖頭。老天。

就是啊。

我問你件事。

問吧。

你們那些傢伙常會討論「南」的事。對外人來說應該是「越南」啦。可是我只要在場你們就不說了。

就像大家在你走進一個房間時停止說話。

我猜你很常遇到這種事。

我是認真的。

但就是這樣啊。如果你沒去過就是沒去過。但又不代表你是個壞人。

紅仔有一次跟我說你贏到很多勳章。

贏嗎。

用字錯誤啦。

我**不**知道誰去南有可能贏到任何東西。除了最後用來裝你屍體的那具木盒子。

你為什麼會拿到那些勳章？

因為我蠢。

我想知道。

就是因為我蠢。

拜託啦。

有什麼意義呢？鮑比。

你是直升機上的槍手。

對啦。**艙門槍手**。在一架砲艇直升機上。**不**可能有比這更愚蠢的事了。聽著，威斯特恩。想要這些故事你其實可以自己編。反正不會相差太遠。

我懷疑。

你連該怎麼問問題都**不**知道。

你這一生中最重大的遭遇是什麼？

我這一生。

對啊。

好。就是南。所以呢？

所以那個最重大的遭遇**沒**有發生在我身上。

老天爺啊。

跟我說點什麼都好。就隨便說說。試著假裝我不只是個蠢貨。

我不希望我還得解釋一堆。

你不需要。我會自己猜。

好吧。管他去死。我們嘗試要去某個ＬＺ[34]接幾個人所以拿了火箭炮下去我還射殺了一群東方佬可是最後唯一逃出來的只有我。好吧，我還有把另一個人帶出來但反正他最後還是死了。我來回跑了好幾趟。但就這樣。其他人都還在那裡。現在只剩一堆散落在三層樹冠叢林裡的白骨。我天殺的確定他們沒獲得任何勳章。還想知道什麼？

我猜我只是想知道我錯過了什麼。

你什麼鬼都沒錯過。

你知道我的意思。

有什麼意義呢？鮑比？你是我們當中的聰明人，而我不是。我去了兩趟。其中一趟花了十三個月為海軍陸戰隊工作。那就是你在十八、十九歲還蠢笨如牛時會幹出來的事。

他拿起啤酒喝然後往後靠向椅背用大拇指摳瓶子上的標籤。他看著威斯特恩。

繼續說啊。

去死吧你，威斯特恩。

你受過幾次傷？

什麼都可以讓你該死的受傷。我被槍打中過五次。算笨了吧？你難道不覺得兩、三次就夠多了嗎？到這種時候也該明白戰爭大概不太適合你才對。有些人就是直接放棄打仗。你之後再也沒聽過這些人的消息。我不知道他們當中有多少人活下來。有些傢伙經由寮國走到泰國。我知道有個傢伙走到德國。

走到德國？

對啊。我有個兄弟收到一封他寫來的信。他還在那裡。至少就我所知是如此。

好像當我還不夠笨一樣。

好啦。好吧。他們在那個三不管地帶設立了一座雷達控制砲我們卻像是在這世間天殺的無憂無慮地往那裡前進。第一輪攻擊從砲艇直升機前方穿入後在駕駛胸口爆炸。第二輪摧毀了直升機的主要迴旋翼。突然之間一切都非常安靜。只剩一些刺耳的噪音。引擎已經停止運轉。我記得在我們往下墜時心想好吧你早就知道這種鳥事遲早要發生的而且就是現在你什麼都不需要再擔心。然後我意識到我們正面臨來自山丘側邊的攻擊於是望向另一邊的威廉姆森發現他綁在安全帶後方的身體鬆鬆地垂著大概就是那時候有枚RPG[35]從直升機的尾巴穿入打掉機尾搞得我身上插滿金屬碎片我開始靠著一百發的彈帶發射一把彈帶給彈的M60機槍可是我們不停在搖晃所以我有一半的時間都只是在對著蔚藍的天空開槍。我終於還是放棄了因為槍管已經開始發紅我知道快要卡彈了此時我們已經像顆天殺的石頭一樣直直往下墜。副駕駛還活著我望向他拿出他的隨身小武器開始裝填彈藥。然後我們掉在一片樹冠上。

就是叢林的樹冠上。

對啊。我們摔得很慘可是沒事。我們因為所有這些鳥事幾乎要解體，但最後在離地大概八英尺處停了下來。我爬起來走到駕駛艙問中尉有沒有辦法走路，他說他該死的確定要試試看並要我把他搞出去。所以我按鈕把他的安全帶鬆開把他拖到門口再用力把他的身體滾出去。他立刻消失在草堆裡，我拿了我的彈藥背心和武器下去找他。四周詭異的安靜。等我找到中尉時他還握著那把點四五口徑手槍看起來很生氣但我

34 Landing Zone，降落區。

35 火箭推進榴彈（Rocket-propelled grenade, RPG）。

想那大概算好事。他身上有很多血可是我想應該大部分是上尉的血然後我把他扶起來一起在叢林中蹣跚前進。我們就這樣走了三天最後終於在一個LZ被另一架直升機接走。純粹是傻人有傻福。到處都是東方佬但我們一槍也沒開。我們被「休伊」[36]接走回到基地他們把中尉放上擔架再蓋上毛毯。他是個膽子很大的傢伙。年紀大概比我小。或者差不多吧，之類的。我知道他一直很痛。他看著我說：你真是個很好的渾蛋。他後來被輪調回美國，我再也沒見過他。

你沒受傷。

他們挑出RPG從直升機尾巴穿入時插到我身上的很多金屬碎片。我當時已經三天沒吃飯但連餓的感覺也沒有。我只想睡覺。大概一週後我開始放假休息，三週後我又綁著安全帶和武器坐在AC-130空中砲艇裡準備好再死一次。

你殺了很多人嗎？

老天。

威斯特恩等他回答。油老大搖搖頭。你去打仗但其實根本沒在生誰的氣。你只是努力想讓自己活得夠久並學會繼續活下去的方法。直到你看到幾個夥伴毫無意義地失去生命後才開始真的想硬起來對付那些狗娘養的。我第二次申請上戰場就是想報復。就只是那樣。沒有任何其他複雜的理由。哎呀，那其實也不是唯一的理由，我猜。

其他理由是什麼？

你開始有點上癮。這不是大家想聽到的話。可惜啊。我覺得我們單位基本上就是一些娘砲但後來來了一位新軍官。他叫溫德蓋特。是位中校。他開始施行雷厲風行的鐵腕政策。第一天就開始。大家都知道這場戰爭是狗屎。到了六八年底時整件事更是已經爛到茅坑裡。一開始大家只會在後勤部隊用藥可是那時候幾乎到哪裡都有人在用。人們開始射殺平民。如果你有了新排長就得決定要不要為了救自己的小狗命把手榴彈塞進他的屁眼裡。真正的問題在於你的軍階不可能提升。那些狗雜種給彼此掛勳章但理由是一些根本無法在現場地圖上找到的交戰。我回到總部後他們花了幾天重新分派我的任務。真是一團亂。他們總是不明白我們只想跟好兄弟待在一起。你不想一直被調來調去。真是一群蠢到像屎的傢伙。當時我已經升到E-6[37]了所以他們不能叫我去擦地。可是上校以前會叫我去跑腿。然後有一天我聽見他在講電話對方是個正在出任務的陸軍上校他跟那傢伙說他什麼見鬼的都不在乎。他說讓我跟你直說吧，上校。我是來這裡殺人的。如果我殺不了人就會成為一個讓人難以忍受的渾球。如果你不是來這裡殺人的那你得讓我知道。因為我不想為你賣命。然後他就把電話掛了。於是我知道他跟我是同一種人。他就是個好戰的渾球。我是來讓人痛苦地死去的這就是我在此的唯一理由。這種事你也不會喜歡聽的。我殺了很多人嗎？我被問過這個問題幾次。可是之前問的都不是男人。我跟一個之前約會的女生說沒錯我殺了一大堆東方佬可是一個也沒吃。所以怎麼樣？聽夠這些狗屎爛事了嗎？

繼續說。

我以前每天下午都會去臨時治療室。那些病房完全讓人摸不著頭腦。總之就只是個用夾板搭的大空間裡面放滿一堆鋸木架。沒有床。擔架抬進來後放在鋸木架上。就這樣。我有幾次見過這種病房塞滿人。就好像南北內戰那時候的感覺。有個護士跟我說你以為那些踩到地雷的人的腳會被炸爛後流血至死可是爆炸其實會幫斷肢傷口燒灼止血。還真方便，不是嗎？我躺在一張桌子上身上只有一條毛巾然後她們幫我把身上的鋁片挑出來。又或者是鋼片吧。那個女孩長得該死的好看我知道她不介意看見我常去那裡晃晃。我可是個健壯迷人的渾蛋。可是她是個軍官我知道這段關係不會有結果。有一次我問她有沒有考慮過用受薪職

36 休伊（Huey）是UH-1直升機。

37 上士。

稱以外的名字叫我她幾乎要微笑了但最後沒有。

她怎麼說？

她什麼也沒說。我這種人她見過太多了數也數不清。

會痛嗎？

有人用鑷子把一片片金屬從我的屁股裡拔出來的時候嗎？

對。

威斯特恩微笑。

哎呀。應該要讓你見見她才對。我得說那感覺真是對極了。

總之我大多時候都在猛睡。每天凌晨三點會有直升機飛來發出各種心戰聲響，那架直升機會像船一樣在遠方的黑暗中緩緩開過去並播放著寶寶的哭聲。一次又一次。他們知道我們不會為了這架直升機派任何人過去。畢竟如果把直升機打下來大概也只會掉到我們自己頭上。過一陣子後我有點愛上這種聲音。就算聽到也會立刻重新沉入夢鄉。

他望向吧檯舉起兩根手指幾分鐘後寶拉又拿了兩瓶啤酒過來。油老大舉起他的啤酒對著光仔細檢視。我可以把這些鳥事告訴你。但不會有任何意義。我甚至不確定這些事對我有什麼意義。一旦我開始思考我不想知道的事那些事就會變成我確實知道的事。然後就永遠不能回頭。真是去他的糟糕。你身邊的某具屍體承受了一輪槍火聲音聽起來就像打中泥巴。哎呀。就是這樣。你本來可以一輩子都不要知道這種事。但你知道了。你知道每天自己都處於一個你根本不該出現的地方。但你這個小傻子就是在這裡。

有錢人家的男孩上大學而窮人家的男孩上戰場。

好吧，哎呀。我沒那樣想過。

告訴我你對一堆東方佬開槍的故事。

我對一對東方佬開了槍。

你那次是遇到另一台直升機墜毀。

我沒搭過沒墜毀的直升機。

真的嗎？

對啊。是真的。這次我們被叫去一個LZ，有一架休伊要過來時遭到擊落。那裡有四個計畫要被那台直升機接走的傢伙。Lurps[38]。你不會想到他們竟會把自己陷入這種天殺的困境中。他們當中有兩個人踩到尖竹釘樁。看來我們辨識陷阱的能力沒比休伊好多少。哎呀，不過後來證明我們的辨識能力還是比休伊好一點因為那台休伊往上攀升後搖搖晃晃地掉入叢林墜毀起火。那些傢伙我們之後都沒再見過了。我們後來才知道原本有另一架「小直」從我們後方接近可是看見這一團混亂後直接爬升離開。真是群聰明的傢伙。為了把我們的人帶上直升機我們還得考量重量扔掉一堆燃油我還一直想萬一發生了什麼危險該怎麼辦？總之，我們的機尾先是打到樹頂然後整架直升機往前翻倒在地面。迴旋翼把一切打爛。另一個艙門槍手我們叫他瓦薩奇他在我跳出機外時還一直在開槍然後直升機往一邊傾斜於是其中一枚熱燙彈殼往下掉到我飛行裝的背部真是有夠混帳痛死人。接下來就是在叢林裡待了四天好幾次都必須邊跑邊跟敵軍交火等脫離險境時我身邊只剩下一個人而且他還死在離開的直升機上。你為此拿到一枚該死的勳章？饒了我吧。就是這樣，鮑比，我受夠了。

你最害怕的是什麼？

我無時無刻都在害怕。

最害怕的呢？

---

38 長巡隊員（Lurps），長程偵察巡邏隊（LRRP）。

最讓我覺得毫無意義的感受就是被非常可怕的東西擊中的時候。在空中的話就是那些SAM。你只要被打中一次就只能寄望自己死而復生了。

你有被擊中過嗎？SAM是導彈，對吧？

對啊。這些地對空導彈來的時候都是一對。機長會猛力把直升機轉開然後我們會該死地往下掉到幾乎砸入樹冠的高度。就這樣。

還有呢。

老天。

還有呢。

我們有一台106無後座力砲在我們的總部基地。我們心想大概是在兩英里外。所以遭受第一輪攻擊後我們就開始跑。最後成功撤退。就連那些FNG[39]都知道那天殺的東西有多厲害。就這樣。

你有後悔過什麼嗎？可以問這個嗎？

後悔。

對。

全部都後悔。

談談其中的一些吧。

好吧。那些大象。

大象？

對啦。那些天殺的大象。

我不明白。

我們搭機離開廣南省時在空地上看見這些大象其中的公象退後舉起鼻子挑釁我們。你想像一下。牠們膽子還真大。牠們根本**不**知道我們是什麼。可是牠們要照顧家族裡的太太和孩子。而我們搭著這台搭載著二點七五英寸火箭彈的武裝直升機。這種火箭彈**不**能太近距離發射因為需要發射一段距離才能完成準備。就是要等彈頭就定位。準確度甚至還**不**是很高。有時尾翼還不會正確張開於是會像**該死**的氣球一樣不停搖晃墜落。這些火箭彈有可能射到任何地方。所以我們當時大概就想管他去死吧。反正也不一定會打中啊。可是我們一發也沒失準。火箭彈把牠們炸爛。牠們全部爆炸。我一直在想這件事，老兄。牠們什麼都**沒**做。可是牠們又能去找誰討一個公道呢？這就是我一直在想的事。這就是我後悔的事。好嗎？

他不知道這麼快就有人來找他了。他穿越法國區經過傑克遜廣場和舊市政廳。城市夜晚的空氣中有濃重的苔蘚和地窖氣味。有著冰冷**頭骨色**的月亮在屋頂石板上方一束束的雲朵後方推進。也在**屋頂磁磚**與煙囪管帽的上方推進。河上傳來一艘船的氣笛聲。**街燈**聳立在一球球光霧中，陰暗的建築物感覺像是不停冒出汗水。有時這座城市看起來比尼尼微[40]還古老。他越過馬路往北經過鐵匠鋪酒吧。他打開鐵柵門走上露臺。

有兩個男人站在他家門外。他停住腳步。如果他們有辦法打開外面的鐵柵門那打開他的公寓大門也不是問題。然後他意識到他們已經進過他的公寓了。

威斯特恩先生？

39　FNG是該死的新人（fucking new guy）的縮寫。

40　尼尼微（Nineveh）從西元前十一世紀起是新亞述帝國的首都，位於底格里斯河東岸。

是。

我想知道我們能否跟你談談。

你們是誰？

他們把手伸進大衣口袋掏出裝著識別證的皮製折疊扣袋然後又收回去。說不定我們可以進屋聊聊。

翻過鐵柵門吧。逃跑吧。

威斯特恩先生？

沒問題。好的。

他把鑰匙插進鎖頭後轉動鎖鈕推開門打開燈。這間公寓是個附有小廚房和衛浴的套房。床本來可以摺疊起來靠在牆上可是他一直沒收。房內有一張沙發、一條橘色地毯和堆滿書的**咖啡桌**。他拉著門讓他們進來。

你們**沒**讓我的貓跑出去吧？

先生？

進來吧。

他們帶著一種精心表現的敬意走進房內。他關上門後跪在地上往床底下看。貓正蹲在牆邊。牠發出輕柔的哀叫聲。

你再撐一下，比利．雷。我們等一下就吃飯。

他站起身指向沙發。坐吧，他說。

我得說你看到我們時似乎**沒**有很驚訝。

我該驚訝嗎？

這只是我的觀察。

當然。要喝點茶嗎？

不需要謝了。

請坐。我先用水壺燒水。

他走進廚房打開瓦斯爐用水龍頭把水壺裝滿後放到爐火上。等他回來時他們已經坐在沙發的兩端。他坐在床上脫下鞋子把鞋子丟在床邊把雙腿抬到床上跪坐然後看著他們。

請問。

威斯特恩先生我們想問你今早的潛水工作。

就幾個問題而已。

沒問題。

另一個男人傾身往前靠把雙手放在**咖啡桌**邊上下交疊。他用上面那隻手輕拍下面那隻手幾下後抬眼望向他。其實我們沒有很多問題。只有一個**挺有分量**的問題。

好的。

似乎有一個乘客不見了。

一個乘客。

對。

不見。

對。

他們看著他。他完全不知道他們想要什麼。你們有任何身分證件嗎？他說。

我們剛剛給你看過證件了。

說不定我能再看一次。

他們彼此對望然後掏出識別證朝他遞過去。

想要的話可以記下我們的證件號碼。

沒關係。

你可以記下來。我們不介意。

我**不**需要記下來。

他們**不**確定他是什麼意思。他們把識別證的扣袋甩折起來收好。

威斯特恩先生？

是的。

飛機上有幾位乘客？

七位。

七位。

對。

你是說駕駛和副駕駛另外計算。

對。

總共九具屍體。

對。

嗯顯然本來應該要有八位乘客。

看來有人沒搭上飛機。

我們**不**這麼認為。名單上有八位乘客。

什麼名單？

這架班機的名單。

為什麼會有名單？

為什麼不會有？

那是一架私人飛機。

那是一架包機。

如果是包機應該會有空服員。

他們彼此對望了一下。

為什麼呢？**威斯特恩先生**？

FAA[41]規章規定所有搭載七位乘客以上的商業班機上都需要有空服員。

可是飛機上**沒**有超過七位乘客。

你剛剛說有八位。

他們坐在沙發上看著他。原本把雙手放在桌上的那位把身體往後靠。你怎麼會剛好知道這種事？他說。

你說空服員的事？

對。

我**不**知道。就是在某個地方讀到的。

你讀到什麼都會記住嗎？

算是吧。不好意思。讓我去拿一下茶。

41　FAA，美國聯邦航空總署。

他走進廚房低頭望向茶葉罐把一匙碎茶葉舀入半公升的實驗室量杯後倒入熱水重新把水壺放回爐子上關掉火又回來在床上坐下。他們看起來完全沒移動過。剛剛開口說話的那位點點頭。好吧，他說。或許乘客名單不是個正確說法。我們是從包機的企業那邊拿到乘客名單。

你們或許是有張名單。但我不認為跟什麼企業有關。

為什麼這樣說？

我不認為那是一架企業包機。

你似乎對這架班機有很多自己的看法。

也不是。我對這架班機的疑問可多了。就跟你們一樣。

想跟我們分享一下嗎？

又或許我只有一個挺有分量的問題。

問吧。

我可以再看一次你們的識別證嗎？

什麼？

只是跟你們鬧著玩的啦。抱歉。

好吧。

我們認為那架飛機已經在水底下一陣子。我們也不認為是某個漁夫發現的。因為在海面上根本看不見。我們覺得或許有人在我們之前進入過那架飛機總之不是完全沒有這個可能。

你說其他潛水員。

就是其他人。

哎呀必須得是潛水員才行，不是嗎？

是嗎？

你覺得有人在你們之前進入飛機。

我們是這麼想的。

在你和你的夥伴進去之前。

對。

當然如果你們從飛機上拿了東西宣稱之前有人進去過就合理了。

你認識多少打撈潛水員？

他們看了彼此一眼。

為什麼這樣問？

只是好奇。我們從來**不**會拿飛機上的東西。

說不定你可以跟我們分享一下你們抵達現場時的發現？

當然。飛機就坐落在大約水底四十英尺深的地方。看起來幾乎完好無缺。我們用潛水燈往裡面照的時候可以看見乘客坐在座位上。我們只有一個補給員他又算是個菜鳥所以我回到水面讓油老大自己想辦法進入飛機。

他怎麼進入飛機？

他用火槍把門閂切開。

機艙完好無缺？

對。

沒有因為撞擊出現缺口。

我們**沒**看到什麼受撞擊的跡象。飛機就坐落在海灣底部。看起來甚至**沒**有任何不對勁。

沒有任何不對勁。

至少我們看不出來。除了飛機在海底這件事之外。

你有在夥伴進入飛機後再次下潛嗎？

有。我們**沒**有在飛機裡待很久。我們是被要求下去尋找生還者。但**沒**有。

有任何人就此事件聯繫過你嗎？

沒有。你們確定不喝點茶嗎？

我們確定。

那是你們的規定嗎？

什麼是我們的規定？

沒事。我馬上回來。

他走進廚房拿出一個冰塊盒在一個綠色的大玻璃杯裡裝滿冰塊再把茶透過一個濾鍋倒進去。然後他站在那裡盯著濾鍋裡的茶葉。你們到底是誰？他說。他回去坐在床上，喝了一口冰茶，等待。

你們有打撈過飛機嗎？

有。一次。

在哪裡？

在南卡羅萊納的海裡。

飛機裡有屍體嗎？

沒有。我想飛機上應該原本有四、五個人可是機身斷了。幾天後他們找到兩具被沖到岸上的屍體。我想他們應該**沒**找到其他人。

你開飛機嗎？**威斯特恩先生**？

不開。不再開了。

那是什麼時候的事？我是說南卡羅萊納那件事。

兩年前。

你對捷星航空的飛機熟悉嗎？

不熟。那是我見過的第一台。

不錯的飛機。

很不錯的飛機。

你們有打開行李艙嗎？

為什麼我們要打開行李艙？

我不知道。你們有嗎？

沒有。

你知道什麼是傑普盒[42]嗎？

知道。不在我們手上。

可是那東西不見了。

確實不見了。沒錯。跟黑盒子一樣不見了。就是數據盒。

你不覺得應該提起這件事嗎？

我認為沒必要提起你們早就知道的事。你們為什麼不直接說你們在意的是什麼？你們認為發生了什麼事？你們知道什麼？

42 傑普盒（Jepp case）指的應該是傑普遜公司（Jeppesen）的某種飛航儀器數據盒。

我們沒有獲得授權談這些。

預料之內。

但你們**沒**拿走飛機裡的任何東西。

沒有。我們向來**不**會帶走東西。油老大說我們該離開水裡所以我們就這麼做了。水裡都是死屍。我們**不**知道他們死了多久也不知道死因。我們**沒**有帶走傑普盒。我們**沒**有帶走數據盒。我們**沒**有帶走行李。而且我們該死的確定**沒**有帶走屍體。

你們關係很好嗎？**威斯特恩先生**？

對。

你有任何想告訴我們的事嗎？

我們是打撈潛水員。我們只做別人付錢要我們做的事。但反正我確定你們比我更了解。

好吧。謝謝你撥空跟我們談話。

他們同時從沙發上站起來。像是兩隻飛離電線的鳥。威斯特恩慢慢從床上站起來。

說不定我真該再看一次你們的識別證。

你有一種很特殊的幽默感，**威斯特恩先生**。

我知道。很常有人這樣說。

他在他們離開後關上門跪到地板上往床底伸出手然後跟貓說話說到終於抓到牠為止。他把貓抱在臂彎裡一邊撫摸一邊起身。那是一隻露出牙齒的濃黑色公貓，尾巴不停往兩邊甩動。他向來對貓很友善貓也都對他很好。你的飯飯在哪裡呢？他說。你的飯飯呢？他把貓抱到門邊站在門口。空氣又涼又濕。他站在那裡一邊撫摸貓一邊聆聽著一片寂靜。他在穿著襪子的腳底下可以感覺到遠方的打樁機發出悶悶的敲擊聲。那緩慢的節奏。那其中的節制。

二

她說她是在十二歲開始有幻覺。就是從開始有月經之後，她說，根據資料是這麼記載。她看著他們在板子上寫筆記。現實似乎不太是他們關注的主題他們會聆聽她的說法後繼續自己的工作。尋求「現實」定義一事早已遭到無從遏止的埋葬並受制於那個試圖尋求的定義本身。又或是世界的「現實」無法成為世界中的眾多範疇之一。無論如何她從未把他們稱為幻覺。她也從未見過一個醫生對他們出現次數所代表的意義有絲毫概念。

那是發生在她奶奶位於田納西的房子屋簷底下的事當時是一九六三年的初冬。她在寒冷的日子一大早起床發現他們就聚在她的床腳。她不知道他們已經在那裡多久了也不知道這個問題本身有沒有意義。小子坐在她的書桌前翻看她的文件並在一個小小的黑色本子中寫筆記。他發現她醒來後把筆記本收進衣服內的某處後轉過身來。好啊，他說。看來她醒了。唷嘿。他起身把兩片鰭放在背後開始來回踱步。

你翻我的文件做什麼？你在那本小本子裡寫什麼？

一次一個問題，公主。我們慢慢來解決。這本子嘛：所謂《時刻之書、過往之書》[43]。好嗎？我們有很多事要處理所以得開始了。可能會有關於「感質」的小考所以你要好好注意。是非題除外，只要答錯四次我們就無法通過啦。多選題也不能多選。每選一個就得換下一題。

43《時刻之書、過往之書》的原文是「Book of Hours, Book of Yores」，同時也代表「Books of Ours, Book of Yours」，就是同時屬於我們和你的書。

他轉過來盯著她看然後繼續踱步。他完全沒關注其他的實體。一對打扮有搭配的侏儒身穿小件西裝打上紫色領結以及洪堡捲邊帽。一個老氣女士臉上有粉餅妝容還抹上胭紅。那身黑色薄紗的骨董洋裝在喉頭及袖口處有變得灰白的蕾絲。她在脖子一帶圍著一條由許多死鼬拼接成的披肩那些死鼬扁得就像遭到路殺牠們的雙眼像黑色玻璃珠鼻子像華麗錦緞。她將一把鑲滿珠寶的帶柄望遠鏡舉到眼睛前方後從那片破舊薄紗後方窺看那女孩。她的後方還有其他身影。房間遠方角落有鍊子的碰撞聲一對分類單元不明的被拴住動物起身繞了個圈後再次趴下。輕微的窸窣聲傳來咳嗽聲傳來。就像在光線調暗的戲院中。她把被子拉到下巴下方。你是誰？她說。

好，小子說，他停下來用一隻鰭做出鼓勵的手勢。我們之後就會進行到核心問題所以沒有需要在這個節骨眼針對這個問題不開心。好啦。有其他問題嗎？

左邊那位侏儒舉起一隻手。

不是問你，**蠢豬**。老天。你是想害我消化不良嗎？好啦。如果沒有更多問題我們就要開演啦。我可是安排了一些很棒的表演呢。如果有些演出就你個人品味而言太刺激就請你寫在紙上對半折後貼到太陽曬不到的地方啊就是叫你閉嘴啊。好啦。

他拖著腳步走過去再次坐回她的椅子上。他們等待著。

請問一下，她說。

提問環節已經結束潔蒂所以沒有提問環節了。好嗎？他從身上不知哪裡挖出一隻大錶後按下按鈕。錶蓋彈開幾小節樂音微弱響起又停止。他蓋上錶蓋收起來。他將兩隻鰭交疊一隻腳在坐著時不停輕拍地面。老天真是煩死，他喃喃地說。這裡的場面現在就像拔牙一樣難搞。他把一隻鰭舉到嘴邊。各就各位，他大喊。

衣櫃門猛地打開一個矮小的聖靈充滿者戴著彩格布帽子和二手馬褲拍手跳進房內。他跳上雪松木箱。

她的臉上塗了一個微笑腰部掛著一些金屬鍋具跳起一支噹啷噹啷的舞並一手抓住一支平底鍋的鍋柄高舉起來。

老天，小子說，他站起身走向前。神的流血痔瘡啊[44]。不不不不不。真是老天爺啊。你天殺的以為你在幹什麼？你不能跑來這裡逼我們接受這種垃圾。我們要的是直接了當的表演結果跑來的卻是個大腦沒有額葉的焊鍋匠？真是我的老天。出去。出去。天啊。好吧。下一個是誰？耶穌基督啊。只是做點才藝表演你們是有必要這麼誇張嗎？難道是要你們天殺的上月球嗎？

他站起來翻閱他的筆記本。我們這裡有啥表演？潘趣與茱蒂木偶戲？褲裡塞雪貂忍耐人？帶有性暗示的動物演出？哎呀，管他去死。都來吧。

請問一下，她說。

這下又怎麼了？

你是誰？

小子抬起眉毛望向其他人。你們懂這意思吧，各位？挺諷刺的吧。好啦，都聽好啦。你們常會遇到的基本上就是這種狀況所以如果你們還呆站在那裡等待有人表示出絲毫感激那還不如想辦法讓自己好過一點。好嗎？好啦。我們這裡有啥表演？好啦，這很棒。我們都認識這傢伙。來吧。

一個身穿縮水西裝髒汙白襯衫還搭配綠色領帶的矮小男人左右扭著脖子從衣櫃裡拖著腳步走出來後用音調呆板的聲音開始朗誦：你加總你所有的經典鐘錶裝置。海網中的那些小時間。讓一切流乾。你或許得把與常壓性水腦症有關的一切掛在上方撐住屋頂的椽上但沒關係。別擔心地板的事。一切都會乾掉。我們真正在談論的是靈魂的處境。

---

44 這裡的原文「God's bleeding piles.」應該是「God's bloody hell.」這句感嘆句的諧音改寫。

靈魂的飽和，不是處境[45]，小子說。

靈魂的飽和。木頭已經老舊而且有點乾或許還有一些吱吱嘎嘎的聲音。有點輕微的木屑飄飛是正常的。**別**不快。

不安，不是不快[46]。

別不安。努力別激動。聰明人一點就通。一鳥在手[47]。

一鳥在手？

及時一針事半功倍。我們尚未脫離險境。

什麼鬼。哪裡有寫這些？

這是省小錢揮霍大錢。誠實是最好的政策。

老天。夠了吧。他從哪裡搞來這些垃圾話？誰能把這頭昏腦脹的傢伙趕出去？鉤子在哪？

請問一下。

他看著在床上的女孩。她真的為了發言舉起手。怎樣啊？老天。

我想知道你們在這裡做什麼。

小子往上翻了個白眼。他看著其他一個個存在的實體搖搖頭。他轉頭望向女孩。聽著，親。說到底都跟結構有關。這裡有些東西實在不太充沛，我想就算是你也可能同意。可是除非你提振起心情不然沒辦法處理。把所有傢伙集合起來。彼此禮讓一下。好嗎？我們要嘗試建立基準線。不然一切會瓦解。你必須做出最好的判斷。利用手邊的素材。這裡有一些令人不快的情事。像是什麼？命案現場的粉筆線？那還倒簡單。不怎麼需要處理。可是你一直透過門底下的縫偷看，托比，我們只是對此沒有檔案紀錄。所以如果你時不時有個印象是我們似乎常隨興地出現在此那也就這樣吧。首先是要找出敘事線。不需要像是要上法院一樣無懈可擊。開始把你的一個個片段拼貼起來。包括你的那些小軼事。最後你就會搞懂。只要記得沒有線條的地方就沒有輪廓。試著保持專注。沒有人要你簽任何文件，好嗎？而且反正你也不是有多少退路。

他轉向其他傢伙用一隻鰭從肩膀上方往後比了比她。我們這隻小奶鳥想像她在外面有朋友可以幫忙抵禦各種險惡不過她很快就會認清現實。好啦。我們來看一下。看看我們還能有什麼表演。

他確認了一遍後再次在椅子上坐下。我們準備好了，他大喊。然後他們等待。隨時開始喔，小子說。天啊。我們還需要什麼才能開始？一個天殺的大聲公嗎？各就各位。

進來的是兩個把臉塗黑而且穿著連身衣戴著稻草帽的搞笑藝人身上穿著巨大的黃色鞋子翩翩出現。另外還帶著兩把凳子和一把斑鳩琴。那些凳子上塗著紅、白和藍色的條紋以及一些金色星星。這兩位搞笑藝人脫帽後把凳子放在房間的兩邊坐下。負責主持的對談人出現在他們身後。他的高帽和燕尾服因為道路奔波而髒兮兮的。他甩了一下手杖後微笑鞠躬。坐在椅子上的小子往後靠一臉滿意地環顧四周。好的，他說。這樣像話多了。

骨頭先生啊，對談人喊。我們今晚的節目內容有什麼呢？

哎呀呀**對談人先生**呀我們要為安小姐表演月經舞呀。我們打算跳德隆索[48]曳步舞我們會跳被象鼻蟲蛀的麥子直到所有家貓都躲到穀倉。我們還有安排一些**踢踏舞**舞作所以誰都**別**給我提早離開呀。你們一定都會看見一些真正了不起的貼地舞步。然後我們會來一些機智問答安小姐可以錄下來之後重播或是在離家的孤獨夜晚聆聽呀。可不是嗎安小姐？

---

45 （吸滿水的）飽和的原文 saturation 被講成處境的原文 situation。

46 不安的原文 anxious 被講成（令人）不快的原文 noxious。

47 這句的完整諺語是「兩鳥在林不如一鳥在手」（A bird in the hand is worth two in the bush）。

48 德隆索（drylongso）這個詞是一個非裔美國人在南方使用的詞彙，字面意思是「平凡」。

小子往後靠向椅背，把一隻鰭放在嘴邊。快說沒錯啊，他粗啞地悄聲說。

我的名字不是安。

骨頭先生啊你準備好開始了嗎？

是的先生呀是的先生呀，骨頭先生大喊。他跳起來開始彈奏斑鳩琴。他的雙眼是藍色而他稻草色的頭髮從帽緣底下探出來。他們兩人開始節奏一致地往房間的一頭跳過去再跳回來。

骨頭先生，對談人喊。

是的先生呀對談人先生呀。

鼴鼠爸爸在花園底下挖地道過來聞了聞之後說：我聞到蕪菁甘藍。鼴鼠媽媽從牠身後過來聞了聞之後說：我聞到蕪菁。鼴鼠寶寶過來聞了聞然後鼴鼠寶寶說牠聞到什麼呢？

牠說除了鼴鼠屁股[49]之外什麼都沒聞到。

他們倒在地上高聲大喊大笑。其他那些實體也咯咯大笑小子也在咧嘴笑後拿出筆記本寫了寫再收起來。

骨頭先生。

是的先生呀對談人先生呀。

車尾擋板從貨車掉下去時麗薩小姐跟拉斯特斯說了什麼？

說：麗薩小姐呀，你的後頭需要幫忙嗎？

她說：拉斯特斯你這會**讀心術**的傢伙給我上車呀。[50]

他們笑到在房內不停大力跺腳大喊大叫還拍打自己的身體。

請問一下，她說。

小子把身體往椅背靠，看著她。又怎麼了？

這些都是我聽過最俗氣的糟糕笑話了。

是嗎？那為什麼大家都在笑？你算什麼東西？某種評論人嗎？天啊。

我完全不知道他們在笑什麼。

小子對著天花板翻了個白眼。他轉向他那群小夥伴。好啦。休息一下，各位。

我想知道你們是從哪裡來的，她說。

你是指我們出現在這裡之前在什麼地方。

對。

這群小夥伴稍微靠近了一些。彷彿想聽他們說什麼。好吧，小子說。有人要回答這一題嗎？

這是個簡單的問題。

對啦，最好是。

你們怎麼來這裡的？

我們搭巴士來的。

你們搭巴士來的。

對啊。

你們才**不**是搭巴士來的。

我們**不**是嗎？好吧我說錯了下地獄好了。

不。你們**不**是。

49 這裡的雙關語是糖漿（molasses）和鼴鼠屁股（moleasses）。

50 這是一個帶有刻板印象的黑人笑話，笑點在於「後頭需要幫忙嗎」當中的性暗示。

為什麼不是？

你們才不是搭巴士來的。你們怎麼可能搭巴士來？

老天，勞拉。司機開門你就上車。這有什麼難？

巴士上有其他人嗎？

當然。怎麼會沒有呢？

沒有人說什麼嗎？

像是什麼？

沒有人奇怪地看著你們嗎？

奇怪地看著。

他們能看見你們嗎？

你說其他乘客？

對。

誰知道啊？老天。或許有些可以但有些不行吧。又有些可以但不願意看見吧。這段話的重點是什麼？

好吧什麼樣的乘客可以看見你們？

為什麼我們現在要困在這個乘客的話題裡？

我只是想知道。

那再問我一次。

可以看見你的是什麼樣的乘客？

我想我知道我們在談什麼了。什麼樣的乘客嗎？

小子把本來可能是他大拇指的部分塞進耳洞搖動他的兩片鰭又翻白眼然後發出巴拉布拉巴拉的怪聲。

她用一隻手摀住自己的嘴巴。

只是在鬧你啦。我根本不知道是什麼樣的乘客。老天。人們會看你而且看起來很驚訝，就這樣。你知道他們就是會看你。

他們說什麼。

他們什麼都沒說。他們會說什麼嗎？

他們覺得你們是什麼？

他們覺得我們是什麼？我不知道。耶穌基督啊。我猜他們覺得我就是個乘客。當然你可以想辦法證明如果他們是乘客那我就一定是其他種東西。可是或許也沒辦法。我無法代表他們發言。說不定在他們眼中我只是個矮小和善的傢伙。年齡不明。髮線後退。

髮線後退？

小子揉揉他長滿蟹足腫的蒼白腦袋。有什麼不對嗎？

不對的是你根本沒頭髮更何況髮線後退。我只是想知道你們從哪裡來還有為什麼在這裡。

都是一樣的問題。我以為我們已經處理完了。

你在我的房間裡。

你也是。這就是我們在這裡的原因。不然你覺得我們該在誰的房間裡？如果我們在別的房間裡就完全不會在這裡。聽著，我們有不少事要處理而且光線愈來愈不夠所以如果對你來說沒差的話我們可不可以繼續呢？

對我來說並不是沒差啊。

問題總會是同一個。我們在談的是永遠有不同程度的自由所以你總可以轉個方向讓一切看起來不一樣但其實沒有不一樣。都是一樣的。一切都會像吃了酸餿午餐一樣不停湧上來。我知道你這人就是會不停問問題但這次有點不同。你應該要是這個故事裡的天才女孩所以說不定你會在我們全部因枯燥無聊而死之前想通這一切。

她坐著，雙手交疊壓在嘴唇上。

就這樣了？小子說。

不。

小子疲憊地搖搖頭。好吧，哎呀，他說。他撈起他的懷錶打開蓋子確認時間然後又把錶收起來。他打了個呵欠用一片鰭拍拍自己的嘴巴。聽著，他說。讓我這樣跟你解釋吧。就像教區牧師對合唱團男孩說的一樣[51]。對旅遊老手來說所有目的地充其量只是傳聞。

那句話是我寫的。我寫在日記裡。

哇你怎麼這麼棒。等你抱一個孩子在懷裡時那孩子會到處轉頭想知道自己要去的方向。不確定為什麼。總之會這樣。你只需要盡可能穩住自己，就這樣。你以為有所謂的規則比如誰可以搭巴士誰可以在這裡誰又可以在那裡。你們怎麼來這裡的啊？哎呀她就是騎著她的**月經腳踏車**來的。我看到你在地毯上找任何經過的痕跡但既然我們可以來到這裡我們就可以留下痕跡又或者不留下痕跡。真正的重點在於所有線條都是破碎的線條。你回溯你來時的每一步但沒什麼是熟悉的。所以你轉身回來卻才發現另一個方向的問題也一樣。每一條世界線都各自分離而詩行中的休止涉過一個如同無底洞的空無。每一步都是橫渡死亡。

他在椅子上轉身拍拍兩片鰭。好吧，他大喊。各就各位。

---

51 「就像教區牧師對合唱團男孩說的一樣」的原文「As the vicar said to the choir boy.」是改寫自「Said the actress to the bishop.」這個說法，此說法通常暗示了一個有性意涵或黃色笑話的場景。

他在早上走到法國市場那棟樓買了報紙後坐在露臺的涼爽陽光中喝加了牛奶的熱咖啡。他快速翻過報紙。其中沒有任何與捷星有關的內容。他喝完咖啡走到街上攔了計程車前往貝爾沙塞區走進那間小小的控制室。盧正坐在他的辦公桌前推拉那台老式計算機的把手。你想怎樣？他說。

我需要跟你談談。

你已經在跟我談了。

他在辦公桌的另一側坐下。盧正在一個筆記紙本上塗塗寫寫。他抬眼望向威斯特恩。你可以告訴我為什麼他們要搞出「長嚬」這種單位嗎？

沒辦法。

我以為你應該什麼都知道。

我**不**知道。你對這架飛機了解多少？

盧把計算機的紙帶捲在手指上仔細看。實在是一團亂，他說。什麼飛機？

別惹我了。

威斯特恩啊，我哪知道？對外辦公室那邊流過來的資訊總是不多。誰天殺的知道是怎麼回事？反正就是有個信差帶著支票出現，就這樣。

沒辦法知道支票是哪裡來的嗎？

顯然是沒辦法。

你知道報紙上完全沒提到那架飛機嗎？

我**沒**讀報紙。

不覺得這樣很怪嗎？

你是說我**沒**讀報紙很怪嗎？

報紙怎麼可能不報導墜機？死了九個人啊。

說不定會刊在明天的報紙上。

我不認為。

讓我問你個問題。

問吧。

你天殺的為何要在乎？你是有看到有誰犯法嗎？

沒有。

因為泰勒的原則就是這樣。其實可說是哈里伯頓公司[52]的政策：只要情況不對勁，我們就收手。

是啦，嗯，現在的情況確實不太對勁。

所以呢？我們當然就收手啊。別管了。

好吧。你那邊看時間幾點？

你那邊呢？

十點六分。

盧轉動手腕看了看他的錶。十點四分。

我得走了。如果有任何神祕班機的消息再告訴我。

我猜不會再有其他消息了。

或許吧。可以借台車嗎？

現在只剩起重機卡車。

我可以開走吧？

好啊，當然。你什麼時候開回來？

不知道。明天早上吧。

火辣約會？

最好是啦。鑰匙在車裡嗎？

沒人拿走的話就在裡面。開回來時汽油要加滿啊。

好的。你該不會有雙筒望遠鏡吧？

老天，威斯特恩。還有要什麼嗎？

他打開最下面的辦公桌抽屜拿出一台橄欖綠搭配灰黃色的軍用雙筒望遠鏡放在桌上。

謝啦。

紅仔說那東西其實用來把馬子很好用。

如果是他用來把的那種馬子那絕對沒錯。

•

他開車前往葛雷特納沿高速公路往北開回到一般路面往東前往貝聖路易斯和帕斯克里斯蒂安。在橋梁的另一邊可以看見位於龐恰特雷恩湖南端的草澤地。兩個嘴裡叼著菸的卡津人神色陰鬱地以漫不經心的神態舉起大拇指表示想搭便車。他們其中一人站著，另一人蹲著。他在後照鏡中看著他們的身影逐漸遠去。站著的人懶洋洋地轉身對他的車子背影比了個中指。等他再次往後看時兩人都已經蹲在地上。他們的雙眼盯著他們眼前在早晨陽光中一動也不動的那條道路。

52　哈里伯頓公司（Halliburton）是美國一間規模龐大的跨國油田服務公司。

這台卡車的最高時速大概就是六十英里。從引擎飄出的淺淡藍煙滲過車子底板後緩緩升起所以他行駛時都開著窗戶。他用眼神快速掃過那些草澤地想看看有沒有鳥的動靜卻沒怎麼看見。就幾隻鴨子吧。珍珠河的另一邊有一隻水獺死在路上。

他進入帕斯克里斯蒂安把卡車一路開到碼頭才停下然後到處問哪裡可以找到一艘船。他最後找到的是一艘大概十六英尺長的舷側疊造圓底筏搭配水星牌舷外引擎。等他把船開出河口灣時幾乎已經是一點了。他在抵達海灣後扭開油門。拍打船底的一波波海浪平穩下來，陽光在水面上下舞動。遠方看不見天際線只有一整片白花花的海與天空。許多正在努力捕食的鵜鶘在海岸上排成薄薄一條線。充滿鹹味的空氣冰涼他拉上外套拉鏈擋風。

他已經把盧的雙筒望遠鏡掛在脖子上此刻正用望遠鏡檢視開闊的海面。眼前沒有任何海岸巡防隊出現的跡象。等到了一群小離島附近之後他轉向東邊沿著群島南岸前進終於抵達一個小小的海灣。他稍微緩下油門船隻一邊前進一邊發出軋軋聲終於他在一個海灘邊靠岸。

他關掉引擎把船拉進水陸交界的沙子裡往前爬出船用手勾在前甲板下方把船拖上沙灘。那是一艘挺重的船。船頭有一只小小的錨嵌在裡面他抬起來丟入沙子後走上沙灘。這裡的沙灘大概往內陸綿延了一百英尺然後才是草地和美洲蒲葵。在那些矮樹叢之後是槲樹。潮水線上方的硬沙地有鳥走過的足跡。此外就沒有別的了。他試著想起上一次下雨的場景。他走回船邊把船往海面推再跪在船上拿起其中一隻槳靠著把槳插在沙裡把船推出淺灘再把槳收回槳架把一隻腳跨上船尾後用力拉動引擎的發動索。

接近傍晚時他已把這些小島幾乎都繞過一圈也幾乎上了每一片沙灘。他發現一處生過火的殘跡也發現一些魚漂、骨頭，以及因為海水沖刷而顏色稍顯黯淡的彩色玻璃碎片。他撿起一塊羊皮紙顏色的漂浮木在手中翻弄那形狀像個蒼白的胎兒。隨著時間愈晚光線愈暗，他在一個小海凹靠岸後把船拉上沙灘並幾乎是在爬出船的一轉身後立刻看見沙子上的足跡。就位於殘骸碎片形成的深色細線之上。那些足跡有些乍看已被風沙填補起來，但其實不是。反倒是有什麼東西被從那些足跡上面拖過去。他走到那排蒲葵的邊緣足跡在這裡迴轉又沿著沙灘往海延伸。那些足跡乾淨俐落。是潛水靴底的橡膠條紋痕跡。他站在那裡望向遠方的灰色海水。他看著太陽並仔細研究這座島。這裡的野生動物也包括響尾蛇嗎？比如東部菱背響尾蛇。八英尺長。究竟是凶殘還是頑強他記不得了。他撿起一塊漂流木往膝蓋敲打後折成適當長度再跟著那些足跡走進樹林。

在長有稀疏樹叢的開闊草地上有看起來像是獵人捕獵動物的路徑。另外還有幾棵感覺營養不良的槲樹。有些樹幹因為卡米爾颶風倒落在地。每小時兩百英里的風速把這座「船島」切成兩半。他可以聽見蛇鵜在地面植株底下嘰嘰喳喳地叫聲但看不見牠們的身影。他跟著那些足跡走了大概四分之一英里來到一片空地卻在打算回頭時注意到一抹不同的色彩。他離開小徑。他用手上的棍子撥開眼前的蒲葵後繼續走。

那是一艘兩人座的黃色橡膠筏被洩氣後捲起來塞在一棵倒塌的樹下還用一些矮灌木遮掩住。他把橡膠筏拖出來後站在那裡盯著看。他轉身仔細觀察剛剛那片長有稀疏樹叢的開闊草地。一陣輕微的風吹過槲林而淺水灣的海潮也發出微弱拍打聲。他蹲下解開綁帶後攤開那艘橡膠筏。

膠筏還是濕的。許多角落還有殘存的海水。他把膠筏攤開。全新的。他用手劃過那些連接橡皮墊地板的襯墊下方。解開每個連結點並翻過每個內袋。有個內袋中縫著一個塑膠的檢修標籤但此外沒有其他東西了。他蹲在那邊檢查這個膠筏。最後把膠筏重新捲起再次扣上綁帶塞回剛剛那棵樹下再把上方的灌木林枝葉及許多枯死的蒲葵葉鋪好最後回到蒲葵樹林外側通往沙灘的小徑上。那具膠筏沒有槳但他對這代表什麼意思毫無概念。他走到沙灘時太陽已經非常接近海面他站在那裡往西邊看，灰色的海水緩慢起伏而在更遠方是細細的海岸線而在更遠的城市則是之後會有燈火亮起地方。他坐在沙子上腳跟埋入沙裡雙臂環抱住膝蓋望著眼前的日落以及水面的光線。南邊那片窄窄的土地應該是聖燭節群島。群島後方是河流如同水蝗口器的河口。再過去則是墨西哥。低低的潮水拍打著往海水後方退去。他可以是創世紀的第一人。又或是最後一人。他起身沿著沙灘走向那艘船把船推進海裡後爬上船走向船後方壓上沙袋好讓船頭離開沙地。他拿起槳把船撐向海水穿過淺水區然後坐在船上看著深紅色的落日逐漸變黑再緩慢死去。

他將船慢速開到島的尖角後沿島嶼南岸前進。這裡的海灣在最後的餘光中顯得平靜而西側的沿岸燈光開始亮起。他把船掉頭後緩慢將油門往高速扭轉朝北前進，藉由堤道的光線來辨識方向。太陽下山後的戶外水面氣溫很低。風也很冷。等他抵達小艇碼頭時他覺得幾乎可以確定曾在那座島上岸的人就是那位乘客。

等他把車停進泰勒的小停車場時已經快要十點了。他在水銀燈光下安靜地坐著然後轉動鑰匙再次發動卡車開回葛雷特納並在過橋後前往法國區。他在德卡圖街上的一間小咖啡館吃了一碗紅豆飯再開車往北前往聖菲利浦街停好卡車走進他家外面的鐵柵門。

他又放了兩天假後才去下游的薩爾弗港進行另一項工作。他在接近中午時分沿著波旁街走向加拉托瓦爾餐廳準備跟德布西・菲爾德一起吃午餐。她當時已經在排隊並誇張地向他揮手。今天的她穿著貴氣連身裙和四英寸高高跟鞋出現。她的金髮高高盤在頭頂。長長的耳環垂掛到肩膀。她的一切打扮都有點過於浮誇包括連身裙前方的乳溝但她非常美。他親吻她的臉頰。她比他還高。

很棒的香水，他說。

謝謝你。我們可以牽手嗎？

我想是沒辦法。

真不好玩。我以為這會是一場約會。

他們走進餐廳時與餐廳侍者總管有了一段關於桌位的對話。我不要坐在後面，她說。也不要坐在靠牆的位置。

我可以讓你坐在這裡，侍者總管說。但勢必會人來人往。

人來人往也沒關係，親愛的。

她從小皮包中拿出一個骨董銀製菸盒把其中一根深色小雪茄菸塞進象牙和銀製的煙嘴中再把她的登喜路打火機從桌子底下塞給威斯特恩。他為她點起菸後她把身體往後靠向椅背再把兩條又長又美的腿交疊並因此發出明顯窸窣聲然後用性感又精細擺出的隨興姿態對著錫壓磚天花板吐出一口煙。謝謝你，親愛的，她說。附近幾桌的人無論男女都一起停止用餐動作。所有妻子和女友都生起悶氣。威斯特恩仔細檢視她的美。她在他們待在那裡的兩小時期間始終沒有把眼神投向其他桌而他真想知道她是怎麼學會這一切。當然還有她所熟知的其他無數事情。

我走來這裡的路上有經過你的俱樂部。你現在是主角了。

是。我是個明星。我以為你知道。

我知道那只是遲早的事。

你眼前的這位是天命之女。

她彎身調整鞋子綁帶，胸部幾乎要從連身裙領口掉出來。她抬眼望向他微笑。跟我說說你最近的新消息吧，她說。你不打電話不寫信也不再愛我了。我都沒人可以說話，鮑比。

你有一群跟在你屁股後面的傢伙。

老天。我真是受夠那些臭玻璃。那些男同志說的話真是有夠無聊。

男服務生過來把菜單放在他們面前。他用桌上的玻璃水瓶倒水。她把那根小小的黑色雪茄菸像魔杖一樣舉在與肩同高處再用另一隻手伸往前用指尖輕翻開菜單。

跟我說要吃什麼好吧。我可不吃那種包在紙袋裡看起來很寒酸的魚。

扇貝呢？這裡有聖雅克扇貝。

不知道耶。所有甲殼類應該都被汙染了。

我要吃羊排。

你吃羊排而我就該吃腐臭的軟體動物啊。

這樣啊那不如你也吃羊排。

感恩囉。

所以小姐要吃羊排？

對。

很棒的選擇。要來些葡萄酒嗎？

不了，親愛的。謝謝你問我。

他把菜單蓋起來放在酒單上方。

我不喝不代表你不能來一杯啊。

我知道。但不用。

你換新電話號碼了嗎？

對。算是吧。你有鉛筆嗎？

沒有。

我看看能不能找到一枝。

沒關係。我可以背下來。

他把七海酒吧的電話給她。五二三九七九三。她重覆了一次。

那只是酒吧電話，他說。但是我會去問有沒有人留言給我。

好。我會打給你。

好。

她往前傾身把小雪茄的菸灰輕輕彈進厚重的玻璃菸灰缸。你記得《兩百週年記事》嗎？

你說他們在美國革命兩百週年時播放的那些歷史小故事嗎？

對。我聽到一個新的小故事。

好。

瑪莎・華盛頓和貝特西・羅斯[53]坐在壁爐前縫製美國的第一面國旗，她們正在懷念往日時光以及當時那些派對啊舞會啊還有其他一切然後貝特西對瑪莎說：喔你還記得那些小步舞曲嗎？然後瑪莎說親親老天啊我幾乎記不得那些我搞過的男人是不是快得像小步舞曲了[54]。

威斯特恩微笑。

就這樣？她說。就這點微笑？

抱歉。

你該不會整晚都陰沉沉的吧。

53　瑪莎・華盛頓（Martha Washington）是美國首任總統喬治・華盛頓（George Washington）的妻子。貝特西・羅斯（Betsy Ross）在美國普遍被認定為第一個製作出美國國旗的人，但沒有足夠證據可以確認。

54　原文中小步舞曲是「minuet」，但瑪莎聽成「minute」所以誤以為對方在問她那些很快就結束的性經驗。

你要說的是陰森森的。
陰森森的？
大家比較喜歡這樣說，我想。你不介意我告訴你吧？
不。當然不。陰森森的。其實我還比較喜歡這個說法。
很好。我會讓自己開心一點。
男服務生過來放下銀盤。另一個男服務生拿著包在布餐巾裡的麵包過來。等負責他們那桌的男服務生回來後威斯特恩幫他們兩人點好菜。男服務生點點頭離開。她抽了長長一口小雪茄菸經由一道弧線緩慢把頭往後仰，吐煙。他就算是想像也想像不出她所過的人生。
你覺得是吃一隻可愛的小羊比較沒必要，還是像豬那種真的很噁心的生物比較沒必要？
我不知道。你怎麼想？
我不知道。為什麼他們要說那是羔羊肉？為什麼不能另外取一個名字？像是小牛和小鹿的肉都有另外取名字。
我不知道。有想過改吃素嗎？
很多次。但我實在太追求感官享受。我是個美食家。還是叫美食大人家？我們可以來點礦泉水嗎？
當然。
他揮手要男服務生過來。她把燒掉一半的菸蒂從菸嘴中取出往菸灰缸輕輕彈過再把菸嘴放在桌布上。我決定不去墨西哥了，她說。她抬頭望向他。
我覺得那是個聰明的決定。
我知道你會這樣想。我記得我們的對話。這代表還要再等一年。至少一年。那可不是件小事。一年就是一年。到時候我就二十五歲了。天哪時間過真快。

對啊沒錯。你會怕嗎？

不。我不怕。我是嚇壞了。

可以理解。

毛骨悚然，不是嗎？

我想是吧。沒錯。

我什麼都怕。每一步都如履薄冰。

看不出來。

謝謝你。我有在努力。

努力不害怕？

你人也太好。我就是努力不讓人看出來而已。一切都是裝模作樣。可是我不知道還能怎麼辦。所有你看見的一切都是努力的結果。很多的努力。

我相信你。抱歉。我實在不該說這個。

沒事的。有些女孩只要進行荷爾蒙治療但保留下那個你知道的東西。可是性別是有意義的。我想成為一個女人。我總是很嫉妒女孩子。我就是個小婊子。那個階段幾乎已經過去了。我在知道如何成為一個人之前就已經知道如何像一個女人了。我想盡可能活得老一點。成為原始層面的女人。我七歲時從樹上跌下來摔斷手臂我當時想既然都斷了說不定我可以把手臂扭過來這樣我就能親到我的手肘因為你只要親到手肘就可以從男孩變成女孩或女孩變成男孩而我想他們有看見我猛扯我的手臂所以尖叫起來然後把我綁到輪床上因為他們以為我得了歇斯底里病。我真希望我有辦法活很老這樣才終於有辦法跟大家說你看吧我早說了你們下地獄吧。好吧，或許不會這樣。我大概會有很多人要喔。又或許沒有。我會變老。但只要不窮就可以。我有跟你說我妹妹來看我嗎？不，當然沒有。我妹妹來看我。她來這裡待了一星期。學校放假。我們相處得好愉快啊。她真棒。她終於走到可以只穿內褲在公寓裡閒晃的人生階段了。那對我來說真的是意義重大。

她轉頭用餐巾揙眼睛。抱歉。只要跟她有關的事都會讓我變得情緒化。她離開時我真的哭很慘。她真美。又聰明。我覺得她可能比我還聰明。

她幾歲？

十六。我想要讓她去上大學。我跟她說我會幫忙付學費。老天，我需要錢。喔太好了。水。我要渴死了。

男服務生往他們的杯子裡倒水。她拿起杯子與他碰杯。謝謝你，鮑比。這樣吃個飯真好。

男服務生送了菜來。她吃得很慢可說把心思都放在食物上。你在看我吃飯，她說。

對。

這是我這輩子唯一能奉行的「禪」。就是做好手邊的事。這樣吃飯對腰線也有幫助。我喜歡吃。這會把我帶向毀滅。但沒關係啦。你可以看。我甚至不喜歡一邊吃飯一邊說話。

她抬眼看著他微笑。你可以說話，我會聽。交換一下吧。

男服務生倒咖啡時她又拿出一根古巴小雪茄於是他從桌上拿起打火機幫她點菸。你有真的去過格林維爾嗎？他說。

她往肩膀上方吐出一條細薄煙霧。你真不該把這些東西吸進體內。不過這就是我抽這些菸的原因。當然還因為這些菸長得好看。還有氣味。但反正我還是都會吸進去。就吸一點。這些都是走私貨，當然囉，從墨西哥進來的。又或者是從古巴經由墨西哥進來。不。這太困難了。這樣做只會讓她過得很慘。我幾乎每週都會打電話給她。嗨。你好嗎。我很好。你好嗎。這樣很好。或許我該這麼做，我不知道。我從來沒有真正跟你談過我的生活。我不喜歡談悲傷的事。

你的生活一直都很悲傷嗎？

不，並沒有。可是傷害別人很悲傷。我想我處理得不好。我該慢慢讓她知道我的狀況才對。雖然我不確定你會怎麼過去。說不定我們可以開你的瑪莎拉蒂去。來趟公路旅行。我從沒去過瓦爾特堡。過去要花多少時間？

不會很久。

我有試圖跟她解釋。算是有吧。可是當然她不肯聽。老天。我把一台租車停在房子前下車走到屋後看到她在花園裡。我不知道該穿什麼。我直接走到籬笆邊說哈囉。當然她甚至猜不出眼前這個人是誰。她抬頭說：你好？而我說：媽媽，我是威廉。而她就在泥土地上跪著一陣子然後用手摀住嘴巴淚水開始大顆大顆從她的臉頰滑下。她就是一直跪在那裡。不停來回搖頭。就好像得知某人死去的消息。嗯，我想確實是有人死了。終於我跟她說我們應該進屋去她才起身跟我一起走進廚房泡了一點即溶咖啡。然後我們坐在廚房裡。我努力露出我花了四千美金整理的牙齒對她微笑。我的打扮相當保守但我想上衣還是有點裸露總之她一直盯著我看最後說：可以問你一個問題嗎？我說當然。你什麼都可以問我。於是她說：那些是真的嗎？

嗯。她的反應真的很糟所以我以為我也會拿出惡劣的態度反擊。我帶著一對掛著單顆珍珠的金色耳環。很棒的珍珠。日本來的。那兩顆直徑九公厘的珍珠不但光澤漂亮還泛著一層粉色。所以我把其中一只耳環扭下來說：對，是真的。這些是別人給的禮物。實際上也是禮物沒錯。她表現得更慌亂了她說不是啦。然後說：我是指你的……然後她朝我的奶子揮了揮手背。

所以我把雙手放在我的奶子底下往上推到下巴然後我說：喔。你是說這些嗎？她把眼神別開點點頭然後我說：對，都是真的。就是荷爾蒙和矽膠可以製造出的那種真奶子喔。然後她又開始大哭而且不肯看我最後才終於說：你有乳房了。

乳房啊，親愛的。老天。我唯一能想到的是我們以前在提華納會去的一間餐廳。那大概算是我們在小鎮上唯一能吃到像樣牛排的地方。用的是阿根廷牛肉。菜單當然是西班牙語可是每頁的對頁都會有英文翻譯其中有道菜名叫「pechuga de pollo」而你會看到英文翻譯寫的是「雞的乳房」。我猜是有人跟他們說直接翻「雞胸」反而會有性暗示的意味。結果就變成「乳房」。老天。那真是毀了一切。我不知道為什麼。但我就是大怒。我看著她說：媽媽，盡量別覺得你是失去一個兒子。試著想成是獲得一個怪胎吧。然後她真的開始大哭。所以。總之就是現在這樣了。我想我有跟你說過她不肯跟我去任何地方。也不想讓別人看見跟我待在一起。我在那裡住了兩天。我有一個小皮包裡面裝滿——約翰都是怎麼稱呼的？鮮脆的凱薩沙拉？

就是鮮脆的凱薩沙拉。

大概三千美金吧。那是我為了歡慶衣錦還鄉準備的資金。我幻想了有一百次吧。我打算帶她去諾克斯維爾城然後我們要去米勒百貨公司瘋狂購物還要去雷加斯餐廳吃午餐。老天。我真傻。我到底在想什麼？她問我是不是會去上女廁。拜託難道她真以為我這個樣子有辦法進男廁嗎？所以就是這樣。真是天殺的一場災難。抱歉。我有在努力不罵髒話。我妹妹大概一小時後放學回來但當然她對這個和她母親一起坐在廚房的生物是誰也毫無概念。終於我開口對她說話。她當時十二歲。她盯著我說：威廉？是你嗎？你好美。然後我就大哭起來。老天我真的好愛那個孩子。

我知道你說過你父親已經死了。

對。在我十四歲時死的。我當時度過了一段悲慘時光。他痛恨看到我。他以前會付錢請其他孩子放學後來揍我。

你是在開玩笑吧。

親愛的我可不開玩笑。但一陣子後就連那些孩子也厭煩了。他們不再肯拿他的錢。那可是你能想像到最卑劣的一群小廢物呢。他後來也懶得親自鞭打我了因為身體有問題就是那個脊椎骨……是叫脊椎骨對吧？

對。

他脖子的脊椎骨總是找他麻煩所以每次揍完我脖子就會痛上好幾天。我跟他說那很可能是他上輩子被吊死留下的後遺症但你也能想像他根本不可能理解這種幽默。或是說他根本無法理解我的任何一切。後來呢總之就是有隻狗住在我們家隔壁當時我真的很怕那隻狗。那隻狗老是會衝向籬笆一邊狂吠一邊流口水而且那雙眼睛真是瘋狂結果我父親就跟那隻可怕的動物死在同一天。隔天醒來時我躺在床上感覺全身浸潤在無比的平靜中。這就是所謂精神上的超越。沒有其他說法可描述。我知道我自由了我知道自由就像那些演講裡說的一樣。自由值得你付出一切去爭取。我知道我將擁有夢想中的人生。這是我人生第一次真正感到快樂就連之前的一切悲慘也都獲得補償。一切。那真是一份禮物。我整個人都改變了。我有了力量。我不再憤怒。我的心中充滿愛。我想這些愛之前本來也都存在吧。我很抱歉。我可是要哭慘了。

她從小皮包內拿出一條亞麻布手帕後打開小粉盒對著鏡子輕輕沾了沾雙眼。她關上粉盒收好後看著他微笑。你確定要聽完這個故事嗎？

對。聽完。

好吧。一年後我在紐約的一間高檔餐廳工作並和一個貨真價實的女孩分租一間沒有電梯的公寓。我當時十五歲。我有一張假身分證而且賺很多錢不但正在提升英文能力也開始進行荷爾蒙治療。我在看的醫生說我擁有纖瘦的運動型體格。我說對啊而你是個下流的狗畜生。因為我們當時還是朋友。可是我問他說那個到底是什麼意思時他說那代表我之後會成為一個好看的女生。我說這樣還不夠。變成一個絕美的女生如何？他微笑著說：我們就先做了再說吧。我們確實做了。我記得有天早上下樓去熟食店時算是有點小跳步跑下樓梯。當時只穿了牛仔褲和T恤。而我的奶子不停在彈跳。我好興奮。我回頭爬上階梯再次小跳步下樓。

當然那時候我已經開始喝酒整個人還差點因此毀掉。我是個天生的酒鬼。幸好我認識了一個人。完全是走狗屎運。他想辦法把我送進匿名戒酒會。我一直對於信神之類的事有困難。很多人都這樣。然後有天半夜醒來我躺在床上想：要是沒有更高的力量存在那我就是那個力量。那個想法真是把我嚇瘋。世間沒有神而我就是至高無上的她。所以我開始努力處理自己的議題。我還在努力。說不定一切都是命中注定。但我已經有一些進展了。我很氣他之前那樣惡搞我但或許他不像人們希望想像的完美。他自己的人生也有一大堆問題而他也只能自己處理。沒人幫忙。

你相信神的存在嗎？

老實說嗎？

當然。

我不知道神是誰或他究竟是什麼。可是我不相信人世間的一切都是自己出現的。包括我本人。說不定所有事物都像他們說的一樣會進化。可是如果你試圖去回響其源頭最終都會得到一個意圖。

去回響其源頭？

你喜歡這個說法？帕斯卡[55]說的。這件事發生的大概一年後又有一次我醒來感覺似乎在睡夢中聽見有人說話而且到現在都還能聽見那句話的迴音那聲音是這樣說的：如果你沒獲得任何愛就不會在這裡。我說好。就這樣。這樣就夠了。或許聽起來不是很了不起。但對我來說很了不起。所以我真的很喜歡那個戒酒會的標語，鮑比。就是一次把一天過好。我需要花更多時間跟女人相處但很困難。她們會覺得受威脅。又或者是我們先成為朋友但只要我一把我的狀況告訴她們後就會感覺彼此之間有了距離。很少有例外。真的很少。我努力想讓克萊拉來這裡。我想讓她在這裡上學。你可以想像有人反對。我一直在讀有關大腦中性別兩型性的研究。那種機制或許比人們想像的更具適應力。甚至有可能被改變。你知道這個話題的走向畢竟我們聊過了。我想擁有女性的靈魂。我想要那個女性的靈魂形塑出我。那是我的目標也是唯一目標。我一直以為這件事遙不可及但我現在有了信仰。我只要禱告都在禱告這件事。讓我入門吧。讓我成為女性的一員。這其實不只是根性有關。也不只跟性生活有關。至於剩下的其他都是屁。

她微笑。她舉起一隻纖瘦的手臂看著她戴的百達翡麗十字星白金腕表。現在幾點了？她說。

兩點十八分。

很好。

那支是戰前的版本嗎？

對。沒有難解決的複雜毛病。

就跟你的人生故事一樣。

就跟我全新人生的故事一樣。那是我盼望的新人生。我得走了。我三點有事。你真是個貼心的傢伙，親愛的。謝謝你。也謝謝你聽我說那些該死的艱難過去。我都沒問候你的狀況。我會再聯絡你。可以吧？

可以。

他付了帳單，兩人起身離開。坐在餐廳前半部唯一讓我不喜歡的地方就是沒辦法走過整間餐廳。

你的美已經夠有破壞力了。

我知道。這真是我必須承擔的重擔。

她在人行道上親吻了他的兩邊臉頰。認識你的這段期間，我從沒有一次懷疑過你是否有所圖。

對你嗎？

就是對我，沒錯。這對我來說很少見。謝謝你。

他看著她離開直到她的身影消失在觀光客之中。無論男女都轉頭過來看她。他想神的良善總會在奇特的地方出現。所以別閉上你的雙眼。

---

55 布萊茲・帕斯卡（Blaise Pascal, 1623-1662）是法國神學家，「回響其源頭」的原文擷取自以下文句：「The art of opposition and of revolution is to unsettle established customs, sounding them even to their source, to point out their want of authority and justice.」

三

冬季的月份逐漸推進小子卻似乎離開了。她結束大學的課程後還有自己去上課所以很少在天黑前回家。然而某天晚上她回家把書扔到床上時他就坐在她的書桌前。請進，他說。把門關上。你去哪裡了？

我去上學了。

是嗎？現在都超過七點了。你不覺得有點晚嗎？他把錶撈出來確認時間，輕拍晶透錶面後貼在耳邊聆聽。

你怎麼知道我該幾點到家？

好啦。給我坐下。你把這地方搞得好亂。

她把書推開後在床上攤開身體趴下，再用兩隻手撐住下巴。

你這不是坐下，這是趴下。

有差嗎？

你會沒辦法好好集中注意力。完全垂直地面的姿勢能促進血液流動到腦部。特別是前額葉。飛機降落時必須坐直身體也是因為如此。準備接受撞擊以及隨之而來的解體以及後續的起火。我以為你有受過人類學訓練。

你說的才不是人類學。只是一堆胡言亂語。

對啦對啦當然當然。你給我該死的坐起來啊。我沒什麼時間跟你起口角喔。

是你在吹毛求疵吧。

我也沒這時間。

她推直身體坐起來，利用床架邊緣把鞋後跟脫掉後任由鞋子掉在床邊地上。她盤起腿後把一條毯子拉到身上。小子已經開始進行例行踱步。老天。我忍受了多少啊。怎麼全得聽命一個來自胡特維爾[56]的**小鄉下人**啊。在這屋簷下忍啊。跟這些神經病躲在一起啊。哎呀管他去死。

其他人呢？

其他什麼人？

你的那些小朋友？

別擔心。時候到了他們就會出現。我講到哪裡了？

跟這些神經病躲在一起啊。

對啦。或許我們該繼續推進了。你的成績單呢？

你為何要管我的成績單在哪？

你拿了B。

那干你什麼事？

那可是第一次，蒂芬妮。

那是宗教課。

所以呢？宗教課不是個科目嗎？

她根本**不**知道自己在說什麼。那個伊洛修伊斯修女。她甚至**不**知道她的論點是什麼。

56 胡特維爾（Hooterville）是美國六〇年代情境喜劇中出現的一個虛構小鎮，基本是一個帶有南部以及中西部風格的小鎮。

對啦。可是你用拉丁文開始對她引用阿奎那[57]的話，那態度就是個自以為是的小婊子。你還指望能得到什麼好成績？

我以為你只在意數學。

數學也只有拿B啊。這可是會留下紀錄的。我以為你是想靠計算一路抵達天堂呢。

老天。你到底在講什麼？

講你被當掉的宗教課啊。

我**沒**有被當掉。我只是拿了B。

是嗎？還不是一樣。

我以為我們要繼續推進。

對啦。

不過我想我該問到底是要推進什麼？

老天。冬季的月份啊。好嗎？

當然。沒理由不行啊。天色現在暗得更快了。你可能也有注意到。

是嗎？得提防你才行。這可能又是你的什麼哲學性觀察。

你在寫什麼？

我正在核對一些人。現在這是什麼情況？提早退休潮嗎？天殺的這些人都去哪啦？

我**不**想要這些人來。

是嗎？你怎麼知道你不想？你得好好休息，辛蒂。可能還不到極限但此刻已經能看到端倪了。老天爺啊我們舞台旁的工作區都沒人嗎？

她書桌陰影內有一些草坪小矮人姿態僵硬地現身。老天，小子說。不是你們。果爾根到底見鬼的在哪？

他拍拍他的鰭而那個沒洗澡的傢伙從衣櫃中出現後脫下像是搞笑人物戴的棒球帽。他的腦袋下方疊了三層肥油。就彷彿他的頭是用壓榨機組裝起來的。他把帽子用雙手拿在胸口眼神往下垂對著女孩鞠躬。神保佑你的族類，女士，他說。然後他把帽子戴回去雙手交疊放在下背後開始跳「棒棒糖協會」[58]的舞而且過程中始終露齒微笑。

為什麼我們老是沒辦法來點音樂啊？好啦。踩踩踏踏的舞步差不多啦。你們還有準備什麼？果爾根脫下帽子抓在身前開始用〈莫莉．布萊尼根〉[59]的旋律唱著：

那些老陰蝨呀
睡在我的皮褲裡呀
為什麼我跟那個婊子睡呀
只有耶穌知道呀
現在要出發去找藥師了
我想應該是需要一盆藥膏
既然莫莉已經走了
只留下我在這和……

好啦，小子說。天啊。那些歌頌愛情和愛國主義的歌謠都去哪啦？你在做什麼？

57 聖多瑪斯・阿奎那（St. Thomas Aquinas, 1225-1274）是歐洲中世紀的哲學家兼神學家。
58 棒棒糖協會（Lollipop Guild）是《綠野仙蹤》（The Wizard of Oz）裡面由三個小矮人（munchkin）組成的團體。
59 〈莫莉・布萊尼根〉（Molly Brannigan）是一首一九六〇年發行的歌曲，演唱者是路易斯・布朗（Louis Browne）。

她把毯子拉到頭上。我不管了，她說，她的聲音因為隔著毯子而顯得悶悶的。

果爾根又開始跳舞。這次是他的愛爾蘭踢踏舞。她可以聽見他穿著笨重的鞋子到處用力踩踏。小子要他先別那麼激動。哎呀她的頭在毯子底下看不見這些該死的演出啦。

我不想要看這些演出。叫他們走開。

她很快就會沒事了。大概只是今天在學校過得不太好。嘿毯子底下的傢伙。你不可能現在就要睡覺吧。現在才七點三十分。

我明天要上學。

什麼？別鬧了，果爾根。

她把毯子從頭上拉下來。我明天要上學。

我明天要上學，他學她講話。

果爾根怎麼了？

我想他離開了。你大概惹火他了吧。

那我該做什麼才能惹火你？

就順著我一下吧。讓我看看還有什麼演出。

喔還真讚啊。

小子翻過他手上的本子。說不定我們可以來試著給你來一些高檔表演。

高檔？

對啊。有時表演時過度努力想討好觀眾是不對的。

最好是。

總之，我開始在你的高貴舉止中嗅到一絲淫邪。

他把她書桌上的一些紙張推開，拿著筆記坐進椅子中。老天，他說。是誰拍了這些該死的照片？狗表演？你惡搞我嗎？果然潮水退了才知道誰沒穿褲子呢。還有這些團名啊。可猜想者？不如改成可燃垃圾？又或是直腸栓劑人[60]？耶穌基督啊。總得有些能看的吧。

我唯一在意的只有薇薇安小姐。

對啦。但她不是表演。我們照節目走吧。

這些才不是什麼節目。這一切都很蠢。

對啦。這是什麼鬼？雜耍隊？等等。好戲開場啦。這兩個傢伙看起來很棒。來自英國西南部的「偷雞摸狗小隊」。好喔。

他把筆記推到一旁拍動雙鰭，接著往後靠向椅背。各就各位，他說。原本關上的門瞬間被推開兩個極度嬌小的粗野女孩穿著蒼白塔夫綢伴隨著〈去水牛城渡蜜月〉那首歌跳舞進來那雙畫了濃重眼妝的眼睛不停轉動眼珠子。她們用高亢的抖音傻氣地開始唱歌，兩人的手臂勾在一起廉的漆皮鞋則不停輕拍地板。小子發出一陣呻吟還用一邊的鰭緊抓住額頭。天啊，他低聲說。他從椅子上站起來拍打雙鰭。到此為止。謝謝你們。天啊。這份差事到底能有什麼結果？把這些噁爛的奶子婊豬給我趕出去。天上聖母啊。那是什麼味道？萊德奶酪？出去，天殺的。好了。休息時間。八點再回來這裡。

---

60 原文的三個團名讀音有類似之處：Supposables、Disposables、Suppositories。

他在剛入夜時去了七海酒吧，一個人坐在靠牆的高腳凳上。珍妮絲打開一瓶啤酒從桌面滑給他。你的好兄弟在後面，她說。

他抬高身體從眾多酒客的頭上方看過去。油老大正獨自坐在一張桌子邊。他滑下椅子拿了啤酒往後方走。鮑比老弟啊，油老大說。

你在做什麼？

好啊。

在等我的漢堡。坐下。也來一個嗎？我請客。

好啊。

去跟他說。我才不起來。

威斯特恩往露臺上的烤爐台走。做兩份吧，他說。

兩份什麼？

漢堡。

他點的是起司漢堡。

好。

所以你也要起司漢堡？

是吧。

什麼都加？

好啊。

薯條呢？

要薯條。

他回去把椅子往後踢開後坐下。那些瘋子去哪啦？

油老大環顧四周。我不知道。說不定真有人來把這些傢伙像魚一樣全撈走啦。
你有在看報紙嗎？
有。剛開始看。
有一架三百萬美金的噴射機掉進墨西哥灣，裡頭還有九個死人，但報紙卻都**沒**報？怎麼會有這種事？
我正打算問你。
前幾天晚上有人來拜訪我。
去你住的地方？
對啊。
有人闖入你家？
你怎麼會這樣想。
你的語氣感覺是那樣。
不是。是兩個穿西裝的男人。看起來有點像摩門傳教士。
他們想怎樣？
我**不**知道。他們問了我有關飛機的事。他們說飛機上有個乘客不見了。
你亂說的吧。
威斯特恩喝了一小口啤酒。
看來你**沒**亂說啊。
沒。
我猜他們知道不見的是誰。
對啊，如果不知道有誰在飛機上，他們也不會知道有誰不見。或者還是有可能？

是有可能。怎樣？他們覺得我們知道那傢伙在哪裡？
我不知道。我只知道每次有這種怪裡怪氣的事發生時通常都是禍不單行。
油老大把手肘撐在桌上。好吧。他們之所以知道飛機上有多少人，是因為我們先說了吧。
我不覺得是這樣。
你真是讓我天殺的頭痛。關於傑普盒，他們怎麼說？
他們說盒子不見了。
他們又是怎麼知道的？這些事不是你編出來耍我的吧？
不是。我何必？
我不知道。你這人腦子挺扭曲的。
也沒那麼扭曲。
像傳教士。
對啊。
我開始有一種不好的感覺。
我以為你已經有了。
那就是，更不好的感覺。還是該講不更好？
更不好。
反正我有個建議要給你。但說不定你已經知道了。
我知道。
你再回去打探一些消息，這些傳教士一定會跟上。
我給他們設了點小陷阱。如果他們又出現，我會知道他們去過了。

好啊。那之後呢？

走一步算一步囉。

你已經是這樣了。你打算何時去薩爾弗港？

週一吧。我想。

你不介意這是要在河裡潛水嗎？

是不喜歡，但不介意。要做也沒問題。

為什麼？河水就跟其他水域一樣陰暗啊。

不只是陰暗的問題。還有深度。

陰暗的程度反映深度。

或許吧。我知道有個傢伙在印度洋潛水，他說光線一直到水面下五百英尺都還很好。他說往下看的時候會暈眩。可是他還是沒辦法往下潛。而且不是因為底下沒有光。

嗯。總之是有些什麼沒有了。

怎麼會講到我的恐懼症？

哎呀，威斯特恩。就是因為你的那些恐懼症才鬧著你玩呢。食物來啦。

煎台廚師把他們裝了起司漢堡的盤子放到桌上然後把夾在兩邊腋下的黃芥末罐和番茄醬罐放下再從散發著油臭味的牛仔褲後方口袋掏出鹽瓶和胡椒瓶。還有缺什麼嗎？他說。

我想都有了。

油老大看著裝著黃芥末的塑膠罐然後伸手去拿然後掀開起司漢堡的上方麵包將芥末擠進去。點了就得想辦法吃掉，他說。

你沒辦法在乾淨的餐廳裡吃到像樣的起司漢堡。一旦他們開始掃地並用肥皂洗盤子就差不多完蛋了。

油老大坐著一邊點頭一邊咀嚼。好吧，這些狗娘養的幹得還真不錯，真是的。

我這輩子吃過最棒的起司漢堡是在田納西州諾克斯維爾市蓋伊街上那間科默撞球館小吃部。你用汽油都洗不掉那漢堡留在你手指上的油漬。你還沒跟我說你們要去哪裡。

對啦，我知道。我們要去委內瑞拉。

何時？

再過一週半。他舉起兩根手指。之後又有人送來兩瓶啤酒。威斯特恩仔細觀察他。是什麼工作？他說。

我們要下潛更換一系列已經有滲漏問題的法蘭接頭。泰勒的平底船兩天前出發了，我想我們大概再過一陣子也要動身。

一陣子是多久？

我不知道。大概兩個月吧。

你們要去把原本的接頭切掉，然後焊接上保護接頭？

沒錯。然後你就會有一根完全焊接好的油管。什麼毛病都沒有。泰勒已經把所有技術開發好了。我們已經在北海距離彼得黑德大約六十英里的地方第一次針對油管進行過高壓焊接接頭的工作。沒很久以前的事。你沒去過那裡吧。

蘇格蘭嘛。

對啊。

沒有。我是沒去過。

真愛那地名。反正，如果想要的話，任何人都可以透過鋪管駁船將油管環繞整個世界。就是一直在船上不停將每根管子焊接得更長再降入身後的海裡。但他們沒辦法把降下去的管子焊接起來。而這就是我們的工作。在海床上的工作。

那是第一次有人這麼做嗎？

我們幾年前有在格蘭德島這裡測試過。那是我們第一次將浮檯筒跟水下工作站結合起來。

你們是在乾燥的環境下焊接油管。

是乾燥的環境。那些玩意兒有一百四十六噸重。我說那些浮檯筒。鋪管駁船用長臂起重機把浮檯筒丟下來。我們把兩根管道長度很不錯的油管焊接起來。我想應該分別是二十七和三十五英里長。你需要做的第一件事就是切掉用來固定管子的水泥，把管子排好，然後用液壓鋸把管子切成適當長度。他們把兩段多餘管道連著鉤環一起拉上去，然後放下連接著浮檯筒的水下工作站。當然程序上不只這些，但基本上就是把兩根管子要焊接的那端透過工作站內建的防水鉗夾入水下工作站再把水從工作站抽出去，然後開始焊接直徑四十英寸的管接頭。當然由於管子本身直徑是三十二英寸，所以可工作的空間可說有點擁擠。

但基本上你是處在一個有空氣的空間裡。

當然。還可以在裡面吃午餐呢。

你們在水下多深的地方？

三百八十英尺。我們有十個潛水員在做這份工作，其中兩個進行的是飽和潛水。

你喜歡這份工作。

我在搞不清楚這工作是怎麼回事之前就已經知道自己天生是這塊料。再加上薪水好。

這當然很重要。

我總覺得錢對你來說好像沒那麼重要。說不定那就是你的問題。

我不知道。錢很多的話還是可能打動我。因為能讓做一些我想做的事。可是靠出賣時間賺錢永遠不可能變有錢。就算是進行水下高壓焊接也一樣。

或許是吧。腦外科醫生遠比水下高壓焊接工人多，可是你說的或許沒錯。我是指變有錢這件事。不過我還是能告訴你因為我窮過所以現在這樣好多了。就算沒變有錢也好多了。你想去嗎？

去委內瑞拉？

對啊。

你對泰勒有這種影響力？

他有欠我一些人情。你覺得呢？

沒有想要吧。我們現在談的是水下多深？

五百六十英尺。

你們是先搭機去哪裡？

加拉加斯。我們會去一個叫做卡貝略港的地方。距離要去的海岸車程大概兩小時。

你們去過那裡？

喔，對啊。你想去嗎？

還是不要好了。

我們可以去加拉加斯。

是啦。

你可以當我的補給員。

這工作就像家庭手工一樣無聊。

有關係嗎？你可以試試看短時間潛水。老天，鮑比。我不會讓你溺水的啦。

我知道。

我問你。

好。

你覺得下面有什麼？

那不是我的問題。

我知道。問題是在上頭這裡。

他摸摸他的太陽穴。

是啦。哎呀。

你想太多了。不確定你都在想什麼。也不知道你腦子裡到底都是怎麼回事。但我要是跟你一樣腦子裡想著那些有的沒的一開始也就不會做這種鬼工作了。

我以為你愛這份工作。

是啦。哎呀。我想這份工作已經不能再好了呀，而我也是個很懂心存感激的渾球啊。

我沒辦法回答你的問題，油老大。我只知道我不會去。跟我說所有問題都是我腦子想像出來的解決不了任何問題。

對啦，好啦。我只是覺得有些事要是你怕的話就該直接去做。而不是呆坐在那裡思考每個不去做的理由。想想看，要是你人在水下減壓艙裡，卻因為各種理由而害怕從狹窄的通道回到現實世界的話呢？我想這就是你會使用的那種類比吧。一旦害怕了就會永遠卡在原地。你不是毫無進展。你要一直穿越狹窄的通道回到現實。

威斯特恩微笑。

有些事像是蛇咬一樣讓你留下創傷但你以為可以輕易擺脫。但事實是那個創傷不只跟著你還永遠會在某處等著你呀。那樣的創傷永遠會等著你。

我不知道。我想恐懼有時可以讓我們看到問題以外的事。如果有其他真正的原因呢？那代表就算我們解決了恐懼也不見得能解決眼前的問題。

你是說無論你怕的是什麼也可能不是你真正害怕的對象。

我想是吧。

好吧。嗯。那也不是我該管的事。說不定那場車禍真的對你影響很大。我猜你以前並不害怕開一台時速一百八十英里的賽車。

說不定我該怕才對。

他喝光啤酒，把空瓶放在桌上。但就算害怕也解決不了任何問題，對吧？

你真是過著一種奇怪的生活啊，鮑比。

有人跟我說過。

我確定一定有。我想一定也有人跟你說過這句話：這樣解決不了任何問題。

好。

死去的人不能回報你的愛。

威斯特恩站起身。我們保持聯絡。

好吧。

你多保重。

你也是，鮑比。

——

他回到公寓時發現公寓已經被非常仔細地翻找過了。他首先想到的是他的貓不過貓這次也在床底下。

是我啊，他說，然後拍拍地板但貓不肯出來。他在公寓內到處走動，把東西都歸位。潛水袋中的設備被散亂地丟在地上於是他全部裝回去拉上拉鏈重新收進衣櫃。他把堆在地上的衣服一把把抱起來後堆在床上。然後他停止動作。他在床邊坐下。

不是之前那些傢伙。這次來的人不一樣。

他走向衣櫃把潛水袋再次拿出來放在門邊。他把還掛在衣架上的襯衫從衣櫃橫桿上掃出來後堆在門邊然後從衣櫃層架上拿下爺爺那個刮痕累累的格拉德斯通皮革手提包把襪子、T恤打包進去再「啪」一聲用力關上。

他把一只帆布包拿進廚房後裝滿罐裝食物、咖啡和茶。另外還有幾個盤子和廚房用品。他把他的書打包進一個行李袋後同樣放在門邊。另外還有一台小音響和一盒錄音帶。他拔出牆上的電話插頭把床上的被子連同枕頭一起扯到地上後在公寓裡最後走了一遍。他拿起貓砂盆。他有的東西不多但此刻看起來實在是太多了。他把桌燈的插頭拔掉後拿到門口接著開始把所有東西都拿到外面的卡車上的駕駛艙裡或塞在起重機吊臂前方。他拿了五趟後拿完了。他跪下爬到床底下對貓說話最後終於爬到可以碰到牠的地方。來啊，比利．雷。本來就沒什麼是永遠的。

這可不是貓喜歡聽到的消息。他在小小的公寓內一邊來回走動一邊輕撫貓的皮毛然後走出公寓關上門穿過屋前鐵柵門來到街上坐上卡車駕駛座把貓放在大腿上開著卡車沿聖菲利浦街來到七海酒吧。

當時是凌晨一點。他帶著貓走進去。正在顧吧檯的珍妮絲抬起頭看著他微笑。這朋友是哪位啊？

這位是比利．雷。樓上有房間嗎？

是之前歪哥的房間。我不知道乾不乾淨。

那沒關係。我可以住嗎？

我該問問喬西。

我會跟她說。聽著，我所有家當都在外面的卡車裡。我不想在晚上這個時候到處去找汽車旅館。如果她已經答應給別人住那我會立刻搬出去。

怎麼回事？你被房東趕出來了？

算是吧。他的東西都搬出去了對嗎？

對啊。應該是吧。他們把所有東西裝箱後寄去給他住在什里夫波特的姊妹。我希望你不會害我惹上麻煩。

你不會有事的。鑰匙在哪？

她從櫃檯底下拿出一個菸盒後取出鑰匙放在吧檯上。他拿起鑰匙在掌心翻看那個黃銅製的鑰匙牌。七號。

是幸運的七號。

其實沒那麼幸運，是吧？

是啦。好吧，誰知道呢。最近這裡的氣氛一直很低迷。至於幸不幸運就得問歪哥才準了。總之是走廊左邊的最後一個房間。我想門上應該沒有號碼。你確定要搬到這裡的樓上？

為什麼這樣問？

不知道。我在這裡的四年間已經有三個人搬出去了。包括歪哥。而且他們離開的方式都跟歪哥一樣。你或許得再考慮看看。

我會的。

他把家當從卡車上拿進來走向屋外的露台再爬上樓梯。那個已經被搬光的房間目前只剩一座鐵床架、一張小木桌和一張木椅。另外還有一座水槽、一台小冰箱，和一台輕便小烤爐。床架上沒有床墊。整個地方聞起來是霉和瓦斯的氣味。他把所有東西搬進來堆在桌上及角落後關上門。貓正在檢查房間的每個角落。牠對這裡的一切都不是很滿意。

他把許多毯子、衣物和睡袋全攤在床架的支架上勉強算是鋪出一張能睡的床然後把貓的塑膠砂盆放在角落然後把細碎黏土塊從袋子裡倒進貓砂盆接著又下樓點了一瓶啤酒後站在吧檯尾端。

你不想跟我講話是吧，珍妮絲說。

他拿起啤酒走過去坐在其中一張高腳凳上。

房間如何？

還行。床架上沒床墊。

你打算睡在支架上？

對啊。算是吧。

那樣睡很慘。要是身邊有人更慘。

我還沒想到這件事。

你看起來精神很渙散。所以到底為什麼會在大半夜時找新地方住？

有人闖入我的住處。雖然還有其他問題啦。

太慘了吧。他們偷走什麼？

不知道。沒很多吧。我也沒什麼能偷。

油老大說你過著僧侶的生活。

我猜是吧。

你為什麼不約寶拉出去？

什麼？

約寶拉出去。

沒這個想法。
為什麼？
我不想跟任何人扯上關係。
你知道她對你有意思吧。
不我不知道。
試試看嘛。
沒這個想法。
好吧。那還有什麼其他問題？
其他問題？
你說除了有人闖入之外還有其他問題。
威斯特恩歪頭。為什麼問？
那不然我現在還可以糾纏誰？
我哪知道。我要去睡了。
晚安。

他隔天早上下樓時已經是十點了許多人穿著睡衣和拖鞋站在吧檯旁一邊喝血腥瑪麗一邊讀週日的報紙。吉米從他坐的桌邊對他點點頭。
你搬進來了。
你們這些傢伙沒其他話題好聊啊，是吧？
對你來說可能也算鬆一口氣吧。乾脆就搬進來了。

你這樣說也不算錯。

我們都覺得是遲早的事。

威斯特恩露出微笑，然後走出酒吧沿著聖菲利浦街走到他停卡車的地方。

他在下午帶著一個床墊和幾袋生活雜物回來。他把卡車停在酒吧前方後下車再把床墊搬下車。喬西站在吧檯後方看著他。床墊不太好搬但沒有人起身幫忙。他把床墊靠在香菸機上轉身。我是要欠你多少才能獲得幫助呢？他說。

見鬼啦，鮑比。搬進來啦。我可不擔心你的能力。

好啦。

油老大有來這裡找你。

你有跟他說我搬進來了嗎？

沒有。是他告訴我的。

老天。

他用肩膀把通往露臺的門推開搬著床墊千辛萬苦走上樓梯。等他把所有東西都搬進房間後他離開酒吧沿著德卡圖街往前開終於找到一座停車場。然後再沿著聖菲利浦街走到他那間小小的公寓穿過鐵柵門把鑰匙插進門鎖後推開公寓大門。又是一扇即將永遠關上的門。他踏進去打開燈，站在那裡看著他留在床上的衣服後走進廚房。他在廁所打開燈彎腰小心翼翼把底下一個右邊的抽屜打開。他在抽屜正中央留下一枝筆蓋沒蓋的圓身原子筆這樣筆就會在抽屜移動時滾動而當他慢慢把抽屜拉出來時那枝筆就躺在抽屜前方邊緣。他把抽屜關上重新走回前面房間走出大門鎖上然後又回到德卡圖街。他在街角停下買了一份報紙再走向圖雅格餐廳。

當時是十一月的某個週日下午五點而他是餐廳裡唯一的客人。有幾個人在另一個空間的吧檯邊。一名男服務生拿著一條麵包和一盤奶油過來。他用桌上古董玻璃水瓶倒水後離開。

餐廳裡沒有菜單。他們送什麼來你就吃什麼。他吃了法式檸檬奶油醬蝦仁接著是用海鮮及米飯煮的湯。然後是烤牛胸肉配辣根海鮮醬。他喝了一杯白酒搭配海鱸魚排然後喝了用玻璃杯送上來的咖啡。一群遊客走進來。這地方似乎有讓他們平靜下來的效果。威斯特恩知道那種感覺。他們看著牆上的照片以及那數百瓶展示出來的兩盎司烈酒瓶。他又點了一杯咖啡和一盤香草冰淇淋。他在快要七點時離開餐廳走回七海酒吧。紅仔有留言給他於是他把留言收進口袋爬上樓梯餵完貓上床睡覺。

他在第二天早上天還濛濛灰時開車前往貝爾沙塞。他把卡車停好後走過停車場經過潛水訓練池和那些鋼骨建築物。他把金屬門的鎖頭打開回到控制室打開燈和簡易烤爐再取下咖啡和濾紙。

油老大在大約六點三十時到了。我就猜是你，他說。

是嗎？你怎麼猜到的？

我想你大概得花一點時間才能真的在那個像瘋人院的地方睡著。搬進去之後都好嗎？

還行啊。我都好。

怎麼回事？你有了更多訪客？

又來了好幾個，我猜。想見我的人實在太多啦。

油老大倒了一杯咖啡後站著用塑膠湯匙攪拌咖啡。所以你才搬家？

對啊。反正也差不多該搬了。吉米說我已經遲繳房租。

吉米心裡有數。

我希望不是這樣啦。

你知道他是老式的硬帽潛水員嗎？

不。我不知道。

他可以讓你看見自己未來可能的模樣。你可能需要思考一下。

我常聽見這種話。我很驚訝沒人去拜訪你。

我有這樣說嗎？

什麼？那些傳教士有去嗎？

就是那些傳教士。

你沒跟他們說我們把失蹤的乘客藏去哪裡了吧？

沒。他們一直揍我想逼我說出口但我始終沒屈服。最後他們把一個一百二十磅的重物掛到我的睪丸上但我還是咬緊牙根沒說。

最討厭他們這樣搞啦。

你何時離開呀？

我們明天才出發。

怎麼回事？

不能說。

你認為飛機還在那裡嗎？

不知道。那可需要一台很大的起重機才有可能拖起來，還需要一台很大的駁船來載。

我猜他們會在晚上進行。

你還在報紙上找消息嗎？

沒有。我放棄了。

油老大伸手去拿咖啡壺把杯子倒滿再放回去。其實這整件事也可能就無聲無息地過去，你知道吧。

那可不是挺好的嗎。

但你不認同。

不太行吧。

隔天早上他們開著紅仔的老福特牌Galaxie車往下游出發。

你這台引擎排氣量怎樣？三百九十立方英寸？

不，是四百二十八立方英寸。我打算去找ＣＪ牌的汽缸頭來裝裝看。我有一個突輪軸但始終沒有裝進去。你現在不把時間花在車子上了吧。

不，我放棄了。

你那台瑪莎拉蒂還在嗎？

在啊。但我開的時間不夠長。這點讓我擔心。汽缸蓋墊開始老化冷卻液也會流進活塞內襯導致活塞生鏽。另外還有其他問題。

非要這台車不可嗎？

不知道。這台車沒有速霸陸水平對臥引擎那款車那麼快。也比不上藍寶基尼的Countach。可是結構比較好。零件不會掉下來。瑪莎拉蒂的Mangusta嗎？或許可以比吧。那車很好看。而且沒有其他車子的煞車比這台更好。如果是福特301可以改裝的部分更多但得先裝台更大的變速器。當然啦寶獅的308連個胖男人都跑不過而且又很難找。所以就是瑪莎拉蒂的Bora了。懸吊系統偏軟？其實不會。只是傾斜幅度有限。我猜一旦習慣寶獅車那些天馬行空的部分之後真正需要在意的其實只有美學。而Bora是最美的車。就這樣。通話完畢。

要是有那台車我一定猛開。

我一點也不懷疑。

那些方程式賽車可以跑多快？

一級方程式賽車的時速可以超過兩百英里。但沒什麼地方可以開。就只有法國薩爾特賽道的穆桑直道吧。我不知道二級方程式賽車怎麼樣。這些車當然都沒有裝時速計。跑幾圈後唯一能確定的就是你跑得不夠快。

你遇過最大的問題是什麼？

錢。當然是錢。如果單純只談車就只可能遇到兩種問題。你處理不了的跟你不知道需要處理的。如果是在比賽中遇到狀況也只能無奈地聳聳肩。可是假如沒辦法把懸吊系統處理好每圈都可能害你多浪費幾秒……好吧。我們從來沒能把車子的狀態搞好。你最後只能不停調整胎壓。還有左右輪胎的傾角。你相信自己什麼車都能開但賽車其實不能這樣。

你沒開過短程賽車？

沒有。你呢？

沒有。那種車真是嚇死我了。

法蘭克有一天早上打給我說讓我順路過去接你吧。我要給你看個東西。所以我們跑去看了某對兄弟搞出的建造工程。我們走到一棟房子後面他們像是為藝術作品揭幕一樣拉開防水布。他們搞到一對馬力有三百九十一千瓦的克萊斯勒Hemi款引擎然後用巨大的史百舍牌U型接頭連結在一起。然後他們裝上一對GMC公司671型號的增壓器。他們從來沒把這東西放到動力測試台上測試過但數字一定很誇張。法蘭克說他們第一次啟動時兩個街區以外的鳥都從樹上掉下來死掉。這東西甚至沒有傳動裝置只裝了伊頓公司的巨大卡車用兩速後軸。而且整個裝置就放在他們用角鐵和各種管子焊接起來的一個底盤上。實在不可思議。法蘭克和我站在那裡看然後我說你怎麼想？他說我怎麼想嗎？我說對啊。然後他說我跟你說我怎麼想。我寧可坐電椅也不會坐進那東西裡。

他們把車子停進停車場然後走到咖啡店點了咖啡等羅索來。外面的天色還很暗。幾隻海鷗在碼頭的燈光上方盤旋。咖啡店裡的氣氛很活潑。紅仔拿了一份報紙把身體滑進卡座然後往外望向灰濛濛的水邊。這東西就該是個破銅爛鐵。我不知道他們覺得這東西可能造成什麼危害但我敢打賭那傢伙一定寧願希望那東西能永遠留在原地。

我想也是。你覺得我們會在這裡下水多久？

幾天吧。主要是要看抽水需要花多久時間。你要吃東西嗎？

不用。咖啡就好。

好啊。那個女服務生天殺的跑去哪啦？

他們重新走到咖啡店外的碼頭上，河的另一邊撒下一道道光線。紅仔把他的菸頭甩進水裡。給你開卡車嗎？

鑰匙給我。

我們可以把裝備堆在這裡整理。羅索應該快到了。

那個應該就是他。

羅索列印了一些古老拖船的甲板圖和側視圖。不過這些船通常都是獨一無二的，他說。所以我不確定這些圖的能有多大用處。這可是一九三八年建造於巴斯鋼鐵廠的小寶貝。

紅仔彎身吐了一口口水。但我確定這些鬼東西可重了，他說。

這些船確實是重。泰勒租了一台有兩百噸蒸氣驅動起重機的駁船。我等不及要看那台起重機啟動的樣子。我們就帶這些裝備吧。

他把圖捲起來塞進筒管中再扭緊蓋子。你們都準備好了嗎？

來處理這艘船吧。

來處理這艘船吧。

他們的船開過那些因焦油而漆黑的樁木，船尾在黏土色的水中留下泛綠油垢。尾波在如同黑森林且存在許多生物的樁木間碎散開來。他們轉頭往下游的方向去，沿著西岸堤坡前進，猛力前行的船頭打破籠罩河面的灰色薄霧。現場除了引擎的音響外聽不見其他聲音。他們所有人沉默地搭著船，只會偶爾伸出手指向那些滑入河裡的鱷魚。他們在抵達預計潛水的現場時覺得滿冷的，所以從小船爬上駁船甲板時用力跺步並揮動手臂，等太陽升起後還像是崇拜的信徒一樣面對著太陽。

那艘拖船的桅杆有大約三英尺斜斜地伸出河面。海岸巡防隊已經用浮球標記出事故現場。搭載起重機的駁船在拖船上游的不遠處，外表看來巨大又斑駁。甲板船室內有燈光，可是周遭似乎沒看到人

紅仔對著那艘駁船點點頭。你覺得那艘船一天的運作成本有多高？

不知道。但我敢打賭都付清了。

他們坐在甲板上，羅索跟他們把潛水流程一條條順過。威斯特恩往後躺下，在甲板上伸展開身體，閉上雙眼。

你有在聽吧，鮑比？

我正在全神貫注地聽你說話呢。

那可以回答蓋瑞剛剛的問題嗎？

這艘拖船能承受的最大拉力大概不超過三十噸。可是那是一九三八年的狀況，現在的承受力一定更差。你不可能靠H型繫繩柱把船拉起來，那樣只會把繫繩柱從甲板上扯掉。最好還是先綁艉繩。因為船舵可能距離船體太近所以沒空間把纜繩降下去，如果真是如此我們就得拿鑽槍下去打洞。我們需要兩英寸的

寬度才能綁纜繩。

紅仔躺著伸展身體，並用一把想像的步槍瞄準一台高處的噴射機。那你說我們要如何測出兩英寸？下面可是一片漆黑。

用你的老二就行了。

所以指向哪邊？

你的老二嗎？

指向上游。你可以靠桅杆看出來。

這艘船到底怎麼了？有人知道嗎？

本來是在拖一艘貨船，但他們決定多加幾條纜繩——因為天氣或者某些其他原因——結果拖船承受不了拉力就翻了。

聽起來滿蠢的。

每次有船在河面上不行了，你的大腦螢幕上第一個出現的字都是蠢。通常前面還會加一句天殺的。還有其他想說的嗎？

我想就這樣了。有問題嗎？

這東西有可能在吊上來的過程中解體嗎？

不會。拖船不會解體。拖船永遠不會壞。

好吧。

我的表現成績有A嗎？

不知道。紅仔？他的表現有A嗎？

拖船有多重，鮑比？

很重。

聽起來是有A喔。

那些補給員拿了兩件維京牌的商用潛水衣攤開放在甲板另外還有兩台型號比較晚期的SuperLite 17潛水頭盔。紅仔和威斯特恩把衣服脫到剩下短褲和T恤後補給員幫他們穿戴上裝備並跟他們說明等等要使用的新款EFROM無線水下電話。在河水底下就算有用燈也沒有能見度所以潛水員必須靠一條十八英尺長的尼龍塑膠繩綁在一起。他們坐在駁船邊緣努力穿上重型鋼頭工作靴然後補給員站在他們身後的甲板上立著兩對Justus品牌的不鏽鋼氣瓶並在他們套上潛水背心、扣上扣環，繫緊綁帶時扶著氣瓶。他們扣好配重腰帶後補給員把他們身上的通訊線路整理好扣上安全索等他們轉頭豎起大拇指後就被推入河中。

他們眼前的能見度立刻降到零本來還能看見泥巴的前方不到幾英尺就變成純粹的黑暗。他們通常會在光線不夠時使用的艾克燈在此時毫無用處。這些燈只有辦法在河水中打出一塊棕色汙點就算只是握著燈伸長手光源也像是從五十英尺外打進來一樣。燃燒的泥巴，油老大都是這麼描述。他們頭頂上方像圓盤一樣的泥水光圈緩慢變小消失而他們往下沉入黑暗任由水流帶著他們沿河往下。威斯特恩嘗試使用電話。你在嗎？他說。

我在。

他們都戴著防寒頭套但威斯特恩可以感覺自己的頭裡面好冷。那是一種尖銳的痛楚。就像是吃冰淇淋吃得太快。他們往下沉入絕對的黑暗時河底突然出現在眼前。他還因為沒能來得及思考差點沒能在河底站好。他把一隻手往下放。手套底下是沙沙的暗色土壤。觸感比他想像的扎實。他站起來轉身面向上游。

我們還有一段路要走，紅仔說。

對啊。

他讓身體迎向水流。水流不斷壓迫著他。他側轉身體用肩膀迎上去並開始在河床上踩著沉重的靴子往上游走。

他可以靠著水流方向的改變感覺到船體在他的上游處。那艘船就像是水流中的一道陰影。他在身體前方舉起雙手。有聲音的迴響。他摸到的是船舵邊緣。他用手摸著粗糙的鋼板跪下再沿鋼板一路摸到河底的沙土。

好了。我們到了。

你那邊有什麼？

我想應該就是某艘天殺的船喔。

他仔細檢查在很深的內部裝載著螺旋槳的鑄鐵推進器艙。船舵很大於是他沿著船舵往前摸再將手指塞進舵的前緣。紅仔靠近到他身邊。威斯特恩把尼龍牽引繩從腰帶上解下穿過船舵前緣和船體之間的空隙來回拉動幾次後再重新勾回腰帶上的一個扣環。

我想我們這邊已經好了。

好喔。我要把你跟我之間的繩索解開。我要把我那頭的繩子拉到前面。

這有多長？九十英尺？

羅索是這麼估計的。

我跟你船上甲板見吧。

Andale pues[61]。

威斯特恩又放了幾碼的繩子出去然後開始往上游移動。他用大拇指按壓潛水電話的按鈕。你在嗎？

我在。

我想我們很順利。

總是會有些狀況。

總是會的。通話結束。

他拖著身後的繩索，一隻手放在拖船的船體上。有艘船正從上游緩慢經過，他稍微停止動作。上方的引擎在看不出來源的一片黑暗中發出吵鬧的金屬敲擊聲。他第一次的河潛是兩年前。那次的重量就如同此刻的引擎在他上方移動著。永無休止、永無休止。就像面對所有事物一樣永無止境的時間總是不停流動而去。

他走到他認為是船身一半的所在處再次喊了紅仔。我往上走，他說。

收到。

他解下配重腰帶勾在其中一條纜繩上然後任由那條纜繩沒入黑暗。他解開尼龍塑膠繩後緩慢上升到傾斜船體上方。途中經過連結船底及船舷的單片　板來到一排輪胎沿船體上方鍊在一起的所在後抵達船體往內側彎曲處。他用手撐著甲板把自己往上推突破河面張開雙手轉身緩慢地漂浮在水面上。其中一名補給員走到駁船邊緣把一根很重的繩子往外甩過河面好讓繩子剛好落在他的下方。他伸手抓住繩子後補給員對他比了個大拇指把穿過絞盤導纜孔的繩索理直轉動操縱桿於是威斯特恩躺在水面的身體往下游甩動了一下接著絞盤將他緩慢地往船邊拖過去。

補給員幫他把氣瓶和頭盔卸下的同時另一個人幫他拿來咖啡。他把杯子放在甲板上脫下手套看著河面終於紅仔浮出水面。弄好了嗎？他喊。

我們搞定了，鮑比。

他們把紅仔也拖過來後他把導引繩索交給其他人並讓補給員解開他的頭盔取下。輕鬆解決，他說。

你有在底下撞見你不知道是什麼的東西嗎？

61　西班牙語的「快點」。

還沒。我想過這件事。我在加州的一座動物園看過一隻短吻鱷咬斷一隻烏龜而旁邊的招牌寫那隻短吻鱷有兩百六十磅重。牠的頭是你的拳頭大。我其實希望沒看到那場面。

對啊，威斯特恩說。我想牠們還會長得更大。

是嗎？

還有低鰭真鯊。

低鰭真鯊。

對啊。

哎呀，牠們不會游到這麼上游這裡。

有人在伊利諾州的迪凱特看過，那裡也算是很北邊。

他們遞給紅仔一杯咖啡後他坐著小口啜飲。他看著威斯特恩。你真是惹人心煩，威斯特恩。他轉頭望向羅索。他什麼時候要啟動那東西？

他們會沿著尚比西河一路游到瀑布。牠們在河裡什麼都吃。

什麼？

低鰭真鯊。

在非洲的時候。

在非洲的時候。

胡說八道。他們河裡有二十英尺長的鱷魚。低鰭真鯊怎麼可能吃那種鱷魚？

牠們就是有辦法呀。牠們會先吃內臟。

胡說八道。

獅子不會在尚比西河的瀑布南邊喝水。

真是胡說八道。

就是說啊。無論如何，獅子的部分的確是我編的。但有可能是真的喔。

他們把導引繩穿過絞盤把纜繩轉起來後一條條拴起來接著再看著這些纜繩滑入水中。他們栓起吊索等到了凌晨船的舵艙已經有很大一部分浮出水面。起重機的駕駛加高檔速於是駁船開始顫抖並發出摩擦聲。紅仔傾身往河裡吐了一口口水。這種船的船艙總是很高，他說。畢竟你得從夠高的地方俯視一切。

我想是這樣沒錯。

我們接下來還得花多少時間？

為什麼問？

搞不好我有個火辣約會？誰知道呢。

我想大概得搞上整晚吧。

對啊。他們希望我們早上幾點過來這裡？

破曉就來。

好吧。

你準備好了嗎？

我他媽的隨時準備好了。

他們入住高速公路旁的汽車旅館。你想來杯酒嗎？

不用了。我很累。

我們明天一早見。

威斯特恩關上門把袋子丟在地上走進廁所沖澡後又躺到床上伸展身體。他睡了八分鐘後又醒來呆呆盯著天花板。過了一陣子後他起身穿好衣服走到樓下酒吧。時間還早。他坐在角落的桌邊女服務生過來擦過桌子後放下一張紙巾站在桌邊看著他。

你結婚了嗎？他說。

你有要點餐嗎？

就拿瓶珍珠牌啤酒來吧。

她拿了一瓶啤酒和一只玻璃杯來。她站在桌旁看著他。但我敢打賭你已婚，是吧？

已婚。

果然啊。

對啊。我永遠都會是已婚。永遠都是。

所以你怎麼會問我有沒有結婚？

我只是想知道那是什麼感覺。我是指對正常人來說。

你是說我不正常嗎？

不是。老天啊，當然不是。這樣講是在說我自己吧？

你不正常。

對。

你有什麼毛病？

我不確定。

你百分之百確定已婚？我可沒有。

我不該打擾你。

你沒有打擾我。

我不是嘗試要約你。

我不知道你是不是。我只知道你不是很擅長此道。

隔天早上他們坐在駁船的甲板上喝咖啡搭配午餐盒裡的三明治。他們仔細看著那艘拖船及起重機操作員。他把船的欄杆拉出河面時引擎再次熄火於是他再次降低檔速。白煙從排氣管一陣陣冒出吊索嘎吱作響吊臂也發出一連串棘輪摩擦的雜音。駁船的甲板緩慢傾斜。然後停止。威斯特恩正盯著纜繩看。他望向紅仔。紅仔正拿著他的三明治。過了一陣子後他再次開始咀嚼。羅索走過來蹲下。

那艘船裡有多少水，威斯特恩？

你需要知道多快可以抽完水？

還不知道。先給個大概合理的數字。

我猜就橫截面來看船的中甲板面積不會超過六百平方英尺。尾端面積是零所以全長的平均面積應該就是六百的一半。於是總空間會是兩萬四千立方英尺。每一立方英尺會有七點五加侖的水。所以總共會有十八萬加侖。

羅索從襯衫口袋拿出一枝鉛筆和一本小本子後盤腿坐下。

這樣要花十五個小時，威斯特恩說。不過真正花的時間會再久一點。因為十五小時是根據抽水幫浦每分鐘可抽取的加侖數來計算但幫浦真正運作時不會開到最大。而且這還是假設不會有任何一台幫浦棄我們而去。

紅仔再次開始吃他的三明治並搖搖頭。羅索把小本子收起來。

但總之得先吃早餐。

剛剛那些只是猜測。

當然。但你不會希望那些幫浦吸到空氣。

他們的船停進小艇碼頭時碼頭邊的燈剛好開始亮起。威斯特恩把他們的潛水袋丟到碼頭平台上時蓋瑞把引擎關掉。

你明天早上幾點想見到我？

一大早。

那就一大早吧。

他們把潛水袋甩到肩膀上走向停車場。你著涼了，是吧？紅仔說。

對啊。頭有著涼。

對啊。冷到一個程度後很難再暖起來。

換乾式潛水衣呢。

是啦。但那東西很難穿。

或是絨毛潛水衣內襯啊。還有防寒內衣。

好啦。

他們隔天早上把船停到事發現場時有艘汽艇被繩子綁在駁船的一頭另外還有兩個很好看的女孩穿著牛仔褲坐在駁船甲板上喝啤酒。

紅仔站著把一條繩索扔到甲板上。他看向威斯特恩。是你點了這兩個女孩來嗎？

沒有。可是我現在對我們的起重機操作員可真是另眼相看了。

女人總能讓你犯傻。

是的沒錯。

我總是聽說她們很著迷於重機械。

他們向兩個女孩揮手而兩個女孩也揮手回應。拖船已有一半被拉出水中同時船底的抽水幫浦正在奮力運作著。

你認為他真的相信可以讓這艘船重新上工？

你說這艘拖船。

對啊。

不知。

你們都要來瓶啤酒嗎？其中一個女孩高舉起一瓶啤酒。

不，謝了。我們這邊的負責人去哪了？

他等等就回來。

我們正打算煮一堆蝦來吃。你們是從哪來的啊？

比洛克西。

那是個美好世界啊。

什麼？

我愛比洛克西。

比洛克西？

說不定他是工作太累得休息一下。

說不定他是為了好好工作才得休息一下。

我想這場打撈工作一定有些我們無法解決的問題。

他們開船去上游的索克拉喝啤酒那是碼頭對面的一間小酒吧。紅仔透過沾滿砂土硬塊的窗玻璃往外望。

我們那艘船沒問題吧？

沒問題吧。他們不會跑去那裡偷船。只會把其他東西全偷走。對他們來說是面子問題。

你說不偷船是面子問題嗎？

不是。必須把其他東西全偷走是面子問題。

你覺得他的合約裡有註明嗎？要為起重機操作者提供妹子？

有可能。

你有考慮過其他職業嗎？

無時無刻。

胡說。

他們回到下游時拖船已經垂掛在纜繩上而駁船的舵艙裡則傳來音樂。他們把船停下綁好纜繩。起重機駕駛已將一台瓦斯烤爐點火此刻正在一個看起來像是垃圾桶蓋的東西裡面炒一堆蝦子。

你何時打算把那艘大船放到駁船甲板上？

只要你們亂七八糟的團隊到齊就行啊。

到時候要放止輪器。

對啊。你們都要來些蝦子嗎？

當然好。你打算把這艘船帶去威尼斯區嗎？

如果可以去的話我想是吧。拿個盤子。那邊有些醬料。

你叫什麼名字？

理查。

我是紅仔。

你好嗎，紅仔。
我很好。
別叫我理查的小名迪克喔。
為什麼?你的全名是迪克．笨頭嗎[62]？
真是個搞笑的渾蛋。
你的保冷箱裡有啤酒嗎？
有啊。自己拿。
那些女孩怎麼回事？
沒怎麼回事啊。我一吹口哨她們就過來了。
這樣啊，好喔。這些蝦子挺好吃的。
你的夥伴不吃嗎？
拿個盤子，鮑比。這些很好吃。

他走進七海酒吧時珍妮絲揮手要他過去。油老大有打電話來找你。他說如果有找到空檔的話會在這邊大約明晚七點時再打過來。

他在哪裡？

他在船上。那通電話是一台無線電話機轉過來的。

62 迪克（Dick）是理查的小名。原文裡的紅仔是說「難道你姓Head嗎？」目的是開玩笑地表示對方的全名是Dick Head（愚蠢的傻瓜）的意思。

沒說其他事了？

能聽清楚的只有這些。訊號很不穩定。

謝啦，珍妮絲。比利．雷還好嗎？

我想他看見你會很開心。

謝啦。

他上樓餵貓然後趴在床上和貓一起伸展身體。你是最棒的貓，他說。我不覺得有見過比你更棒的貓。他打算出門找點東西吃。後來又決定看看小冰箱裡還有些什麼。然後他就睡著了。隔天早上他問了羅索。那艘駁船已在入夜後停進威尼斯區他們是先把那艘拖船從駁船卸到一台拖板車上再載到一個工場後用工場起重機卸下放在水泥磚上。他說船底有死魚和很大的烏龜。他在入夜後下樓坐在吧檯邊等到超過十點但油老大始終沒打電話來。他走出去吃了點東西回來時珍妮絲遞了一張寫著電話號碼的小紙條。是小德？她說。

是小德。

他走去付費電話撥了號。

親愛的。

嗨。

我做了個跟你有關的夢所以醒來後很擔心。

你夢到什麼？

你還好嗎？

我很好。夢的內容是什麼？

我知道你不相信這些有關夢的解讀。

小德。

嗯。

夢的內容。

好。那是個很怪的夢。有一棟建築起火而你穿著特別的套裝。某種特別的消防員套裝。看起來有點像太空衣而你打算到建築裡救那些人。你直接走進熊熊大火中消失而其他消防員就站在那裡其中一個人說：他沒辦法活著出來。那是一套R-210套裝而他至少需要R-280套裝才能應付這種狀況。然後我就醒了。他把兩隻手肘靠在小小的檯子上，話筒貼在耳邊。

鮑比？

我還在。

你覺得是什麼意思？

我不知道。那是你的夢。

那個夢實在太真實了。我幾乎要大喊你的名字。

我想我該離起火的建築遠一點。

你有在做什麼危險的事嗎？

就都是平常那些事而已。

你沒有否認。

我猜想你甚至沒有意識到自己其實一心求死。

我一心求死。

對。

我想我該更認真監督你平常讀的書。我想你是真的相信解夢這門學問吧。

我不知道，鮑比。你是指夢的預知功能嗎？

對。

有時有吧。我想。我相信女人的直覺。

你是有在磨練自己的直覺嗎？

無時無刻。

你覺得我該怎麼做？

我不知道，鮑比。小心點就是了。

好吧。我會的。

威斯特恩有一陣子沒說話。真是段漫長的沉默呢，他說。

我知道你這個人，鮑比。你甚至不是個宿命論者。

甚至不是？

我知道你不信神。但你甚至不相信世界是依循著某種結構。也不相信一個人的生命是依循著某種結構。

那就是個夢而已。

不只是那樣而已。

那該是怎樣？你在哭嗎？

抱歉。我太傻氣了。

還有什麼事嗎？

為什麼一定得還有什麼事？

我不知道。有嗎？

我不知道，鮑比。我就是最近很常想到你。你有幾個認識艾莉西亞的朋友？
不多吧。你啊、約翰，還有諾克斯維爾的人。主要就是你和約翰。當然還有家人。我不想談她。
好吧。
你只是有點憂鬱而已。如果你想要的話我可以明天帶你出來走走。
我沒有假。
那我再打電話給你。
好吧。我得掛電話了。我不是想讓你擔心，鮑比。
我知道。
好。
隔天早上他走進盧的辦公室時盧抬起頭仔細觀察他。然後他靠向椅背。哎呀。看來你還沒聽說。
我猜是沒有。
紅仔剛離開這裡。他正在前往酒吧的路上。
好吧。聽說什麼？
抱歉，鮑比。油老大死了。就是這麼回事。
威斯特恩走過去坐在其中一張小金屬椅上。啊天哪，他說。你們這群狗娘養的可悲傢伙。
我很遺憾，鮑比。
有通知任何人了嗎？
有。我有他姊姊的電話號碼。
她住在愛荷華州的德梅因。她是個學校老師。
我想沒錯。目前還沒有人接電話。

發生了什麼事？

我不知道。很難從那些人口中獲得直截了當的答案。他死在潛水鐘裡。他們把潛水鐘拉上來時他已經死在裡面。

我以為他是去執行飽和潛水。

不知道。你說的那些狗娘養的是誰？

別管我。他們會把他埋在海裡。你等著瞧吧。他不會回來了。

你怎麼知道。

你等著瞧吧。

四

驚醒她的可能是一隻狗。總之是夜路上的某個東西。然後是一片靜默。一片陰影。她轉頭看見窗台上有個東西。那東西蹲在狹窄的平台上，雙手的爪子緊抓住兩邊膝蓋，不停到處斜眼觀察，頭一邊緩慢轉動。那對如同精靈的耳朵和眼睛看起來就像後院水銀燈底下的石頭彈珠一樣冷硬反射在玻璃上。那東西改變姿勢，轉身。一條表面感覺像是皮革的尾巴滑過如同蜥蜴的雙腳。那雙漫無目的的眼睛尋找著她的身影。頭在黑色鐵項圈內的細瘦脖子上方擺動。她跟隨那東西沒有眼瞼的凝視眼神。從屋頂窗戶投下的光線以外暗處有些什麼。虛空的吐納。沒有名字或尺度的一片黑暗。她把臉埋入雙手悄聲呼喊哥哥的名字。

這些東西幾天後又來了。不是個特別的日子。那年的春天。樹林就算到了夜晚也因為山茱萸花而顯得一片亮白。她坐在原本屬於她奶奶的梳妝桌前之前那次在安德森縣犯夜間洪水時這張桌子還有被搬出房子帶走。她在斑駁泛黃的鏡子前審視自己。鏡面的輕微弧度讓她的完美臉龐看起來像是拉斐爾時期之前的畫像，細長又有點歪斜。在鏡子內的她身後有群顯得蒼白的遠古親友。他們身上包著裹屍布朽敗破布底下的身體骨瘦如柴。同時無聲地喧鬧著。她幾乎要對他們露出微笑但他們在鏡子內的身影卻逐漸淡去直到最後只剩下她的臉。在梳妝桌的抽屜內有包信箋是用藍色絲帶綁著。上頭有古舊的郵票以及羽毛筆留下的棕色墨水筆跡。收件地址是一棟磚石已浸沒在湖底淤泥中的屋子。另外是一支有梳齒及毛刷的玳瑁梳。還有一只曾被人帶去跳舞的褪色藍紫鳶花色晚宴包而那場舞會中許下的承諾都已消散。還有一只絲緞布製的小袋子仍散發著微弱但帶有霉味的薰衣草香。那個曾以新娘身分坐在這裡的女人她幾乎沒什麼印象。還有種徘徊不去的氣味。樓梯上有個聲音說我剛剛在盤子裡燒玫瑰但忘了嗎？

小子把鑰匙圈從一邊的鰭塞到另一邊的鰭然後把鰭折起來後讓那串鑰匙變得看不見接著又把那隻鰭放到腰部前方打開表示鑰匙不見了。嗨，小甜心蛋糕，他說。想我嗎寶？

不想，她說。她在破舊的天鵝絨長沙發上翻了個身。你那些朋友呢？

我覺得我該來確認一下。確保沒什麼不對勁的東西。

什麼不對勁的東西？

小子沒理她。他來回踱步，兩隻鰭交握在身後。他走到窗邊站定腳步。哎呀，他說。你也知道這個世道嘛。

不，我**不**知道。什麼世道？

但小子似乎已經沉浸在自己的思緒中。他站著，用一隻鰭包住下巴。然後搖搖頭。就好像感覺到了什麼不祥的預兆。

你根本就是在裝神弄鬼，她說。難道你**不**覺得我知道這一切都是為了我嗎？

你指的是什麼？

這種內在的觀照。這種與內在自己的對話。

講得好像我**沒**有一樣。

就是沒有啊。

哼。

你甚至**不**在意我。你只是個麻煩鬼。你和你的那些搞笑藝人都是。還有你們那些早就過時的肖托夸表演活動。

老天，勞拉[63]。別這麼逼我了好嗎？這種事又沒有指導手冊可參考。不如我們從頭開始吧。不如就從：嗨，請進，當自己家。Mi casa es su casa[64]。之類的。

這裡不是你家。我**不**想要你在這裡。

好啦，但這不是真正的問題。如果我**不**在這裡我們就**不**會有針對我為何在這裡以及我受不受歡迎的這段討論了。我還以為你是個超級聰明人呢。

真希望你能好好聽自已在說什麼鬼話。

可**不**是嗎？

你來這裡多久了？

不久。你呢？

我住這裡。

我覺得你不像之前那樣伶牙俐齒了。他們給你吃哪種藥？小親親寶？

不干你的事但我什麼藥都沒在吃。我以為你們**不**會再回來了。

對啊。結果發現時機正好。我們想你可能需要時間適應一下。我們有請骨頭先生每二十八天確認你的狀況一次。我們始終有把你放在心上。**骨頭幫**[65]認為你可能在酷暑時分有點不舒服但我們**不**覺得有什麼好擔心的。他懷疑是一個伴隨著絞痛的民意輿論病發作。這當然又讓我們忍不住要討論內在與外在疾病要如何劃分界線的老問題。真是個千古難題。不是臭不可聞的一切都能算作回憶。走廊上的馬桶氣味舉例來說就像是我們可能在更冷的緯度春天解凍時期聞到的味道。龍蛇雜處的北達科塔或其他類似病泱泱的下水道一般的地方所有精神有問題的人都會匯流到那裡。很遠以前好久之外的事。就像歌裡說的。

63 人名諧音。

64 西班牙文：字面意思大約是「我家就是你家」，歡迎對方來自己家的意思。

65 骨頭幫（Bonesrody）這是一個不存在的詞彙，根據前後文翻譯而來，字尾的 -rody 意味不明。

他轉過身仔細觀察她。或許最好不要重溫那些過往的飲食習慣。或是提前預習。讓祕密洩漏出來。祕密就像貓，於是必然會有一堆貓放的屁隨之出現。總之，你不該乖乖去做所有你相信的事。你很可能被逼到拿沙丁魚砸自己的腳[66]。你的計算進行得如何了？

我想你現在是希望我跟你聊一些胡言亂語的內容了。

我只是想知道你有沒有為所有事物找到數字，就只是這樣。

她把髮刷放下看著衣櫃然後再次望向小子。我不認為你會自己一個人來。

你的問題是不知道自己有多走運。有人淪落到被公車撞倒就算司機停下他也站起來你以為他要去找人幫忙卻看見他踩著直排輪鞋滾動翻閱過所有目標地點努力想從地理學中找到前往命運的某種連續不斷的彈奏。我想你懂我的意思。

我不懂。

沒關係。我們之後再回來談。

最好是。我想你又是搭巴士來的。

老天。別再講巴士的事了。我猜我就是衣著不合適吧。不符合得體的巴士禮儀。你怎麼來這裡的？

我跟你說過了。我住這裡。

是嗎？你之前跟奶奶說你想和浣熊一起住在樹林裡，她把你拖去看硬屌醫生讓他檢查你的腦子不過最後檢查的不只腦子對吧？

你對這件事一無所知。而且他的名字是伊道兒醫生[67]。

好啦，隨便。

而且你是在我上學時跑來這裡的。還看過我的所有文件。

你從來沒去過學校。你老是在逃學啊。總之，有想過那個問題了嗎？

我知道你一直在讀我的日記。

是嗎？還以為我只是某種嚇人的妄想產物不是嗎？那說法去哪啦？我猜我應該避免向你重複你說過的話不然你會宣稱我是在你的**每日記事簿**裡看見的，可是我們就這麼說吧其實這就是個**當今**小小的**自封雅典執政官**從一堆傻瓜怪人的高層團體[68]來到你適婚年齡前的閨房裡到處拍打著。哎呀神祕的事實在太多了**不**是嗎？在我們深陷入指控的聲腔之前或許還是自我提醒我們是**不**可能扭曲還沒發生的事比較好。

我還**沒**跟我哥說你的事你知道嗎。

是嗎？我**不**知道該怎麼理解這件事。你**不**覺得他會把你打包帶去硬屌醫生那邊嗎？他和奶奶一起？大家都在說你那寶貝鮑比充其量也只是**愛整天自慰**而且蠢笨到無人能比的傢伙。

你對我哥一**無**所知。

好吧，我猜那是好事。很忠心嘛。不需要深入探討那些盟約。這種事改天再說吧。

好啊。你**不**覺得他們已經開始不耐煩了嗎？我有聽見吸鼻子的聲音喔。

他們知道我在哪裡。

我想你的那些小把戲遲早會玩完。那之後該怎麼辦？

---

66 You're liable to get hoisted on your own pilchard，原本的諺語應該是「Hoist with his own petard」，其中的petard是爆炸裝置，有「拿石頭砸自己的腳」或「自取其器」的意思。

67 硬屌（Hard Dick）醫生是哈德維克（Hardwick）這個姓氏分成兩個字的意譯，小子故意把Hardwick講成Hard Dick，翻譯時選擇把哈德維克翻成跟「硬屌」比較接近的諧音「伊道兒」。

68 一堆傻瓜怪人的高層團體的原文是「high clavens of dingbatry」，clavens並不是在英文中存在的字，推測可能是conclave（祕密會議）或clan（幫派、部族）相關而進行翻譯；dingbatry也是不存在的單字，但dingbat本身有傻瓜、怪人的意思。

拭目以待囉。

你經過桌燈時影子在地面到處移動的玩法不錯，但我可不吃這一套。

你這也只是一點粗淺的觀察而已嘛。哎呀，不能說我們沒努力啊。

或者是你把鏡子變暗的把戲。

對啊，他可以把鏡子變朦朧嗎？

我不知道。我不知道也不在乎。根本就無關緊要。

豈止無關金寶，也無關什麼露西或梅寶。或許我該捏捏我自己。

為了看你是不是在作夢？

我想那不是個合理提問。哎呀，我們不會為這點事流血流汗。檯面上有更棘手的問題。你何時要回去上學？你奶奶不可能永遠幫你請病假你知道吧。

我知道。

你的作息很奇怪。

我是個奇怪的女孩。

整晚熬夜在黃色筆記紙本上塗寫一堆算式。說不定你該試試看數羊。或者以你的狀況來說應該是記錄羊隻的數目。畢竟是擅長數字的人嘛。

我會記在心上。

又或者你就是呆望著前方。我猜那是常用的一種modus[69]。你要怎麼知道這些作法都不是無稽之談？

沒人知道。只能想辦法搞清楚。

鮑比．蕭夫托何時會來？

我哥哥兩週內會出現。

然後呢？

你問這是什麼意思？

我要問的是你的意圖？

我的意圖？

對。

他是我哥哥。

講得好像你從沒覬覦過他一樣。我這是比較純潔的講法啦。

你根本不知道你在說什麼。反正也不干你的事。

好吧。你了解我這個人的。

不，我不了解。我不了解你。

是嗎？他這個古怪的小傢伙就是一直嘰哩咕嚕講個不停，不是嗎？我們似乎有顆老鼠屎壞了一鍋粥是吧。甜美的十六歲沒被人吻過還對哥哥有意思。老天啊老天。你有想過試試看正常的約會？

和誰？做什麼？而且我也不是十六歲。

或許就是努力看看啊。

努力。

努力做個正常人啊。為了當啦啦隊長出門有什麼不對？你之前有被邀請吧。就跟你媽一樣。

這樣做能擺脫你嗎？

誰知道呢。

---

69 拉丁文：模式。通常跟其他字一起使用，例如工作模式是「modus operandi」，生活模式是「modus vivendi」。

我想我知道。那是某種動物嗎？

有可能。有些東西偶爾會出現而且是絕無僅有的一次。這對那些生物學的傢伙來說就更糟了。總之，我們得處理一下這裡的打光問題。

如果你在隔壁房間說話我能聽見嗎？

老天。什麼隔壁房間？你在閣樓裡。

任何一個隔壁空間。某個我選擇的**陰濕空間**。

這個話題是要聊什麼？

你為什麼**不**能回答這個問題？

好。你只能聽見你正在聽的內容。如果你正在聽一個房間裡的對話然後你停止然後你又開始聽另一段不同對話你其實**不**會知道你是怎麼做到的你就是直接這麼做了。那狀態跟移動眼球不一樣。你的耳朵不會動。

所以呢？

所以什麼？

我在想。

是嗎？想完後說一聲。

我還是沒辦法理解公車那件事。

耶穌都要哭泣啊我的天。

你坐在那些座位上。

座位上。

你坐在座位上。

對啊。除非所有位子都有人坐了。這種事有可能發生。但我盡可能避免。畢竟如果我抓著吊環腳會離地大概一英尺。

有人試圖坐在你身上嗎？

這話題的重點是什麼，珊妮。

有人這樣做過嗎？

當然。你得時時保持警覺。畢竟會有某些巨大臀部的陰影襲來。遮擋陽光。你坐在那裡讀你的報紙但光線暗淡下來。你不能把一切的平安視為理所當然。你可能已經注意到我基本上是個機靈的傢伙。

所以你當時在公車上。

我們可以別談這台該死的公車了嗎？

你在公車上。你跟那些跟你一夥的小夥伴。

注意你的文法，甜心。夥伴就是跟你一夥的意思了。

好，你和你的小夥伴。然後你會在公車上說話。

有時會吧。可能喔。當然。

他們可以聽見你說話嗎？

你說同在車上的乘客？

對。

不知。看看上面標記「C」的段落。又是完全一樣的問題。就跟如果他們有認真聽或許就沒問題一樣。無論他們是被提醒注意去聽什麼。又或是誰提醒他們。

所以他們可以聽見你說話嗎到底是可以還是不可以？

是說會不會拿他們的意見來插嘴嗎？

不。不是那樣。讓我換個問題。
問吧。
你有進行聽寫紀錄嗎。
我有沒有什麼？
進行聽寫紀錄。你有認真聽某個人說話嗎。有人給你建議嗎？
要命啊。還真希望有。你呢？
沒有。我不知道。我不會知道該如何理解這種事。
對啊。我也不知道。還有呢？
還有呢？
對啊。
我不知道還有什麼。
對啊，或許吧。好吧。所以他們不讓你住在樹林裡所以現在你住在閣樓上。
對。
為什麼？
因為我那個半聾的皇家舅舅有大半晚上都在看電視還對著電視大吼。
他對著電視大吼？
大吼。
那你幾乎通宵都在猛拉你那把小提琴又要怎麼說？
好吧。那也有。
所以我們的大好人親愛的鮑比．兩鞋[70]在耶誕假期時回家幫這裡鋪地板還從底下拉了一百一十伏特的電路上來好讓這裡可以開一、兩盞燈和一台音響。窗戶上還裝了百葉窗板。畢竟我們永遠不知道何時會有個傢伙在大半夜踩著十英尺高蹺穿過後院而來嘛。當然她還是得通過狹窄的樓梯井下去刷牙之類的。而且就算他裝了一片片玻璃纖維絕緣氈上面這裡當然還是可恨地不停有冷風吹過。唯一的熱源都是從底下滲透上來的。說不定他可以在窗戶上覆蓋一些塑膠層你覺得呢？

我覺得這樣很好。

對啊，哎呀。不過我想現在這樣可以讓窗檯上的飲料保持冰涼。你可能還可以在樑上掛幾根火腿。

你忘記提衣櫃了。

那當然啦他也裝了衣櫃。他是打哪學來木工技巧？

他是自學。他什麼都會。

是嗎？哎呀這我們還得再觀察。

這話是什麼意思？

你覺得是什麼意思？我猜**鮑比老弟**把你像陪審團一樣徹底孤獨地隔離在上面這裡只是個巧合吧。

什麼樣的巧合？

你很清楚是什麼樣的巧合。還是你要我大聲說出來？

我的私生活不干你的事。

真的嗎？哎呀那個小傢伙已經完全**嚇呆**。你以為我在這裡是要做什麼？佐依絲？

我不知道。

---

70 鮑比·兩鞋（Bobby Twoshoes）這個名字取自一個源自童書的說法「goody two shoes」，指的是過度一本正經並追求美德的「好人」。

對啦，最好是。天啊這裡真的好冷。

對啊所以可以看見你吐出的白煙。大驚小怪什麼。反正全是一場大戲。我可沒被打動。

對啦，好喔。所以你還想討論什麼？

你的離去？

我才剛到。

第一場表演是幾點？我覺得以日場表演來說現在太晚囉。

是嗎？哎呀，誰知道呢。我可能會自己上場來個幾段。你不是很好取悅，你知道吧。

我不太能想像你跳舞的樣子。

這樣啊，嗯。有時你很難判斷某個傢伙究竟是不是在跳舞。但有可能只是你不熟悉的舞作啊。

小子停止說話站在閣樓窗內往外望向正在變暗的鄉村景觀。風薄薄地切過錫製屋簷而玻璃在窗框內顫動後又再次靜止。女孩仔細地觀察他。我的奶奶快要叫我去吃晚餐了，她說。可是小子看起來心不在焉。對啊，他說。好。她轉向鏡子有那麼一刻以為他不見了但他像是站在玻璃裡，小小的身影周遭環繞著最後的光線。仔細觀察著她。

所有家族成員活著及死去的目的在於創造出終將永遠抹消家族歷史的叛徒。有回應嗎？有人要發言嗎？

我有個好理由。畢竟，我當時才十二歲。有找到其他理由嗎？

家譜永遠是有趣的。只要你願意可以將一切追溯至山谷中某些人類留下的石造小徑遺跡。你在正要放鬆時一切突然失控。你往玻璃裡望去這些vergangenheitvolk[71]也凝視著你。不過他們至少不會上巴士。你聽到一定很滿意吧。我想。你的這件事在這些歷史中占據什麼位置？倒影也以光速前進嗎？你的夥伴阿爾伯特怎麼想？當光線撞擊玻璃並開始往反方向前進時會需要先完全停下來嗎？所以一切都該取決於光線的速度可是沒人想討論黑暗的速度。在陰影裡的是什麼？他們是以投擲他們的光速移動嗎？他們會去到多深？你的側徑卡鉗能夾到多深？你在邊緣的某處塗寫表示你在失去一個次元時就已放棄所有對現實的認知。只剩下數學。有任何從有形通往數值的路徑尚未遭到探索過嗎？

我不知道。

我也不知道。

光子是量子粒子。它們不是小小的網球。

對啦，小子說。他撈出他的錶確認時間。或許你最好還是快去吃飯。如果你打算想方設法從眾神之中挖掘出創世祕密就得保持良好體力。那些神據說是很暴躁的一群傢伙。

他蓋上錶蓋把錶收起來，搖搖頭。老天，他說。日子怎麼過得這麼快？

71 德語：「Vergangenheit volk」是過去的人們。

晚上他下樓到酒吧點了漢堡和啤酒。沒人跟他說話。他出去時喬西對他抬了一下下巴。我很遺憾，鮑比，她說。他點點頭。他走到街上。老舊的人行道磚石因濕氣顯得潮滑。紐奧良。一九八〇年十一月二十九日。他站在那裡等著過馬路。沿街而來的車燈光線交疊在潮濕的黑色磚石上。河上傳來船的號角聲。打樁機有節奏地敲擊著。他站在細雨中覺得冷然後跨越馬路繼續走。他抵達大教堂爬上階梯走進去。

許多老婦人正在點起蠟燭。那些孑然一身以及很快就會再無世間親人的死者都在這裡獲得紀念。他父親和奧本海默在三位一體核爆試驗時一起在坎帕尼亞山上。泰勒。貝絲。羅倫斯。費恩曼。泰勒把一瓶防曬油傳給大家用。他們都戴著護目鏡和手套站在那裡。像是焊接工。奧本海默是個有慢性咳嗽問題和一口爛牙的老菸槍。他的眼珠子是惹人注目的藍色。他有一種特別的口音。幾乎像是愛爾蘭腔。他身上穿的是好衣服但在他身上顯得有點鬆垮。他體重輕得像根羽毛。格羅夫斯雇用他是看出他不會輕易膽怯。就只是這樣。很多非常聰明的人覺得他可能是神有史以來創造過最聰明的人。真是個怪傢伙，我指的是神。

有些人從廣島逃到長崎想確定他們深愛的親友是安全的。卻只是在抵達時剛好被燒成灰燼。他在戰後和一隊科學家去了那裡。我的父親。他說一切都是鐵鏽色。所有物體都像覆滿鏽斑。那些燒到只剩骨架的**路面電車**立在街上。玻璃從窗框內熔解流出變成磚牆上的一灘灘玻璃。焦黑的椅墊彈簧上坐著乘客的骨架身上的衣服和頭髮都已消失只剩骨頭上掛著一片片燒黑的肉。他們的眼球在眼窩裡沸騰。嘴唇和鼻子燒光。像是坐在椅子上笑。活著的人到處遊蕩但無處可去。他們成千上萬地走入河水中死去。他們就像完全不知道哪個方向比較好的昆蟲。燃燒的人們在屍體之間爬行就像是發生在一個巨大火葬場中的恐怖夢魘。他們只是覺得世界結束了。他們甚至沒想到這一切跟戰爭有關。他們把脫落的皮膚像待洗衣物一樣抱在懷中才不會拖曳在各種殘骸和灰燼之中他們心不在焉地經過彼此身邊在事後冒著煙的現場心不在焉地**漫遊**，此刻還有視力的人跟盲人已無差別。這一切消息直到兩天後才傳出這座城市。活下來的人在回想起這些恐怖場景時都會為其賦予某種美學。那在清晨綻放出的真菌幻影像朵邪惡蓮花而在此前從未已知能夠融化的固體中矗立著讓千年詩歌都沉默的真相。就像一只無比巨大的囊袋，他們會這樣說。又像某種海洋生物。而且還在靠近地平線的所在輕微搖晃。然後是難以描述的雜亂音響。他們看見鳥在清晨的天空中無聲地遭到點燃爆炸然後如同燃燒的派對彩帶沿著長長的弧線往地面落下。

他在木製的教堂長椅坐了好一陣子，像所有懺悔者一樣往前傾身。那些女人動作輕柔地在走廊上移動。你相信你失去的摯愛親友已為你赦免了其他一切罪孽。讓我跟你說個故事。

他有三十七封她寫的信就算早已背起所有內容卻還是將每封信反覆又反覆地看。只有最後一封信除外。他曾問她是否相信有死後的世界她說她不會完全不信。她說有可能。她只是懷疑適不適用在自己身上。如果真有天堂，難道不是建立在那些受罰而進入地獄之人的痛苦、扭曲的身體之上嗎？最後她說神對我們的神學沒有興趣只對我們的沉默有興趣。

他們離開墨西哥城時飛機爬升穿過灰藍暮色再次進入陽光在城市上空斜飛轉彎此時月亮往下落入機艙玻璃中央像一枚硬幣墜入海洋。波波卡特佩特火山的頂端穿破雲層。陽光打在雪上。拉出長長的藍色陰影。飛機緩慢擺向北方。遙遠下方的城市展現出的深紫色網格形貌就像一片遼闊的主機板。燈光開始一一亮起。暮色的最後一抹餘暉。伊斯塔西瓦特爾火山。逐漸消逝。黑暗逼近。飛機在兩萬七千英尺高處水平飛行往北穿過墨西哥的夜色而星星在機尾閃爍。

她當時十八歲。她生日時下了整天雨。他們待在一間旅館中讀他們在舊貨店裡找到的舊《生活》雜誌。她坐在地板上一邊緩慢翻頁一邊喝茶。之後她到樓下走廊敲他的房門時走廊的燈大白天還亮著。走廊末端的窗簾被風掀起。她走過去站在那裡往外看。一片灰暗空曠的空地。窗簾因為雨水而沉重而窗檯也是濕的但雨已經停了。有一道防火梯在窗戶外面其中的鐵柵格因潮濕而呈現深紫色。在底下的庭院有個錫製屋頂搭的棚子。有隻狗在吠叫。那光線啊，清冷但擾動空氣。西班牙文的說話聲音。

他醒來時她正靠著他的肩膀。他以為她睡著了可是她正透過機艙窗戶往外望。我們想做什麼都行，她說。

不，他說。我們不行。

在逐漸消退的光線中有條河像是磨損的銀繩索。在深深的岩石峽谷底部的湖泊因結冰而泛白。西邊的眾山在燃燒。飛機左側的導航燈亮起。右側的導航燈是綠色。就像在船上一樣。駕駛在飛入雲裡後會為了避免反光而將這些燈關掉。等他醒來後遙遠的北方有座荒涼城市正在他眼前經過機翼底下並像蟹狀星雲一般慢慢沒入黑暗。像是一系列寶石撒在珠寶商的黑墊布上。她的髮絲像游絲。他不確定游絲是什麼。她的髮絲像游絲。

芝加哥很冷。衣著破爛的男人們清晨站在排放蒸氣的地面格柵口周遭。她小時候做很多惡夢那時她會爬上奶奶的床讓奶奶抱住她跟她說沒關係啊她只是作夢。她說沒錯只是個夢但並不是沒關係。最後一次他們去墨西哥城時他把她留在旅館裡自己去航空公司辦公室確認他們的預訂機位。等回到旅館時他跟她說航空公司已經關門倒閉導致他們的機票已與廢紙無異。他們搭巴士前往艾爾帕索。花了二十四小時。墨西哥香菸的煙像是正在燃燒的土石流。她把頭躺在他的大腿上睡覺。前面隔了兩個座位的女人一直轉頭過來看她。看著她披散在椅子扶手上的金色髮絲。

Mi hermana，他說。

她又回頭看。De veras。De veras？

Sí。De veras。A dónde va？

A Juárez。Y ustedes？

No sé。Al fin del camino[72]。

他的父親出生在俄亥俄州的阿克倫而他的威斯特恩奶奶一九六八年在那裡過世。當時妹妹從阿克倫打電話來。她想知道他會不會來參加葬禮。

我不知道。

我覺得你該來。

好吧。

他很晚才穿著牛仔褲和黑色外套出現。整個家族的人早就死得差不多了所以葬禮上只有他和妹妹以及八或十個老太太和一個老先生而那個老先生甚至搞不清楚自己身在何處。他在門口和妹妹碰頭，然後陪她走到街上。

你會去墓園嗎？

你去哪我就去哪。

我們何不直接離開。你有開車嗎？

沒有。

很好。來吧。

他們開車前往華盛頓街上的一間咖啡館。你沒把黑色洋裝一起帶來。

72 這段的西班牙文翻譯：
我的姊妹，他說。
她又回頭看。真的嗎？
對。是真的。你要去哪裡？
去華雷斯。你呢？
不知道。直到路的盡頭吧。

我沒有黑色洋裝。哎呀。不過現在有了。
你來這裡多久了？
大概十天。她完全沒人可依靠，鮑比。
要準備、要準備啊[73]。
我該讓你知道房子的地下室埋了一堆金子。
金子。
奶奶講得很認真。說的時候還不肯放開我的手。
而且頭腦清醒？
對。
他們已經把房子拆了。他們正在蓋的高速公路就穿過那塊地。
我知道。可是他們沒有拆毀地下室。
你是認真的。
我們可以點一些茶來喝嗎？

他當晚把她送上飛機後開車回到汽車旅館隔天又開車前往那棟屋子。現在屋子唯一剩下的只有車道。他坐在那裡仔細看著過往街區遺留下的廢墟。至少附近空無一人。那天是週六而有台道路整平機停在南邊一英里外的一個泥濘開挖處。他走過有許多橫紋的老舊水泥車道他以前都在這裡玩玩具卡車然後停住腳步往下看著地下室。牆面是灰色的碎石灰岩。木造樓梯往上延伸向灰暗天空。地板本身是水泥但因為許多糟糕的裂痕看起來實在不是很堅固。好吧，他說。管他的。
他在兩小時後帶回一台租來的金屬探測器。另外還有八英鎊重的大木槌、鶴嘴鋤和鏟子。他爬進地窖開始掃描整片地板。在獲得數據後吹開地面塵土用黑色**油蠟筆**在地上做記號。晚上時他已在地面挖出六個洞，他把沙沙的水泥敲破往下挖進黏土層。他找到一把很大的銼刀、一把槌子的槌頭還有一片飛機的螺旋槳。那是台古老的金屬設備。他找到一塊鑄鐵件上頭兩個加工削切過的平面上有著「布朗和夏普」的字樣。不知道是什麼。

他從地下把工具一個個丟上來抓著金屬探測器爬上搖搖晃晃的階梯把所有東西收好後放進租車的後車廂再開車回到汽車旅館上床睡覺。

他本來打算在隔天早上把金屬探測器還回去再嘗試去找班飛機離開但卻夢到他的奶奶於是驚醒後躺在床上盯著屋外的樹叢邊地燈把窗框投在牆面高處的影子。過了一陣子後他起床從梳妝台上拿了一只塑膠杯雖然還穿著短褲就直接走向裝在屋外加蓋走道上的飲水機並拿了一些冰塊和一罐橘子汁後回來坐在一片黑暗中的床上。

她小時候在羅德島的紡織廠工作。她和妹妹一起。她們待在會讓人吐出白煙的室內度過十二小時白日工作後會藉著燭光讀書給彼此聽。惠蒂埃、朗費羅、史考特以及後來的米爾頓和莎士比亞[74]。她結婚時三十歲而他的父親是她的獨子。她結婚的對象是個化學家兼工程師在橡膠硫化加工過程的領域擁有好幾項專利而地下室就是他的家庭實驗室及工作坊。那個奇妙的地方即便在威斯特恩還小時也都被允許進去自由探索。

---

73 出自羅伯特・佛羅斯特（Robert Frost）的詩作的詩作〈要準備、要準備啊〉（Provide, Provide）。

74 這裡指的作家是美國詩人約翰・格林里夫・惠蒂埃（John Greenleaf Whittier）和亨利・華茲華斯・朗費羅（Henry Wadsworth Longfellow）、蘇格蘭詩人華特・史考特（Sir Walter Scott）、英國詩人約翰・米爾頓（John Milton）和威廉・莎士比亞（William Shakespeare）。

那個夢是他的奶奶從樓梯上方往下喊他本來坐在爺爺工作長凳上的他於是走過去然後她說：你好安靜。我只是想確定你是不是還在這裡。

他在汽車旅館的咖啡店吃完早餐後又開車回到那棟屋子。他檢查了金屬探測器的指針然後把檢測盤在樓梯後方的水泥地面上方來回移動。二十分鐘後他膝蓋著地蹲在他挖的其中一個坑底往泥濘的黏土中猛挖。最後抓起一條十八英寸長的沉重鉛製水管。

他把泥土和包住管子的剩餘麻布剝下來。管子的直徑大約是一點五英寸且兩端各有一個內螺紋蓋。其中的螺紋被白鉛密封起來。你可以沿著邊緣看見那圈密封的痕跡，那痕跡隨著年歲泛黃。他站起身把管子拿去牆邊並在石造牆面中找到一個縫隙把蓋子塞進去然後嘗試單純把管子扭出來但蓋子完全沒有鬆動。他搖晃管子。這些蓋子感覺封得很堅實。

這些管子總共有十六根。分別埋在地面下的三個洞裡。他把管子疊在牆邊後再次開始用鏟子挖掘卻沒再挖到任何東西。他又用探測器檢查了很大一片空間卻沒再偵測到任何反應。他完全搞不清楚時間已經過去多久。

這些管子沉重到無法甩過高牆丟到上方地面所以他一次搬一根爬上樓梯走過車道堆在車子前方。他把大木槌和鏟子留在地窖底下金屬探測器放在車子後座打開後車廂蓋再把管子搬過去堆進後車廂。等他搬完後的車子後方明顯下沉。

等他抵達出租店時出租店已經關門於是他開到五金行買了兩把巨大的**萬能鉗**後開回汽車旅館。

他把車子後退到盡可能靠近房間門然後進房把裝著**萬能鉗**的塑膠袋放在桌上躺到床上大字形攤開身體等待夜幕落下。他睡**不**著所以過一陣子起身拿起**萬能鉗**把釘在上面的標籤卡紙撬開後把標籤卡及袋子丟進垃圾桶走出去望著黑暗降臨在阿克倫這座城市上。

他一次把兩根管子搬進房裡堆在靠近門口的地方關上車子後車廂回到房內再把房門關好後鎖上。他拿著兩把**萬能鉗**坐在地板上往後拉開鉗口將兩把**萬能鉗**分別插進管子末端的兩個蓋子縫隙調整鉗嘴上的滾花螺絲好讓兩支夾緊的**萬能鉗**呈現九十度角。他把管子平放在地毯上後站在其中一把**萬能鉗**上彎腰用雙手抓住另一把**萬能鉗**往側邊推。鉗口稍微拉開蓋子，被鉗口鋸齒磨過的地方顯現出較亮的金屬色澤。他把鉗口調整後再次夾得更緊然後使盡全力把鉗子往側邊推於是這次蓋子開始緩慢轉動。一小捲乾燥的白鉛沿著螺紋線旋轉掉出。他把鉗子一路推到地面透過撥桿放鬆鉗口然後再次夾緊。幾輪下來蓋子感覺已經很鬆於是他把管子直立起來用手轉動鉗子解下蓋子把鉗子放回地面再把管子倒過來用雙手拿著搖晃。

從中滾落地毯的是兩隻手捧起來約四大把的美國雙鷹金幣每枚面額二十美金且色澤明亮得像是剛鑄造出廠一樣。

他坐在那裡看著那些金幣。他撿起一枚在手上翻看。他對這些金幣一無所知。不知道這些金幣可能價值多少。甚至連能不能賣都不確定。他從沒聽過聖高登斯是誰。也不知道他作為藝術家的奇妙傳奇事蹟。他把這些金幣像賭撲克牌的籌碼一樣疊起來。這裡有兩百枚。所以總共有三千兩百枚？總面額六萬四千美金。現在價值多少？面額的十倍？他之後會發現自己的猜測距離事實還差得很遠。

接下來的兩小時他都在把其他管子的蓋子轉開。結束後他把管子和蓋子堆在牆邊於是眼前至少有半個浴缸的金幣堆在地板上。他確認了金幣的日期發現沒有一枚是在一九三〇年以後鑄造的所以他認為這些金幣最後被埋進去的時間就是那一年。他挖起一把硬幣舉高看著那一堆硬幣。他想這裡一定有超過一百磅重的金幣堆在汽車旅館房間的地上。他起身走向衣櫃拿下旅館多準備的毯子蓋住硬幣然後上床睡覺。

他在凌晨四點二十分醒來打開房間的燈。他起身走過去拉開毯子然後坐在地板上看著那些硬幣。腦中的念頭讓他驚訝。他已經知道他要買一把左輪手槍。

到了早上他清空行李箱把金幣用行李箱搬上車，總共花了四趟才搬完。他把金幣丟進後車廂用衣物蓋住闔上後車廂後重新回到房內。他把蓋子鬆鬆地轉回管子兩端然後把管子拿出來放到乘客座位的地板上。

他把大概六枚硬幣放進口袋坐上車後開車前往咖啡館走進咖啡館吃早餐。

他在電話簿裡找硬幣交易商的聯絡方式。總共找到兩位。他寫下他們的地址。然後他開車前往第一間店鋪把車停好後走進店內。

那個男人很有禮貌地提供了很有用的資訊。他表示這樣的硬幣有兩種。聖高登斯設計的——站立的自由女神——還有自由女神頭的版本。聖高登斯的版本比較值錢。

你是怎麼拿到這些硬幣的？方便請問嗎？

這些是我爺爺的硬幣。

這些硬幣很不錯。你不該放在口袋裡帶來帶去。

是這樣嗎？

金是很軟的金屬。其中有兩枚幾乎是剛鑄造好的狀態。我們會說這是完美未流通的MS-65等級。

嗯，你在真實世界中不可能找到比MS-63更高的等級。MS代表鑄造完美等級。

他用小型高倍放大鏡仔細觀察那些硬幣。真的很不錯，他說。

他一邊檢視一邊在筆記紙本上寫下一些數字。然後加總數字後將紙本轉過來推向威斯特恩。威斯特恩十分鐘後走出店鋪時口袋裡已有了超過三千美金。他坐進車子在腦中計算數字。然後又算了一次。

他把金屬探測器送回出租店再開車前往五金行買了四個附有有皮製底部及把手的白色厚帆布工具袋。

他一路開到一個空蕩無人的空地靠邊停下下車把一條條鉛管丟進雜草堆中。他當晚又在另一間硬幣交易商店賣了十幾枚硬幣然後用現金買了一台一九六八年的道奇牌Charger其中搭載的是426 Hemi引擎里程數目前是四千英里。這台車在排氣歧管上有加排氣管頭奧芬豪澤牌的進氣系統上有配上何利牌的四喉化油器。

他請賣車業者幫他把租車還了然後買了把不鏽鋼製並配有四英寸槍管的史密斯威森點三八特製左輪手槍接下來兩週他開車穿越中西部時把金幣分成好幾批賣掉每批大約幾十枚。他在方向盤上裝鎖可是晚上還是把所有東西帶進房內還帶著那把點三八的左輪手槍上床睡覺。他有一本硬幣蒐集者指南他會在晚上時坐在汽車旅館中整理、分類硬幣然後把一枚枚金幣滑進小小的塑膠封套中再收進厚帆布工具袋。每隔幾天他就會把一些硬幣和小面額紙鈔拿去銀行換成一百美金的紙鈔。他開車前往路易斯維爾準備橫越鄉間。等他抵達奧克拉荷馬已經有一個裝著九十萬美金鈔票並用橡皮筋綁住的鞋盒而且還另外有一個裝滿金幣的袋子。那台Charger的速度像一隻被燙傷的老鼠[75]還因此曾有一次讓他被高速公路巡警攔下所以現在他都開得比較小心。他完全不知道要如何向警官解釋他後車廂裡裝的東西。他去了達拉斯、聖安東尼奧、休士頓。等他抵達土桑時只剩下兩隻手掌可以捧起的一把金幣其他全賣光了然後他入住亞利桑那旅社把所有錢拿進房間堆在化妝桌上依據目測把鈔票分成兩堆裝進兩個袋子內再扣上袋子的綁帶。然後他打電話到吉米・安德森的酒吧。她接起電話。這裡是天堂，她說。

神在嗎？

他七點會來。我能幫上什麼忙嗎？鮑比？是你嗎？

對。

你在哪裡？

我在亞利桑那旅店。我有些錢要給你。

我不需要錢。

是很多錢。而且我買了台車給你。

電話的另一頭一陣沉默。

你還在聽嗎？

75　本來常見的說法是「像隻燙傷的貓」（like a scalded cat），意思就是拚命亂竄地逃走。

我在聽。

你怎麼知道我會去找。

因為我要你去。

五

坐在她書桌前的小子身上穿戴著長禮服外套和凌亂的恐怖假髮。他戴著無框眼鏡下巴還黏著一小簇山羊鬍。她在床上坐起身揉揉惺忪睡眼。你現在這是打扮成什麼？她說。

他確認時間後把錶放在旁邊的書桌上。他把調整眼鏡好再一頁頁翻過他的筆記，同時一直在吸一根陶土菸斗。非常好，他說。他有對你這個人做過什麼不規矩的事嗎？

什麼？

他有試圖脫掉你的足背弓嗎？

脫掉我的什麼？

你的那些不可言說的小東東。他有嘗試把那些東西扯掉嗎。

內衣褲是「不適合明說的東西」才對。總之不干你的事。而且那位好醫生抽的是雪茄，不是菸斗。

有數位操控的問題嗎？

你這身行頭看起來很荒唐。

可能有嘗試對你的小蚌蚌[76]流口水？

你很噁心。你知道嗎？

你是要我停下來嗎？

76　這是一個不存在的詞，可猜測是由clam和let組合起來。因此翻為小蚌蚌。

你拜託可以離開嗎？

小子從他的眼鏡上方凝視她。時間還沒到。有夜間盜汗嗎？

——

他們讓她開始吃抗精神病藥物她吃了幾天後終於有機會讀文獻資料。等她讀到遲發性運動不能[77]時她把所有藥物都丟進馬桶沖掉。小子隔天又回來了，他來回踱步。她已經打扮好準備要跟哥哥出門。把這裡當自己家喔，她說。

對啦是啦。我們大概幾點能等到你回來？

很晚。

——

他們一進屋子就會泡茶並聊起數學和物理學直到奶奶下樓幫他們準備早餐為止。他在秋天離家去讀加州理工學院時已經把主修從數學改成物理學。他在信裡給的是他能想出的最好理由但不是真正的理由。真正的理由是那些溫暖的夜晚在奶奶家廚房桌邊和她聊天時他短暫窺見了數字的深邃核心並知道這個世界將永遠將他排拒在外。

——

小子站在窗邊。外面很冷，他說。你在寫什麼？

我在努力無視你的存在。

那就祝你好運囉。你從哪搞來那枝時髦的自來水筆？

是我父親的。艾森豪總統給他的。

是嗎？那群傢伙當中沒有實質的叛逃者，是吧？我猜你也沒有覺得這情況很奇怪。哈囉你們明天要做什麼啊？我不知道，你呢？我不知道。那不如我們來把世界炸掉？嘿，真不錯的主意。

他離開窗邊再次開始踱步。他皺起眉頭用一隻鰭做出另一隻鰭的掌心形狀。關於那即將到來的這夜晚我們的看待方式或許很不同，他說。可是在夜幕降下之後這樣的不同又有什麼差別？

我不知道。

像你這種異於常人的傢伙總是再次提出像是這艘船要開向哪裡以及為什麼要這樣開的問題。所謂的存在有一個共同的起源嗎？提出關鍵的核心問題可能讓你看起來很蠢。你有聽懂嗎？

當然。

乖女孩。我講到哪裡了？

看起來很蠢。

對啦。人們先想到的問題當然是誰會是理想的客人。

宇宙的理想客人。

對。另一個隨之而來的問題就是我們所處的究竟是什麼樣的地方。這些都不是靜止不變的困境因為世間沒有靜止不變的事物。理想的客人是這樣一個序列中的下一個這樣的存在嗎？這是你本來會猜測的方法

77 遲發性運動不能（Tardive Dyskinesia）是很常見的一種藥物副作用。

嗎？又或者整個遊戲都受到不當操弄？

又是一堆同義反覆的贅述。

所以呢？有什麼問題嗎？至少這些字不難拼寫出來。你真的可以一邊寫字一邊進行對話嗎？

那得看是什麼對話。

讓我瞧瞧。

她把筆記紙本轉過去推過床面上給他於是他彎腰看。老天，他說。這到底是什麼鬼？

是**速記**。加貝爾斯貝格發明的。

看起來像是從**墨水瓶**裡爬出來的一堆蟲。這些東西都會被記錄到你的病歷裡你知道吧。你和硬屌醫生聊天時會塗塗寫寫嗎？為什麼我感覺他至少還能獲得你的一點尊敬？

能獲得那一點尊敬是因為他是個醫生。但你就是個侏儒。而且他的名字是伊道兒。

老天。

抱歉。我不該說那種話。

我曾聽說知所感恩的人不會在別人把馬當作禮物送給他時檢查牠的嘴巴確定歲數但還沒聽說收到禮物還拿鏟子打爛人牙齒的。

我很抱歉。

好吧，嗯。或許是因為他都在說我的可怕壞話吧。我不知道如果有人把你當成一個肝臟失控的產物時到底要如何應付對方。他大概不明白如果把菜單上所有不好吞的食物刪掉那頓午餐將變得非常清簡。

很抱歉說你是侏儒。真希望我能收回那句話。

是啦。但就算收回我也不會長高，是吧？總之，比起奢求我消失你該多花一點心思去想想你最近的個人史。你確定有把這一切歷程記錄下來？

別擔心。那是一份冷停[78]檔案。一切都可重新取回修正。

或許吧。任何事物總是有可能透過在某個電路線深處的網路暴徒重新設定成另一種格式。

我要去睡了。

她關掉床邊燈在房間的黑暗中只有水銀燈光從窗框射進來她脫掉牛仔褲毛衣襪子爬上床拉起被子躺著聆聽。她可以感覺他靠得更近了。聽啊，鴨少女[79]，他悄聲說。你永遠不會知道世界是由什麼組成。你只要接近某種現實的數學性描述就**不**得不失去其描述的內容。所有的探究都會取代其試圖處理的問題。時間中的那個片刻是事實，而非一個可能性。世界會取走你的生命。可是最終最重要的是世界並不知道你在這裡。你以為你了解這件事。可是你並**不**。你內心並**不**了解你**不**了解。如果你了解你會被嚇壞。而你沒有被嚇壞。還沒有。至於現在，晚安。

她將門關起來把身體靠在門上。香菸的煙在她書桌檯燈的陰影中盤繞。小子把腳抬在椅子上坐著。他帶著一頂時髦的**帽頂縱折垂簷**帽。

別起來，她說。

別擔心。沒人要起來。

那是在開玩笑。

---

78 Coldstop為不存在的捏造字。

79 Ducklescence，自創字，應該是一種暱稱，推測可能是duck和adolescence的結合。

好啦對啦。你的口紅糊出去了。她走過房間坐在床上。她身上穿著一件銀色金蔥上衣和藍色絲綢材質的緊身迷你裙。搭配黑色絲襪和三英寸高跟鞋。她撥弄了一下她的金髮從皮包裡拿出粉盒打開坐下用一條手帕擦嘴。

這畫面還真好看，小子說。他把香菸從她書桌上的碟子拿起來長長的吸了一口再往旁邊吐煙。這畫面還真好看。你去哪裡了？

跳舞。

是嗎？

對啊。我不知道你抽菸。

是你害我開始抽菸的。我們的鮑比老弟呢？

他去睡了。

小子挖出他的錶打開蓋子。有幾聲微弱的鐘響。我猜你在酒吧關門後去吃了點宵夜吧。

或許吧。但你管不著啊。

你可以稍微肯定一下我的付出吧。我為你做了這麼多。

你為我做了這麼多？

對啊。

你讓我的靈魂陷入黑暗。

老天。你這記憶力也太短暫了吧。你怎能說這種鬼話？認真的嗎？等等。鮑比正要上來這裡。對吧？

沒有。

你那付出下流情感的對象啊。這是他踩上樓梯的腳步聲吧。

你很噁心。

我可是全心奉獻啊。好啦好吧。我最好趕快閃人。

你真是滿口不知所云。樓梯上根本沒人。我要睡了。

老天。你在做什麼？

我在脫衣服。

你不能這樣做。

你就看啊。

小子遮住臉。耶穌基督啊，他說。現在你要去哪裡？

她把衣服掛在手臂上走到房間另一頭。我要去把我的衣服掛起來。怎樣？這裡有人在嗎？

她打開衣櫃把鞋子放上鞋架掛起她的裙子和上衣後關上門穿著內衣啪啪啪地走過地板爬上床把被子拉到身上關掉桌上的燈。晚安，她說。

她把自己連人帶頭蒙在被子裡躺在床上聆聽。過了一陣子後她推開被子。小子還在她的書桌邊。你打算在那裡坐多久？

我不知道。這裡很安靜。

你沒有其他可拜訪的客戶嗎？

沒有。

我很抱歉我對你態度很惡劣。

真的嗎？

真的。

沒關係。

我現在要睡了。

好。晚安。

晚安。

——

她把表格填好後走回櫃台護理師接過後看了一遍接著又遞給她一張。

我可不可以直接寫：你們想怎麼處置我都行。然後簽名？

不。不可以這樣。

他們給她一把衣物櫃鑰匙一條長袍和一雙拖鞋後要她去走廊末端。她在房間裡脫下衣物摺好放進衣物櫃套上長袍找到腰帶綁好。然後她坐在長凳上思考自己的決定。有個女人走進來對她微笑了一下然後打開那排衣物櫃最後面的櫃門。就像天堂一樣，她說。拿一切換一件長袍。

你小時候玩過天堂扮演遊戲嗎？把床單綁在身上然後呆呆坐著？

沒有，那個女人說。她背對女孩開始脫衣服。她換上長袍綁好綁帶套上拖鞋關上衣物櫃門鎖好。她抓著鑰匙拖著腳步走過女孩身邊女孩說她應該把鑰匙別在長袍上才不會弄丟但女人直接經過她身邊走到走廊上。

過了一陣子後她起身關上衣物櫃門鎖好。然後她把鑰匙別在長袍上套上拖鞋走出去。

她坐在檢查室內的一張輪床上有個護士幫她量體溫和脈搏和血壓。你是個安靜的傢伙，她說。

我知道。我有很多必須安靜面對的問題。

護理師露出微笑。她用一條橡皮管綁住女孩手臂用力扯了一下橡皮管因此發出啪的一聲。然後她為她打上靜脈輸液針頭並貼好接著有位勤務員過來把她推到走廊另一端。

是個白色的寒冷房間。一陣子後有個女人進來看她的病歷。你好嗎？她說。

我沒事。目前都還行。你是誰？

我是薩斯曼醫生[80]。你為什麼只有一個人來。

我不是只有一個人來。我可是精神分裂[81]呢。你們要把我的頭髮剃光嗎？

不。我們不會這樣做。

你們會電我嗎？

沒有人會電你。你有問題要問嗎？

你們有隨時準備好滅火器嗎？

醫生歪頭仔細觀察她。我想應該有。怎麼了？

萬一我頭髮著火時可以用。

你的頭髮不會著火。

那滅火器是用來做什麼的？

你是在開玩笑。

是啦。算是吧。

你**沒**有問題要問嗎？

沒有。

沒有想知道什麼嗎？都不好奇啊。

我**沒**有辦法用不無禮的方式回答這個問題。總之我不是為了想知道什麼來到這裡。情況正好相反。

---

80 薩斯曼（Sussman）這個姓氏有可能有洞悉一切之人的意思（suss + man）。

81 Schizophrenia在台灣的標準翻譯是「思覺失調症」，但這裡採用字面翻譯以呼應「不是只有一個人來」。

你吃的是什麼藥？這裡都沒看到。

我知道。我把藥都丟進馬桶沖掉了。

醫生仔細研讀夾板上的那張紙。她用筆輕點下唇。護理師已經進來站在一旁把注射器連接到靜脈輸液管上。她看著醫生。

我把藥都沖掉了，她又說了一次。

對。我有聽見。

這代表你要調高電流強度嗎？

沒有。

醫生移動到她身後看不見的地方。護理師從檯面上拿了一只罐子打開並開始把導電膠抹在她的兩邊太陽穴上。那些膠感覺很冰。

　醫生在哪？

我在這裡，醫生說。

我快昏倒了。

好。沒關係。

她在恢復室裡醒來時完全沒感覺到之前的時間流逝。已經是晚上了。一開始她以為自己是躺在家裡的床上。可是嘴巴裡有個橡膠防咬器。她吐出防咬器。黑暗中有種燃燒過的氣味。某種帶著輕微硫味的惡臭。她把手放在環繞手腕的塑膠名牌上。那是我。眼見為憑。

　門是開的。走廊上有一道光。一陣子後她把自己推著站起身。頭好痛。那些遭到燒灼的小夥身穿焦黑破爛的衣服冒著煙站在她的床腳。身上灑滿灰燼但也因此微微發著光。他們看起來喪氣、陰沉，而且憤怒。小子正來回踱步。他的臉因煤灰而發黑。頭上稀疏的頭髮被燒得很短斗篷也在冒煙。她用一隻手摀住嘴巴。

真他媽可愛，他說。天殺的可愛。

我很抱歉。

你覺得好笑嗎？

沒有。

你到底見鬼的在想什麼？

我**不**知道。

看看這亂七八糟的場面。你覺得所謂享受美好時光是這樣搞的嗎？

我真的很抱歉。

我們有人進了該死的燒傷病房啊老天爺。更別說這味道了。

我**不**知道會這樣。

你該先問的。耶穌基督啊。他轉身吐出一堆帶有煙灰的唾沫然後看著她搖頭。一批焦黑的嵌合獸[82]在走廊燈光中的身體顯得歪斜而躁動。

我很抱歉，她說。真心抱歉。

哇那還真棒。你們聽到了吧，各位？她很抱歉？哎真是狗屎。抱歉？之前怎麼不說？幹去死吧。搞什麼鬼。

---

82 嵌合獸（chimera）另名為奇美拉，在希臘神話中是另外長有一個羊頭的獅子神獸，另外尾巴還是一條完整的毒蛇。後來這個字也變成「嵌合體」的概念，是有進行基因嵌合的單一生物體。在此應該也呼應了作者不停在文中將兩個英文字連結成一個英文字的概念。

約翰·薛登在一個涼爽的週五出門上街一路走到諾克斯維爾的舊城區想看看能不能混到一瓶免費的皮爾斯啤酒。他會在接下來的幾小時內借來兩百美金並用借來的兩百美金買來價值兩百美金的處方藥再跑去莫里斯敦把這些藥用三百美金賣掉。之後他會去參加比爾·李的撲克牌比賽贏得七百美金後再去朋友車子的後座和一位未成年女性打一炮。然後他會再回到諾克斯維爾在麥吉泰森機場搭上飛機並在距離午夜還有好一段時間時抵達紐奧良。威斯特恩幾乎是意外撞見了他。他在經過苦艾酒屋時看見他的帽子擺在窗邊的一張桌子上。他轉身走進酒屋站在一旁盯著他看直到薛登放下報紙抬起頭。是瓦爾特堡領主啊，他說。

苔溪領主。

我就覺得有人在觀察我。過來坐。你不讀報紙吧。

不讀。發生什麼事了嗎?

沒什麼。只是想進一步了解你。

威斯特恩把另一張椅子往後斜拉好在小木桌旁坐下。你何時到這裡?

薛登把報紙摺起來看了一下錶。大概十小時前。我剛起床。我喜歡這座小鎮。只是還沒想出來要如何在這裡工作維生。

難對付的小鎮。

對。沒辦法相信任何人啊，閣下。小偷之間的道義已經是過去了。

你在鬧著我玩呢。

一點也不。天殺的服務生去哪了?你吃午餐了嗎?不，當然沒有。出現在這裡的人都很奇怪。例如我。

不。不是說你。我們就結帳吧。去找比較合適的地方吃午餐。

他們出發前往阿諾餐館。薛登仔細讀著**酒單**，同時不停搖頭。太驚人了。誰會付這麼高的價錢？閣下。老天。好吧，應該還是有些令人感興趣的酒。來杯不那麼做作的薄酒萊葡萄酒吧。只要避開各式各樣的村莊級葡萄酒就能成為贏家。

那我想你不會點魚了。

我要點魚。這裡的魚是招牌。但沒必要去喝一些淡而無味的飲料。龍蝦當然是例外。總之不喝紅酒。我一直很喜歡這間餐廳。看起來就像天殺的電影場景。而且始終不變。這裡也會讓你聯想到墨西哥城的某些餐廳。布萊特說就像在理髮廳用餐一樣。

薛登已經把他的水杯倒過來放在桌布上可是男服務生幾分鐘後又過來把玻璃杯翻正倒滿並再次為威斯特恩倒水。

不好意思，約翰說。

是的先生。

可以把這個拿走嗎，拜託。

你**不**想來點水嗎？

不想。

男服務生把玻璃杯放在托盤上拿走於是約翰再次埋頭研究起**酒單**。不到幾分鐘後另一位男服務生出現倒了另一杯水放在桌上。薛登抬頭看。不好意思，他說。

是的先生。

我這裡不需要任何幫助。你們當然每個人都有無止境倒水的自由。但我的問題是我**不**想要任何任水。有什麼方法我們可以達成某種中止的安排？或許透過協商？我很樂意去廚房跟每個人見面。

先生？

我一丁點水也不要。

男服務生點點頭拿走玻璃杯。薛登搖搖頭。神都要長痔瘡啊，他說。這國家老是不停倒水是怎麼回事？如果你真的需要些什麼——像是一杯飲料——就算你發射信號彈也不能把服務生叫來。以前邱吉爾就被這樣逼瘋過。

他把**酒單**蓋起來放到一旁四處張望。幸好有提早來。大家都忘記這座小鎮是個港口。其中到處都是觀光客橫行。你會遇到各式各樣的怪人。街上滿是精神不正常的傢伙。我沒多久前在苦艾酒屋看到吧檯邊坐著一個衣服**尺寸不對勁**的東西我相當確定那應該是一隻來自馬達加斯加高地的毛耳鼠狐猴。那個綁在船員坐的凳子旁的東西正用一個大碗喝啤酒。然後我想到跟這些一般的觀光客比起來——在我心中他們愈來愈像是一場失敗藥物之旅而看到的幻覺——這個異國生物享有的優勢就是其獨一無二的存在。這座小鎮上有些優雅高級的餐廳——在一個世紀或甚至更長久的時間以來都沒有改變——裡頭的男服務生穿著正規制服將高檔美食送給一些身形臃腫的莽漢這些傢伙就算沒真的穿內衣褲來用餐也會選擇穿**健身房運動服**。但甚至也沒人覺得這場面很奇怪。你要點什麼？要雞尾酒嗎？

葡萄酒就好。

很好。要來點魚嗎？

就鯛魚吧。

好選擇。說不定我們該重新考慮葡萄酒怎麼點。

他再次翻開**酒單**用手撐住下巴。重點是，閣下，他們以前都被關在國家機構或者偏遠鄉間屋子中的雜物間和閣樓裡但現在卻都到處流竄。政府付錢讓他們到處旅遊。就是讓他們繁殖啦，其實就是這樣。我在這裡看到很多家庭一起出遊但那些家庭荒唐得跟幻覺沒兩樣。就是一群群流口水的呆瓜在街上閒晃。他們總在毫無意義地胡言亂語。當然無論多麼錯亂或致命的蠢事也都逃不過他們的鼓吹。

他抬眼看。我知道你沒有抱持跟我一樣的敵意，閣下，考量我的出身我也覺得我的態度應該緩和一點。我們很難不受我們的出身背景影響，南方人都是這樣說的。可是你最近有好好觀察周遭嗎？我想你很清楚ＩＱ一百的人有多笨。

哎呀大概有一半的人甚至更笨。你覺得這一切會如何發展？

威斯特恩疲倦地注視著他。我想是吧，他說。

我沒概念。

我認為你心裡多少有數。我知道你覺得我們非常不同，即是我與汝。我父親是個鄉下的小店鋪老闆而你父親憑空造出會發出巨響並使人蒸發的昂貴設備。可是我們的共同歷史足以大大超越這一切。我對你很熟悉。我對你童年時期的特定時光很熟悉。其中只有無止境的孤獨哀哭。在圖書館偶然看見某本特定的書後緊抓在手。帶回家。找個完美的地方閱讀。或許是樹下。或許是溪邊。當然是殘缺的青春。寧運投身紙張的世界。各種抗拒。可是我們明白另一種真相，不是嗎？閣下。當然這些每本書之所以寫下來就是為了在想燒毀這個世界時找件別的事來做——畢竟燒毀世界才是那些作者真正的渴望。不過真正的問題是我們這些少數人是這個血統的最後成員了嗎？之後出現的孩子還會對他們甚至無法命名的事物懷藏著渴望嗎？文字擁有的威力如此強大但其遺產又是如此脆弱，可是我明白你的立場，閣下。我知道有些早已死去的人說過的話始終留在你心底。啊，服務生。

威斯特恩不失敬佩地望著他。談起這些事的他既有熱忱又有能耐。他們一起喝一瓶麗絲玲白葡萄酒時薛登為此要來一只冰桶。他揮手要男服務生離開並親自為威斯特恩倒酒。打從一開始就把基本規則訂好很重要。不好意思啊。休想把葡萄酒倒進我們天殺的酒杯裡。我看見你的表情了。但事實是我的請求並不多。你聽聽看。首先要懂得稍微搶得先機。避免陷入較常見的慘況。別老是想著要走運。乾杯。

乾杯。

德國的品種通常會甜一點。我喜歡。法國人偏好可以充當窗戶清潔劑的那種白酒。

很好喝。

上次我在這裡吃午餐是跟希爾斯一起來。幾週前吧。我以為我們那次會被列入餐廳黑名單。

是被趕出去了吧。

對。

發生什麼事？

那天這裡很擠有人放了個真的很卑鄙的臭屁。真是可怕極了。我環顧旁邊幾桌的人大家卻都只是眼神呆滯地坐在那裡。所以希爾斯丟下餐巾往後推開椅子站起來要求放屁的人自首。耶穌基督啊。這件事我們要追究到底，他說。然後他開始點出可能的肇事者並要求他們坦白承認。就是你吧，不是嗎？老天。我試圖發出小小的噓聲阻止他。此時已經有幾個看起來不好對付的大塊頭站起來了。經理及時趕到後我們勸希爾斯坐下但他還是不停低聲抱怨所以他們又站起來了。你們知道什麼讓我特別難堪嗎？他對他們說。就是受不了得跟你們這些人一起分享女人。還得聽到你們這些低能兒高談闊論某些嬌美的年輕尤物還屏息期待地聆聽甚至帶著我們都很熟悉的那止不住的興奮顫抖像是最好能永無節制地嗅聞你們那如同汙水及狗屎的**噩夢口氣**就彷彿那些都是先知的話語。雖然很痛苦但我覺得我們還是要對那些小可愛稍微寬容一點。她們的人生只有很少的時間可以利用小穴換到一些實質好處。可是還是滿令人惱火的。你們這些用**四足指節貼地行走者**[83]明明老是流口水說話語意不清又愛打手槍竟然還被允許去那神聖的石穴敬拜。更別說還能真正繁衍後代了。哎呀管他去死。願你們得天花。你們就是一群**爛泥漿腦**的偏執狂，你們的原則就是痛恨所有卓越事物就算有人真誠地盼望你們下地獄你們也不會去。你和你們那些子子孫孫都一樣。要是我的心願得償所有盼望下地獄的人真的都下去了他們還得派人去紐卡斯爾找補充燃料來運作地獄呢。我已經為了你們標新立異的文化做了一萬種讓步但你們還沒為我讓出一步。現在你們只需要朝著我被切開的喉頭舉杯用我心臟的血來祝福你們彼此身體安康啦。

啊呀哎呀，閣下大人，我什麼都跟你說了你卻什麼都沒說。沒關係。我知道你的過去。一個只能不停踩著奉獻之輪而殘破不堪的男人。你是希臘悲劇中沒講到的那個故事，閣下。當然你的故事仍有可能為人所知。像是在東歐某座古老圖書館的儲藏室內某份變質又斑駁的手稿。雖已逐漸破敗但仍能拼湊起來。我說我知道你的過去但當然我是誇大了。我想要的莫過於窺探你一直小心謹慎掩藏的家庭內部骯髒破事。我敢打賭可以讓希臘悲劇都顯得像是奧茲和哈莉葉那種情境喜劇[84]。

盡情地說吧。

我一直以為你會回去搞科學。

我想我心不在那裡。

那你的心在哪裡？

別的地方。

我覺得老了，閣下。所有對話都跟過去有關。你有一次跟我說你好希望在那場意外後從未醒來。

我還是這麼希望。

等你到了九十歲就會因為愛一個孩子愛到哭哭啼啼。那模樣可能不太得體。我這個人對失去親友的哀慟和痛苦不可說不熟悉。只是這些不適感受的由來不總是那麼清楚明瞭。我一直認為將一切濃縮理解為單一困境可以讓情況變得比較好接受。我有時盼望我有一個可以讓我痛哭的死掉妹妹。但我沒有。

我從不知道該多認真看待你的話。

---

83 四足指節貼地行走（Knuckle-walking）是黑猩猩、大猩猩及食蟻獸等生物行走的方式。

84 《奧茲與哈莉葉的冒險》（*The Adventures of Ozzie and Harriet*）是美國一九五、六〇年間播放的一齣家庭情境喜劇。

再真誠不過了。

或許真是如此吧。又是個我必須應對的怪人啊。

怪人是嗎？瑪麗亞的天國內褲啊，閣下。今天我遇見了一個名叫羅伯特・威斯特恩的男人他的父親嘗試摧毀這個宇宙而本該是他妹妹的人事後證實是個決定自我了結的外星生物而在我思量這個故事的同時我意識到我以為關於人類靈魂的真實知識很有可能毫無價值。你親愛的，西格蒙德[85]敬上。

你對我妹妹一無所知。

這倒是沒錯。或者說任何妹妹對我來說都是如此。我沒有過妹妹。也沒有戀愛過。我想沒有吧。哎呀。可能吧。

可能吧。

塔爾莎小姐呢？

去佛羅里達拜訪親戚了。你可以看出我正在享受短暫的自由。不是那麼令人不開心的事喔，你應該能想像。來，閣下。再多喝點酒。我們換個話題吧。

威斯特恩把手放到玻璃杯上。那個高個子露出微笑。你沒認真看待我的話。但我就等過一陣子再繼續閒扯吧。說不定你就是囤積悲慘的人。你在等悲慘的市價上漲。

我不悲慘，約翰。

哎呀你總得是些什麼吧。不然咧？針對悔恨的研討報告嗎？太經典了吧，這種說法。什麼探討悲劇的緣由。及其靈魂的本質。而哀慟不過是研討主題。

我不確定我懂你的意思。

我說慢一點吧。哀慟是生命的要素。沒有哀慟的生命根本算不上生命。可是悔恨是監獄。你極度珍視的一部分自我永遠被尖樁釘在一個你再也無法找到也永遠無法忘懷的十字路口上。

你是有諮商師證照嗎？

來點咖啡吧。你開始變得有點傷感了。

好吧，我**不**會在你的地盤跟你比試。你是個擅長文字的人而我擅長數字。但我想我們都知道誰終究會勝出。

說得好，閣下。我們確實都知道，太可惜了。

男服務生走了過來。他帶著杯子和玻璃水瓶回來。薛登剝開一張雪茄的包裝紙用掛在鑰匙圈上的一個器具剪掉雪茄尾部。他點燃雪茄後一口口地抽然後伸長手臂檢視那根雪茄再把雪茄咬進上下排牙齒之間。另一個額外的好處當然是**不**會擠壓到你的午睡時間。這種比較早吃的午餐。我前幾天有見到費羅。她有問起你。

你見到誰？

碧安卡。很有意思的女孩。你該約她出去。我想她整個人都沸騰著想要好好幹一場的渴望。

我**沒**這想法。

真的啊。

真的喔。

你會被幹到呼天搶地。我可以保證。

最好是啦。

我有一次問她有沒有想做但還沒做的事。

然後？

85 這裡指的應該是奧地利心理學家西格蒙德·佛洛伊德（Sigmund Freud）。

她想了一下。我不知道，她說。在泥巴裡幹一場嗎？我說那不算。不是這種的。或許是跟性無關的事。嗯，她說這可難了。她不知道跟性無關還能有什麼意思。她是這樣說的，我直接引述：人們的幻想通常都不是那麼有趣。除非是某些真的很變態扭曲又墮落的事。這樣當然別人就會有興趣。也會想聽。

所以你會想聽？

她是這樣說的。

她很喜歡你這個人的調調。我有警告她你很難搞。這還算是委婉說法。哎呀。我對你的苦難不是不同情，閣下。當然現今的情愛探索世界可說幾乎完全不適合心神脆弱者。那些疾病光是名字就讓人心生恐懼。衣原體到底是什麼鬼？誰取的這個名字？你的愛情與其說像是紅紅的玫瑰還不如說像是紅紅的疹子。你發現自己渴望擁有的那個老派好女孩竟然有淋病。不是該規定這些小可愛把染病的內褲飛揚在旗桿上嗎？就像瘟疫船上揚起的旗幟。我當然無法不克制地好奇像你這樣一個愛分析的人從根本上來說是如何去理解所謂美好的性愛。含糊不清的低語嗎。在你短褲裡探索的絲滑而笨拙的手嗎。誘惑的雙眼嗎。撫觸輕柔又嗜血的生物嗎。其實跟大家普遍認知的很不同男性才是唯美主義者而女性總是受到抽象概念吸引。比如財富。權力。一個男人追求的是美，就這麼簡單。沒有其他方式可描述。她衣物的摩挲聲響，她的香氣。她的髮絲掃過她裸露的肚腹。對女人來說所有分類都毫無意義。一切都只是迷失在自己的計算中。男人甚至不知如何命名奴役自己的事物更別說減輕他的負擔。我知道你在想什麼。

我在想什麼？

大概就是花花公子心底其實都鄙視女人的那個老掉牙說法吧。

我不是在想那個。

不是嗎？

我在用相當模糊且結構不明的方式想著一定是一系列的詭異事件聯合起來才能創造出你這個人。

真的啊。

真的。

好吧。我想我們是有些相似之處。說到底，我從未遇過比我自己更大的謎團。一個公正的社會會把我關進黑暗的角落。可是當然真正對藐視法律者產生威脅的並不是公正的社會而是腐敗的社會。因為正是在這樣的社會他逐漸發現自己跟一般公民變得難以區分。他發現自己被獲選為其中的新成員。現在這個世道要當浪蕩子或無賴變得很難。或是**roué**[86]？偏差的傢伙？還是變態？當然啦你剛剛是在開玩笑。全新的思潮已抹消掉語言中的這些分類。你沒辦法是一個隨便的女人了。舉例來說吧。沒人能是蕩婦。整個概念已變得毫無意義。你甚至**沒**辦法成為毒癮者。了不起就是用藥者。用藥者？那到底是什麼鬼？我們在短短幾年內從癮君子變成了用藥者。我們**不**需要諾查丹瑪斯[87]來為我們預言之後的方向。那些最窮凶惡極的罪犯鼓譟著要求獲得名聲。**連續殺人犯**和食人魔宣稱他們有權選擇想要的生活方式。我跟所有其他人一樣努力想搞清楚自己在這個獸欄中能有什麼容身之處。沒有作惡者之後這個正直的世界被奪走了所有意義。至於我自己也是一樣若我**無**法成為合宜舉止的宿敵並同時享受此事帶來的甜美果實的話還真找不到立足之地。你會建議我怎麼做？閣下？回家放一缸子溫水爬進去後劃開手腕靜脈嗎？算了。我知道你在權衡著要怎麼說。我享受我的人生，閣下。無論如何。總之，賀佛爾[88]說得沒錯。真正的麻煩是直到無聊成為社會中最普遍的元素後才開始出現。無聊會讓即便是最極致的**心無雜念者**走上他們自己從未想像過的道路。

無聊啊。

86 法文：「酒色之徒」。

87 諾查丹瑪斯（Nostradamus）是十六世紀的猶太裔法國預言家。

88 艾力・賀佛爾（Eric Hoffer, 1902-1983）是美國作家，人稱「碼頭工人哲學家」。

閣下，我是個幾乎無人能及的臭無賴。可是在我們的時代容易惹人非議的其實是正直的人。我們不知道怎麼理解那些人。他們的朋友很少，而我的朋友則是多到不知該怎麼辦。為什麼會這樣？

我不知道。

我覺得是因為人們無聊得快發瘋了。我想不出其他可能性。這件事甚至有種傳染性。確實有時我醒來看見世界蒙著一層之前並不明顯的灰。我們之前聊過。我知道。過往的恐怖失去銳利稜角，而在這個過程中，這個世界逐漸朝向人們最苦澀的推測都未曾觸及的黑暗傾斜而去我們卻視而不見。那當然一定是有趣的。當無邊暗夜的襲來終將被認定為無從逆轉就連最冷漠的憤世嫉俗者都會震驚地發現這個搖搖欲墜的宏偉建築背後支撐的規則及束縛多快就會遭到揚棄而所有的違常又是多快會獲得擁戴。該是多了不起的奇觀啊。無論多麼短暫。

這是你最近關注的事物嗎？

我是不得不這麼做。時間以及對時間的感知啊。我想是非常不同的兩件事。你有一次說時間中存在「片刻」本身就是個矛盾因為世間不可能有不移動的事物。時間不可能被收縮成違背其自身定義的短暫片段。

我這樣說過啊。

對。你還指出時間可能是遞增的而非線性。世界可被無盡切分的概念其實伴隨著一些問題。然而另一方面所謂獨自存在的世界一定也會引發是什麼將世界連結為整體的疑問。這是個可以好好反思的議題。一隻困在穀倉裡的鳥在一道道光線中一隻鳥又一隻鳥地移動著。而其加總還是一隻鳥。我們該走了。

你覺得我無聊嗎？

不。聰明人通常要背負很多。可是無聊很少是其中之一。沒關係。我總是很高興看到我們的對話又深刻了一點。你否認我們之間的兄弟情誼。你用你那機巧的方式堅稱我們的族系及社會經濟地位讓我們打從出生就完全不同還用著不容反駁的姿態。但我要告訴你，閣下，即便是讀過幾十本同樣的書都比血緣更能讓你們親近。

還有呢？

還有啊。我不覺得在偶爾看到你表露出一絲嫉妒神情時有點愉快算是幸災樂禍。就是一瞬間而已。很快就過去了。

你覺得我嫉妒你？

很惱人，不是嗎？

乞求老天垂憐啊。

薛登露出微笑。他抽了一口雪茄後把雪茄橫擺後細細地看。他把雪茄上的菸灰輕輕吹掉。人們不常對自己擁有的心存感激。當擁有的是無比陌生又少見的高貴慘況時或許特別如此。如果人必須不快樂——確實如此——那受人崇敬總比被人憐憫來的好。無論我們多麼痛恨打從一開始就得這樣包藏住[89]自己都一樣。

我們大概得走了。我得睡一下。

當然。我也一樣。

謝謝你請我吃午餐。

不用客氣啊。能有幾個願意請客的施主可選擇真不賴。

他在一疊信用卡中挑來挑去後將其中一張放到桌上。我給的小費常大方到讓服務生大吃一驚。畢竟你也能想像這裡的觀光客就是群愛找碴的傢伙。你跟我提過一個夢但不確定你還記不記得。很耐人尋味的夢。我們在一大片灰泥漿中沿著一道石牆移動。周遭是斷垣殘壁的景象。有暗色的花從牆上垂下。是食肉的花，你這樣認定。那些花外表是黑色而質地像皮革。很像母狗的屄，你說。我們坐在廢墟瓦礫中等待。

---

89 包藏住的原文encloak是不存在的字，推測是en + cloak創造出的字。

終於有一支電話響了。你記得嗎？

記得。

我接起電話聽說沒有然後掛掉電話。你在夢中問我他們說什麼而我說他們想知道我們對他們是否有任何了解。我說沒有。然後他們說：我們不相信。然後他們掛掉電話。你是作夢的人。但如果我不跟你說他們說了什麼你會知道嗎？

我不知道。

我也不知道。你為什麼覺得你的內在生活會是我想鑽研的嗜好？

我不知道。

難怪你在其中看見一些險惡之兆。但其實沒有。

男服務生走過來拿走帳單。他回來時高個子彎腰在簽單上簽了一個他不認識的名字然後把帳單皮套闔上。他微笑。我預計我會比你早死。而你會很嫉妒我的離去。你在人生中已有決心拋棄的事物，閣下。而在此同時或許我也真的嫉妒你的古典立場，但也沒那麼嫉妒。畢竟特立馬喬比哈姆雷特[90]睿智多了。好啦。我們走吧？

•

威斯特恩早上從露臺門走進來時亞舍正坐在角落的桌邊身旁的椅子上收著她的小背包。仔細閱讀各種紙張的他沒抬起頭來。威斯特恩繼續走向吧台點了兩瓶啤酒後往回走。

鮑比。

命運的故事正要開演嗎？

對啦最好是。

現在讀到哪啦。

你對羅特布拉特[91]了解多少？

不多。

你父親認識他嗎？

當然。不過我不記得他有來過我家。他們對很多事的看法不同。為什麼問？

我只是好奇你父親是否曾聊起他。更精準的說應該是關於他妻子的事。我想知道為什麼她竟然在他待在家裡的時候進了毒氣室。

你覺得他應該回波蘭跟她一起死。

對。你**不**覺得嗎？

是。還有什麼問題嗎？

換作你也會這樣做嗎？

我**沒**有。

你父親覺得羅素[92]是個白癡。

不。他覺得他腦子有問題。

---

90 特立馬喬（Trimalchio）是西元一世紀羅馬作家佩特羅尼烏（Petronius）小說《愛情神話》（*Satyricon*）中原為奴隸的一個暴發戶角色。哈姆雷特（Hamlet）則是莎士比亞劇作《哈姆雷特》中要為死去父親復仇的角色。

91 約瑟夫・羅特布拉特（Joseph Rotblat, 1908-2005）是波蘭裔英國物理學家。

92 伯特蘭・羅素（Bertrand Russell, 1872-1970），英國的哲學家兼數學家。

你爸從沒參加過帕格沃什會議[93]。

沒有。有些人說那是豬食餿水會議。比胡說八道還糟糕一點[94]。

亞舍把他穿著靴子的兩隻腳交疊在椅子上。瘦巴巴的他可說骨瘦如柴還有一頭泛著黃棕色的紅髮。威斯特恩總是覺得穿著磨損皮外套和靴子的他看起來更像個油田地質學家。他把筆記本翻了幾頁。一邊用鉛筆輕敲下巴一邊看著威斯特恩。你都還好嗎？鮑比。

不是很好。我得了胰臟癌。大概剩六個月吧。

亞舍坐直身體。天啊，他說。怎麼會這樣？

只是在鬧你啦。

耶穌基督啊，威斯特恩。這不好玩。

也是啦。

你的幽默感真的很不正常。你知道嗎？

很多人跟我說過。說不定我只是想確認你有沒有認真在聽。

我有在聽。

或許我們該聊別的了。

耶穌基督啊。好吧。我們回來談丘[95]。

好吧。

丘讀芝加哥大學。

對。後來去了柏克萊。

你曾說他是你父親追隨的吹笛手。還一路走到毀滅？我記得對嗎？

我不知道。這說法可能有點太強烈了。我父親是個很做自己的人。當時很多人都認為S矩陣理論有道理。甚至具有發展性。只是後來被色動力學超越了。最終則是被弦理論超越。可能吧。

我們還在談六〇年代初期的事。

對。

弦理論開始變得像是無止境的數學運算。

我想這就是人們最主要的不滿。這些方程式中第一批出現的其中一個元素就是一個零質量、零電荷，且自旋為二的粒子。很有發展性吧。

重力子。

對。像是從未有人見過的想像生物。我對弦理論知道的沒那麼多畢竟那是個物理學理論而非數學理論。這個理論不停被賦予不同的維度數目雖然獲得大量支持但也不是每個人都認可。如果在有格拉肖[96]的場合出現這個主題他很可能會離開現場。維騰[97]表示我們大概會在這二十年間有所收穫。

格拉肖的詩有寫到吧？真理待尋，不靠維騰[98]？

93 帕格沃什科學和世界事務會議（The Pugwash Conferences on Science and World Affairs）的目的是為了減少武裝衝突對全世界帶來的危害。在一九五五年基於對核武危害世界安全感到憂心的《羅素—愛因斯坦宣言》發布之後，此組織於一九五七年成立，成立者為約瑟夫・羅特布拉特和伯特蘭・羅素。

94 這裡是帕格沃什（Pugwash）和豬食餿水（Pigwash）拼字相近的文字遊戲。

95 傑弗里・丘（Geoffrey Chew, 1924-2019）是美國理論物理學家。

96 謝爾登・格拉肖（Sheldon Glashow, 1932-）是美國物理學家。

97 愛德華・維騰（Edward Witten, 1951-）是美國猶太裔數學物理學家。

98 格拉肖這首詩的結尾是「The Book is not finished, the last word is not Witten.」（此書待續，真理待尋。）但真理待尋的正確寫法應該是「the last word is not written」，所以詩作的原文是帶有雙層意涵：真理待尋，不靠維騰。

對。不過我也是這麼猜想。那些迷你自傳還是計畫的一部分嗎？

是。我只是不太確定要放在哪裡。羅素懂任何物理學嗎？

不懂。

所以你的父親才看不起他嗎？

不是。

我覺得可以說我們之所以無法完全理解量子世界是因為我們沒有在那個世界中進化。可是折磨達爾文的那個才是真正的謎團。也就是我們怎麼會去理解這些對生存來說毫無價值的困難事物。量子力學的創立者——狄拉克、包利，和海森堡[99]——沒有獲得任何指引純粹是憑藉著一股世界該是如何運作的直覺。他們展開的研究尺度小到幾乎無人知道這些事物的存在。就是一些光譜上的異常現象。那是什麼？喔，就是個異常現象。原來是異常現象啊。對。好吧。你說的還真天殺的對呢。愛因斯坦有跟波茲曼[100]一起工作過嗎？

我不知道。他從波茲曼那裡得知的是一個很多人都有的懷疑也就是熱力學原理到了某個規模後可能不是固定的。埃倫費斯特[101]也有同樣想法。很具毀滅性的想法。

埃倫費斯特有跟波茲曼一起工作過嗎？

我想應該沒有。

他們有什麼共同點？

兩人都自殺？

天啊，威斯特恩。

讓愛因斯坦困擾的不只量子骰子。還有潛藏其中的整體概念。包括現實本身的不確定性。他年輕時讀叔本華可是覺得自己的成長已經超越他。而現在他透過無從爭辯的物理理論形式回歸了——有些人是這麼說的吧。

不過，這樣也不能阻止他跟別人爭辯，對吧？
確實。
還有呢？
人很可能在前往無窮大的道路上揭露出全新的規則。
你那邊有你父親的論文嗎？
沒有。
那些論文沒在普林斯頓大學？
沒有全部在那裡。
那在哪裡？
本來有些在我奶奶田納西的屋子裡。其中大多是從太浩湖區拿回來的。
本來。
對。被偷走了。
被偷走了？
對。
有人從你奶奶房子裡偷走。

---

99 保羅・阿德里安・莫里斯・狄拉克（Paul Adrien Maurice Dirac, 1902-1984）是英國理論物理學家、沃夫岡・恩斯特・包立（Wolfgang Ernst Pauli, 1900-1958）是奧地利理論物理學家，而維爾納・海森堡（Werner Heisenberg, 1901-1976）是德國物理學家。

100 路德維希・愛德華・波茲曼（Ludwig Eduard Boltzmann, 1844-1906）是奧地利物理學家。

101 保羅・埃倫費斯特（Paul Ehrenfest, 1880-1933）是奧地利數學家。

對。

誰會偷那些論文？

我哪知道。他們又沒留紙條。

你有讀過那些論文嗎？

讀過一些。就是快速翻過而已。那些論文都收在一個錫製麵包盒裡。他離開泰勒的計畫團隊回到粒子物理學領域後發現情況有了一些進展。

S矩陣理論。

威斯特恩聳聳肩。

亞舍交換了上下交疊的左右腿後再次用橡皮擦輕點下巴。那是個突破。突破也是個危險的詞。威騰說弦理論的出現很可能超前了半世紀。

我想後來大家變得有點希望這能成為得以解釋一切的理論。

誰知道呢？費曼[102]有一次說我們正在發現自然的基本法則而且之後不會再有這種日子。費曼是個聰明的傢伙但我認為這個說法頗有爭議。要是科學令人驚異地持續走向未來那揭示的不只是自然的新法則還有需要法則來規範的各種新「自然」。狄拉克著作的最後一句話是：「我們似乎需要一些全新的物理概念。」

嗯。總是這樣的。

卡魯扎—克萊因理論怎麼了？

還有人在用。這個理論重新出現在現代的統一理論中。當然問題是這一切是否有任何相應的價值。原本的理論是個非常優雅的體系。愛因斯坦深受吸引。他針對這個主題寫了一篇相當棒的論文。其中包含各種圖像說明之類的。但他逐漸看出其中的大部分問題因此最後還是全面放棄。我知道我父親挖出了卡魯扎在一九二一年寫的論文。其中提出了五維場理論是篇很出色的論文。包含了關於重力的廣義相對論。就是這點讓克萊茵有了興趣而當卡魯扎—克萊因的版本出現時還融入了量子力學。德布羅易[103]很感興趣。那是物理學的有趣時代。

就像那個中國詛咒一樣[104]？

之類的吧，我想。點粒子出現的原因在於一旦你把醜惡的事物塞進去——像是實體存在的現實——整個方程式就無法運作。一個缺乏實體存在的點只能留下位置。而沒有任何其他相對位置參照的位置無法被陳述出來。量子力學遭遇的一些難題必須歸因於人們難以接受的一個簡單事實也就是並沒有獨立存在的資訊本身所有資訊必定要仰賴特定觀測手段才能成立。在第一個有感知力及視力的生命出現之前世界並沒有璀璨星空的存在。在那之前的一切都只是黑暗與靜默。

但還是會移動[105]。

還是會。總之，點粒子的整個概念跟人們的常識彼此矛盾。這中間有問題。事實是我們沒有針對粒子的一個完好定義。究竟在什麼樣的概念上一個強子是由夸克所「組成」？難道這就是讓還原論決定以行動證明自己的原因嗎？我不知道。康德對量子力學的觀點——我直接引用——是「不受到我們認知力量改造的。」

康德對量子力學的觀點啊。

---

102 理查・費曼（Richard Feynman, 1918-1988）是美國理論物理學家。

103 路易斯・德布羅易（Louis de Broglie, 1892-1987）是法國物理學家。

104 在英語中「願你活在有趣的時代」（May you live in interesting times）據稱是來自中國的一句詛咒，意思是無奈而諷刺地表示對方現在處於動盪而麻煩的狀態中，但其實並沒有任何證據顯示這句話真的來自中文。

105 這裡的原文「And yet it moves」是伽利略的名言，他在因為日心說而面臨宗教審判時說了這句話，意思是「地球仍在轉動啊」。

對啊。

老天，威斯特恩。

你不會覺得他談的是超自然現象吧？

應該不是。

對懷疑論者而言所有論證都是循環論證。我猜那代表就連這個說法也是。總之，我不想漫無目的地閒扯所謂量子力學的意義。那是我們史上最成功的物理學理論。如果要說哥本哈根學派有什麼問題就是因為玻爾讀了太多糟糕的哲學。或許我們該回到原本的話題。

好啊。我們本來在聊丘。

哎呀。也許還談不到那裡。

你在開玩笑吧。

對啦。

丘認為S矩陣理論能推動高能物理學前進。

對。

有嗎？

有成為爆紅精選理論啦。大概一年。

你這裡沒打算玩雙關吧[106]，我猜。

兩個雙關，其實。沒有啦。那個理論其實源自四〇年代的海森堡。甚至是更早之前的惠勒[107]。

可是我們現在是六〇年代了。

對。是粒子園時代。量子場論已經受到一陣子關注可是他們應該更謹慎。S矩陣理論是個非常有野心的理論。丘喜歡稱為鞋絆理論。總之那是他的版本。這個理論超越了它自己的時代而傑弗里・丘正是領航者。

而你父親完全同意。

對。

你父親認識戴維・玻姆[108]嗎？

認識。他很喜歡他。

我以為他們的政治立場可能完全不同。

確實不同。戴維有一次跑去找愛因斯坦努力想向他解釋他——愛因斯坦——對量子力學的反駁是錯誤的。他們在愛因斯坦位於普林斯頓高等研究院的辦公室待了兩小時而等到玻姆出來時他已經——根據默里[109]的說法——失去了他的信念。他針對量子力學寫了一本很好的書努力想把一切理清楚卻沒有幫助而他的餘生都在努力——真的只是努力——想找出符合這個理論的古典描述。這就像是在量子領域不可能實現的化圓為方。在此同時他還被國務院驅逐出境。

所謂隱藏變量。

對。隱藏得非常好。這裡的問題跟費曼的路經積分相反。你無法把費曼的理論視覺化可是其中的數學計算很扎實。但你可以將隱藏變量視覺化。也就是說你可以將這些隱藏變量運作的方式視覺化。你可以畫出一個圖像。但這些隱藏變量無法運作。

106 這裡的有成為爆紅精選理論是「It was the theory of the week」，一方面是打趣地表示這個理論的生命沒有延續很久，另一方面是用 week 和 weak 的同樣發音來諷刺這個理論很弱。因此才會是兩個雙關。

107 約翰・惠勒（John Wheeler, 1911-2008）是美國理論物理學家。

108 戴維・玻姆（David Bohm, 1917-1992）是英籍美國物理學家。

109 默里・蓋爾曼（Murray Gell-Mann, 1929-2019），美國物理學家。

威斯特恩停止說話。亞舍正在他的筆記本裡寫字。他沒有抬頭看。

鞋絆理論因為夸克的出現而相形失色。

其實更早。默里和費曼在加州理工學院時共用一個祕書而且對彼此的工作成果頗為嫉妒。然而主要是默里這邊。不過在默里發表探討八重道的論文當天喬治．茨威格[110]在走廊上遇到費曼駝著背一邊搖頭一邊迎面走來喬治在他經過時聽見他喃喃自語：他是對的。那個狗娘養的是對的。之後沒過多久喬治去了CERN[111]並在某天晚上驚醒後開始懷疑核子不是基本粒子。

他就這樣靈光一閃。

不完全是那樣。不過那個想法很簡單。核子其實——在一定程度上——是由一小批較小的粒子組成。三個一組。如果以強子為例的話。這三個粒子幾乎完全一樣。他把這些粒子命名為愛司。他跟我說他不認為有任何其他人能搞清楚這件事而他在這世上有的是時間去用數學證明這件事。他不知道默里已經走在他的這條道路上了而且再不到一年就要走完。最後默里把這些粒子稱為夸克——取自喬伊斯小說《芬尼根守靈》中的一句話，只不過書中是用來描述茅屋起司。給馬克先省三夸克啊[112]。他橫掃了這個領域並獲得諾貝爾獎結果喬治跑去進行心理治療。可是喬治後來克服了一切。

這是真實故事。

你可以去查。好吧，其實可能查不到。至少不是全都能查到。可是確實默里一開始提出這個理論時也只是一種推測。就是一種數學模型。他之後總是否認可是我有讀過那些論文。相較之下喬治知道那就是無庸置疑的物理理論。而當然確實也沒錯。

費曼是喬治的指導老師。

對。

說到頭來鞋絆理論到了最後也會自我毀滅。

默里說鞋絆理論後來變形為弦理論。說到頭來。可是總之因為規範場論的成功這說法是否為真也不要緊了。

丘後來怎麼了。

他還在柏克萊。生涯發展很好。可是跟他原本預想的完全不同。弦理論也還是一灘數學泥沼。

還有其他人的論文被偷嗎？除了你父親之外。

據我所知沒有。但我真的不確定。

你說你都翻閱過了。那些麵包盒裡的論文。

對。大部分都跟弱力有關。人們都覺得這個弱理論最後看起來只會跟量子電動力學差不多，可是他的看法不是如此。他認為這個做法對量子電動力學有效不代表什麼。楊—米爾斯理論已經出現幾年了，但沒人知道要拿那個理論中的玻色子怎麼辦。

人們認為玻色子沒有質量。

當時大家是這麼想的。沒錯。

就跟光子一樣。

就跟光子一樣。沒錯。這些粒子是彼此傳遞的媒介。後來被稱為W及Z玻色子。

楊—米爾斯向量玻色子。

110 喬治．茨威格（George Zweig, 1937-），美國物理學家以及神經生物學家。

111 CERN是歐洲核子研究組織，其簡稱取自其原名歐洲核子研究理事會（Conseil Européen pour la Recherche Nucléaire）。

112 小說中的那句話是「Three quarks for Muster Mark.」其中的quark指的很可能是茅屋起司，可是當初默里命名時認為那是酒吧中叫酒的一句話，quark指的其實是quart，因此他將那句話理解成「給馬克先省（先生）來三夸克（夸脫）酒」。

對。格拉肖提出包含W粒子以及他現在稱為Z粒子的規範場論。但還是無法針對質量問題提出真正的解釋。這些質量是被人工加入的。然後六四年時希格斯提出了他的機制而溫伯格[113]則理解到如果可以利用希格斯機制來打破對稱性就可以運用此方式真正得出向量玻色子的質量。反之亦然。W粒子一開始被賦予了四十億電子伏特的質量而Z粒子則是八十億電子伏特。最後兩者的質量我想大概是八十和九十一。溫伯格針對這個問題在一九六七年發表了現今已經很有名的一篇論文但沒有人讀。可是我父親讀了。這個理論仍衍生出無人可抹消的各種無窮大。我印象中這篇論文在五年內只被引用五次。我們似乎找不到任何方式去將之重整化並與楊—米爾斯的理論統合起來。德．胡夫特[114]到一九七一年才想出方法可是在此同時我父親已經看見他所建立起的一切正要開始分崩離析於是他坐在書桌前開始攻擊希格斯的問題可是卻無法找到有效方法。我認為他使用的詞彙是邏輯不一致。

他似乎非常信仰這個尚未獲得證實的理論。

你指的是希格斯的相關理論。

對。

跟狄拉克的狀況有點像。或者是錢德拉塞卡[115]。他一直擁抱著對美學的信仰。他認為那篇希格斯理論的論文優雅到不可能出錯。這只是一個例子。還有另一個例子是格拉肖的SU(5)理論。很美好的理論啊。但也是錯的。

希格斯理論錯了嗎？

不知道。目前在真實世界的狀況是溫伯格已經確認格拉肖提出的Z粒子理論一定是對的。大家都痛恨這個狀況。問題在於那個粒子實在質量太大。真是天殺的大。Z玻色子比一些實際存在的原子還重。但就算能讓它在加速器中提高速度還是會有沒有電荷的問題。不過他發現如果你讓這些微中子以及核子對撞衍生出W粒子並產生一個擁有相反電荷的輕子就一定會每隔一陣子獲得一個Z粒子。而既然Z不帶電荷代表進入的微中子會維持微中子的狀態。電荷在弱交互作用跟任何其他交互作用中一樣守恆。你不會看見一個輕子帶著和W相反的電荷因為那樣就不會是一個W粒子。那樣會是一個Z粒子。他推測你什麼都不會看見而那正是你必須尋找的結果。又或者你只會看見一系列的強子噴發而那是人們說永遠不會在Z粒子上看到的特徵。

亞舍坐著，牙齒間咬著他的鉛筆。讚喔，他說。

無論如何，歐洲核子研究組織和費米實驗室[116]最後都發現了中性電流事件。這代表有Z粒子的存在。中間他們有搞錯一些事但終究解決了。溫伯格和格拉肖和阿卜杜勒・薩拉姆[117]就是因為這個新電弱理論拿到諾貝爾獎。

這是邁向「統一場」的第一步。

嗯。或許吧。

你父親怎麼了？

死了。

我知道。

他離開柏克萊後跑去內華達山上的小屋。我第一次上去找他時他就已經病了。我和他一起去了拉霍亞

113 史蒂文・溫伯格（Steven Weinberg, 1933-2021），美國物理學家。
114 傑拉德・特・胡夫特（Gerard 't Hooft, 1946-），荷蘭理論物理學家。
115 蘇布拉馬尼安・錢德拉塞卡（Subrahmanyan Chandrasekhar, 1910-1995），印度裔美國物理學家及天體物理學家。
116 費米國立加速器實驗室（Fermi National Accelerator Laboratory，縮寫為Fermilab）。
117 阿卜杜勒・薩拉姆（Abdus Salam, 1926-1996）是巴基斯坦理論物理學家。

的醫院。為什麼是拉霍亞我也不知道。然後他又回去山上。我想或許他又有跑回拉霍亞一次。他沒有抱持任何希望的理由。最後一次看到他時我是直接開車上山跟他待了一整天。他在小屋牆上貼滿有關貝伐加速器內粒子撞擊的影印文章。他瘦了很多。沒什麼話想說。那些影印資料都來自五〇年代。我想他有他自己的排列邏輯。或許我當時該多注意一點。他似乎沒有非常想談這件事我也就沒追問。山上那地方很美。湖裡有金鱒。那是一個物種名稱而不是在描述魚的顏色。可是那是我最後一次見到他。幾個月後他死了。

在墨西哥的華雷斯。

對。

小屋後來怎麼了。

燒掉了。

有人住在裡面嗎？

沒有。

那怎麼會燒掉？

我不知道。或許是被雷打到吧。

被雷打到。

可能吧。

你之後就離開學校了。

對。

為什麼？

物理學史上有很多人都是放棄後跑去做其他事。除了少數例外之外，這些人都有個共通點。

那個共通點是？

他們都不夠好。

那你呢？

我還行。我做得來。只是沒到真的能夠很有貢獻的程度。

你父親呢？

大部分物理學家都沒有才能和膽量去承擔真正困難的問題。但即便是從成千上萬的問題中找出真正關鍵的問題也是一種極少見的才華。

是什麼讓他回去研究貝伐加速器感應片上發生的事？

我不知道。我想他花了很多時間完全在思索宇宙的法則。他想知道那一切都是無從推翻的嗎？就是那些看似已經解決的問題。事實上真有完全無質量的粒子嗎？規範不變性先不論啦。你能確定嗎？如果你有不知道質量為多少分之一的輕子那它們的速度可以有多接近光速？有辦法測量嗎？

還有呢？

我不知道。常數的價值難道不該是透過某種方式預見這種事的發生嗎？

聽起來像是潘洛斯[118]會說的話。

嗯。有可能。

還有呢？

不知道。斯蒂克爾堡[119]吧。

斯蒂克爾堡。

118 羅傑・潘洛斯（Roger Penrose, 1931-），英國物理學家。

119 厄恩斯特・斯蒂克爾堡（Ernst Stueckelberg, 1905-1984），瑞士物理學家。

對。

那是誰？

對啊到底是誰。

嗯？

斯蒂克爾堡是個瑞士數學家兼物理學家而且要是能早幾年出現在索末非[120]的實驗室就好了。不過他還是搞定了基本力大部分的交換粒子模型還處理了不少S矩陣理論以及重整化群的問題。我還可以繼續列舉下去。比如量子場論中的一個協變微擾理論。還有向量玻色子交換模型——他放棄了而之後湯川秀樹以此拿到諾貝爾獎。但完全沒認可他的貢獻。我是說，你能怎麼說出口呢？說我整個概念都是從一個叫斯蒂克爾堡的傢伙手上偷來的嗎？還有阿貝爾希格斯機制。甚至將正電子解讀為時間逆行的電子也是。很可能無法證明但在形塑世界的各種理論殿堂中足以占據一席之地。是對後來其他理論有所貢獻的一個理論啊。也沒獲得認可。在重整化方面進行的突破性工作啊。也一樣。你或許會想提到他。畢竟沒其他人提過。

他的名字怎麼拼？

用讀音去拼就行了。

好。

威斯特恩把名字拼出來。

好吧。

回到常數。回來。

對常數的解釋會是什麼樣子？

我不知道。好啦。我知道。為什麼狄拉克不出來說他找到的粒子是反電子？他到一九三一年時一定已經很清楚。默里有問他。好幾年之後的事。他怎麼說呢？他說：單純就是怕事。

亞舍搖搖頭。威斯特恩幾乎微笑起來。

物理學家最糟的就是犯錯。幾乎跟死掉差不多。

對啊。

你也會想那些幾乎很少發表論文的人是怎麼回事。像維根斯坦[121]。那到底是怎麼回事？我父親的很多論文都不見了。所以關於他這個人我有很大一部分永遠不會知道。

你會因此痛苦嗎？

什麼都讓我痛苦。我想。或許我就是個痛苦的人。

他們沉默地坐著。

抱歉，威斯特恩說。我得走了。

你真的相信物理學嗎？

我**不**知道這個問題是什麼意思。物理學試圖用數學畫出這個世界的圖像。我**不**知道物理學真正解釋了什麼。你**無法**說明未知。

不管你當作什麼意思都可以。

如果可以研究物理學，我會去做。無論代價為何。

威斯特恩點點頭。他把椅子往後推站起身。好吧。根據我的經驗會說無論代價為何的人很少知道這個代價最後可能會是如何。他們**不**知道代價有可能變得多可怕。我們之後見。

---

120 阿諾・索末菲（Arnold Sommerfeld, 1868-1951），德國物理學家。

121 路德維希・維根斯坦（Ludwig Wittgenstein, 1889-1951），奧地利哲學家。

——

他請珍妮絲照顧貓然後用兩個軟軟的小袋子打包了幾樣東西在晚上搭計程車經由航空公路前往他停放車子的大型儲物間。辦公室裡的查克走出來站在門口對著威斯特恩的袋子點點頭。你要帶這些去公路旅行？

對啊。

要去哪？

田納西州的瓦爾特堡。

距離阿肯薩斯州的**雞叫屁**[122]小鎮多遠？

瓦爾特堡是真的地方。

那裡有什麼？

我奶奶。

可會是一趟好旅程啊，是吧？怎樣？她快要一命嗚呼還留了些好東西給你？

據我所知沒這回事。

這趟要開多遠？

不知道。六百多英里吧。

會花你多少時間？

大概六小時。

狗屁啦。

五個半小時？

快滾吧你。

他在儲物間前丟下袋子解開掛鎖把捲門沿著軌道拉上去後打開掛在天花板上的單顆燈泡。車子上蓋著一塊布他貼著牆邊走到車子前方解開綁帶將布沿著車頭蓋及不鏽鋼車頂一路往後收折拿到儲物間外甩開。接著他把布摺好拿進儲物間放在前方層架上的涓流充電器的旁邊。他把引擎艙前壁維修板掀起鬆開充電器和計時器的接頭把電線從車輪罩下拉出來再檢查過機油和冷卻液。然後他蓋下維修板往後走塞進駕駛座把鑰匙插進去按下發動鈕。

他已經有六個月**沒**開這台車可是這台車還是有順利運轉發動。他輕踩了一下油門確認儀錶板上所有數據把排檔拉到倒車檔緩慢將車倒出儲物間來到柏油地面。他下車把儲物間的燈關上再關門鎖上掛鎖打開車頭蓋把袋子塞進去關上車頭蓋上車把引擎加速了幾次。白煙在這個儲物區中飄盪。引擎慢慢運作得比較順暢後車子發出彷彿喉音很重的咕噥聲。他喜歡把代表瑪莎拉蒂的三叉戟標誌想成薛丁格的**波函數**。當然那也可以是戴維．瓊斯箱子[123]的符號。他微笑著把排檔輕緩地打到一檔掉轉車頭開出儲物區大門。

他抵達哈蒂斯堡時天色已經昏暗。他早在傍晚時打開車燈並花了剛好一小時開車抵達子午線東邊的阿拉巴馬州州界。路程共一百一十英里。距離塔斯卡盧薩七十英里的此處高速公路筆直而空蕩除了偶爾看見一台半掛式卡車外什麼都沒有他加快瑪莎拉蒂的車速只花了十八分鐘就經過四十英里抵達阿拉巴馬州的柯林頓期間引擎有兩次都加速到最快區間時速表的紀錄則是到每小時一百六十五英里。當時他想自己大概不太可能再次僥倖逃過州警法眼以及他在許多小鎮呼嘯而過的那些測速隱藏攝影機於是緩慢地將車開過塔斯

---

122 「Rooster poot」是一個在美國可能被用來當作虛構小鎮名的搞笑名稱。

123 戴維．瓊斯箱子（Davy Jones's locker）是一句來源不明的黑話，只知道出自十八世紀的英國海軍，當時只要有水手死亡，他們就會把屍體包在布裡丟到海底並表示讓此人長眠在「戴維．瓊斯的箱子」裡，此處的戴維．瓊斯似乎可以是海上的惡靈或守護神的角色。

卡盧薩和伯明罕並在離開紐奧良的五小時四十分鐘後剛好越過查塔努加南邊的田納西州州界。

他在凌晨一點十分開下高速公路駛上瓦爾特堡荒涼的主街。所有店鋪都關著。他在博尼非修斯街口迴轉往回開再往北開上金斯頓街經過法院後進入鄉間。周遭只有輪胎在兩線柏油路面上發出如同鵝卵石彼此摩擦的聲響而月亮低低地掛在西邊的黑暗山丘上。他越過舊橋轉往農場路繼續開。他把車子停在房子對面關掉頭燈在黑暗中坐著而引擎仍以最低速在運轉。房子後方有盞水銀燈可是房子本身深陷於一整片的黑暗與靜默。他在那裡坐了一陣子。然後再次打開燈在道路上掉頭後開車回到鎮上。有台警長巡邏車注意到他跟著他一直開出小鎮邊緣後才掉頭回去。他沿著二十七號高速公路往南前往哈里曼把車開進緊鄰小鎮的一間汽車旅館。那時是凌晨兩點三十分。他站在旅館辦公室門口按下電鈴後等待。外頭挺冷的。他可以看見自己吐出的白煙。他又按了電鈴一次，過了一陣子後有個男人過來幫他開門。

他填好住房卡再把住房卡轉過去後從櫃檯桌面推給他。男人拿起卡片伸直手臂仔細看。他是個表情陰沉的矮小男人。看起來不太跟人來往。

我有個兄弟住在路易斯安那州的門羅。死在那裡啦，其實。

他彎腰瞇眼往外望向停在車道上的瑪莎拉蒂而招牌上「還有空房」散發出的紅色柔和光芒正照在車子上。

日本佬的車啊，他說。我姪子也有一台。好吧，我想這畢竟是個自由的國家。

那不是日本佬的車。

哎呀如果不是的話是什麼車？

是義大利車。

是嗎？哎呀我們也有跟那些狗娘養的打過仗啊。一晚是十五塊七毛一含稅。

他把錢付給男人後接過鑰匙把車開到他的房間前方停好上床睡覺。

隔天早上他把車子開回瓦爾特堡並在一間小餐廳吃了頓接近中午的早餐還讀了瓦爾特堡的報紙。外頭**停車場**上有兩個青少年正盯著他的車子。咖啡館裡的顧客總時不時瞄向正在吃飯的他過一陣子後兩名女服務生中較年輕的那位過來幫他加新的咖啡。

我猜外頭那台車是你的。

威斯特恩抬頭看向她。她頭上有剛縫合沒多久的傷口。她倒完咖啡後把咖啡壺放在桌上再從圍裙口袋抽出帳單夾板。還要點什麼嗎？

或許吧。我很餓。

他仔細看過菜單。你們這邊很多人點瓦爾特漢堡嗎？

對啊。很受歡迎呢。

他把菜單蓋上。我覺得目前點的還行就好就收吧。他抬頭望向她。

你不是本地人，是吧？

天殺的才不是。我恨死這地方。

聽說這裡是個大家都愛狂歡的小鎮。

瓦爾特堡？你從哪聽來的？你真搞笑，是吧？

你在佩卓斯有男朋友。

是丈夫。你怎麼會知道？

我**不**知道。你沒戴戒指。

我有戴。只是工作時不戴。

你多久可以見他一次。

一週兩次。

他看見你那道縫過的傷口了嗎？

還沒。

你打算怎麼告訴他？

你怎麼知道**不**是他搞的？

難道他是醫生嗎？

你知道我的意思。

他是嗎？

不是。就跟你說過了。他甚至還**沒**看到這些傷口。

所以你打算怎麼跟他說。

你真愛管閒事，**不**是嗎？我打算跟他說我滑倒了但總之不干你的事啊。

我只是想知道你編好故事沒。

你怎麼會認為我需要編故事？你又**不**知道發生了什麼事。

你需要編故事嗎？

有可能。但沒理由告訴你吧？

為什麼不？

你是哪裡人？

我就是這裡人。

你才**不**是。

紐奧良？

我不知道啊。你是嗎？

如果你接受的話。

她回頭望向櫃檯後再次望向他。你還真是個自以為聰明的渾球，不是嗎。

對。

不過好像有點可愛。

你也不賴。要約會嗎？

她再次望向櫃檯後把眼神一回來。我不知道，她悄聲說。你讓我有點緊張。

那也是我的手法之一。對刺激力比多[124]很有幫助。

對刺激**什麼**很有幫助？

他沉迷於什麼？殺人嗎？

你怎麼知道？你跟瑪姬聊過了？

誰是瑪姬？

站在那邊的就是她。她說了我什麼？

她說我該約你出去。

我要去踢她的屁股。

只是鬧你啦。她**沒**這樣說。

最好是沒說喔。你還要點其他東西嗎？

不用，謝了。

---

124 力比多（libido）就是性衝動的意思。

她從夾板上撕下一小片紙然後面朝下放在桌上。你確定是從紐奧良來的？
對。
我沒去過。你是職業賭徒嗎？
不是。我是深海潛水員。
你在亂講。我得去服務其他客人了。
好吧。
你剛剛說的是認真的嗎？
說什麼？
你知道的啊。就是約會。
或許吧。我不知道。你讓我有點緊張。
哎呀那或許對於刺激你剛剛說的那個什麼是好事。如果你有的話。
你希望我留多少小費？
嗯我不知道，親愛的。想給多少就給多少囉。
好吧。要不要丟硬幣決定是翻倍還是一毛都不剩？
我怎麼知道本金是多少？
有差嗎？反正都是兩倍或沒錢。
好吧。
你來丟。
為什麼？
我可能有個兩面都是頭的硬幣喔。

對啦。她說。就知道你可能會這樣。
她從圍裙口袋裡拿了一枚二十五分硬幣往上丟後抓住啪一聲壓在前臂上然後看著他。
頭，他說。
她把手移開。是背面。
要再一次嗎？
好啊。
她再次把硬幣往上丟他也再次猜是頭那面但還是背面。
再一次？
我現在累積多少小費了？
一開始的四倍。
我知道。我會算數。你只是想讓我翻倍到全輸光為止。
沒錯。
嗯我想我就玩到這裡。
聰明的女孩。
我得去服務其他人。我拿到多少？
他從口袋裡拿出一卷鈔票。我本來打算留兩美金，所以你拿到六美金。
沒有才不是。我是拿到八美金。
只是確認一下你的算數行不行。
我在學校時數學很好。我恨的是英文。
他拿了一張二十美金的鈔票給她於是她把手伸進圍裙準備找錢。

沒關係，他說。都留著吧。
好吧謝謝你。
不客氣。
我真不知道你到底是某種自作聰明的傢伙還是怎樣。
你其實很清楚。
大概吧。我得走了。
你叫什麼名字？
艾拉。你呢？
羅伯特。
我今晚沒排班。
你丈夫會拿槍幹掉我。
我丈夫在監獄裡。
你一直沒說那個縫過的傷口是怎麼來的。
跟你更熟之後可能會告訴你。
他把身體滑出卡座後站起來。之後見了，艾拉小姐。
再見啦。
他走過停車場後上車發動引擎。他把車子開上街道時她從窗戶後面望向他並舉起鉛筆跟他道別。
他把車停進那棵老胡桃樹底下的車道上熄掉引擎。他奶奶的車不在。他坐在那裡看著這個地方。這是棟白色護牆板保護著的高聳農舍。需要重新油漆了。他覺得好像看見凸窗後方的窗簾動了一下。他下車站在那裡望向田野的彼端。屋後沿著山脊邊生長的冬日樹林陰暗光禿於是一切顯得異常靜默。他可以聞到乳牛的氣味。黃楊木也發出濃烈氣味。他把車門關上時三隻烏鴉沉默地從溪流對面的樹林中飛起接著一個急轉彎後消失在灰濛濛的冬季河窪地上方。

他打開紗門輕敲玻璃後再次關上門站著等。乳牛已經走到**牛舍外空地**上看著他。這裡真的沒什麼改變。但一切又是完全不同。門打開後有個年輕女孩站在門口望著他。什麼事?她說。

嗨。請問布朗太太在家嗎?

不,她不在。

你覺得她何時會在?

她說大概十二**點**會回來。她去鎮上做頭髮。

威斯特恩的眼神越過空地望向牛舍。然後再看向那個女孩。我之後再來,他說。要我轉達什麼話給她嗎?

不,沒關係。她會知道是誰。我打算把車子留在這裡去散個步。我是她的孫子。

喔。你是鮑比。

對。

你要進來嗎?

不,沒關係。我等一下就回來。

好吧。我會告訴她。

謝了。

他把其中一個軟軟的皮袋子從車內的地板拿出來然後任由車門開著直接坐在鋪著地毯的寬闊門檻邊換鞋子。然後他關上車門出發散步。

他走到溪邊沿著溪水走進樹林然後踩著木製洩洪道下方的一顆顆扁平石頭走到小溪對面。洩水道的板子因年歲已久凹陷發黑從上方流過的水又黑又重。至於磨粉場本身幾乎什麼都沒剩下只留石造基底以及原本用來乘載水車輪的生鏽鐵輪軸以及曾包住旋轉水車輪的生鏽鐵箍。他走出小徑坐在三角葉楊樹林底下看著眼前的池塘。他十六歲時曾在州立科學博覽會上進入決賽。當時他的計畫就是要研究這個池塘。他以實體大小畫出這個棲地中所有可見的生物從蚊蚋到水蜈蚣到蛛形綱動物到甲殼類動物到節肢動物還有九種魚到哺乳類，還有麝鼠和水貂和浣熊，還有很多鳥，以及翠鳥和林鴛鴦和鷸鷉和鷺和燕雀及老鷹。就像奧杜邦[125]一樣他畫大藍鷺時必須把牠畫成在水上彎腰的姿態不然實在大到無法畫到紙上。兩百七十三種生物搭配上拉丁名字都被畫在三捲四十英尺長的美術紙上。他花了兩年完成最後卻沒得獎。後來他有拿到生物學獎學金可是那時的他已經深深沉迷於數學當中而池塘生態學只是個執行方式比較高級的童年興趣罷了。

他在那裡坐了很久。一隻麝鼠從靠近水壩的深水處岸邊如同船一般出航越過池塘朝他接近。只露出牠的鼻子和水面上逐漸拉寬的V形波紋。*Ondatra zibethicus*[126]。有一年冬天牠們在池塘裡用樹枝和蘆葦建出一個房子簡直是完美複製河狸房子的迷你版本於是他問生物老師這是否代表麝鼠的相關知識來源跟河狸來自同樣的源頭可是老師似乎不明白他在說什麼。他會坐在簡易小船裡划槳過去用鋼絲鋸在房子的拱形屋頂上割出小洞後憑藉手電筒往裡面瞧。那是個在樹枝平台上的草窩位置剛好在船的吃水線之上此時一陣溫暖香甜的氣味從小洞中往上湧出讓跨坐在小船木板座位上的他一時停止動作。一段本來早已遺忘的回憶淹沒了他當時四歲的他站在一九三六年出廠的斯圖貝克車前座那是他父親戰爭期間開的車他母親穿著最好的連身裙和大衣坐在他身邊用舌頭沾濕手帕擦他的下巴和嘴巴並調整他的帽子而他父親正在倒車於是他們住的那間戰時合板房就在他們面前不停後退。而湧入他鼻孔的正是她那天的香水味。後來麝鼠毫無失誤地把屋頂修好了。可是牠們再也沒在這個磨坊池塘裡蓋出別間房子。

雲朵蓋住太陽後氣溫開始變冷。麝鼠不見之後一陣風攪動水面。他起身拍拍長褲背後腰線以下的部分沿著小溪西側往上走。等抵達籬笆邊他沿著小徑往山上走，在此處的冬青與月桂樹之間沿北坡往上爬。幾棵仍然矗立的老栗子樹樹幹已經因為死去而灰敗了五十年或甚至更久。他不到一小時就抵達山脊頂部並在一段倒下圓木坐下沐浴於破碎陽光中俯瞰著底下的鄉間景致。他可以看見奶奶的房子和牛舍和旁邊的道路以及緊鄰奶奶房子但稍遠的一間間小農舍，還有由田地、**籬笆界線**和植林地拼湊起來的地景。東邊是翻騰起伏的山丘及稜線。越過那些山稜的橡樹嶺某處設置了鈾濃縮設施而正是那個設施讓他父親在一九四三年從普林斯頓大學來到這裡並遇見之後成為結婚對象的選美皇后。威斯特恩非常明白他之所以能存在全是阿道夫・希特勒的功勞。將他動盪不安的人生細密編織成形的歷史力量正是奧茲維辛以及廣島的遭遇，同時這兩個姊妹事件也永遠確立了西方世界往後的命運。

底下有隻老鷹叢林中出現後不費吹灰之力地往上爬升轉向並以**四十五度角**順風飛然後轉個彎後再次爬升至空中盤旋。巨翅鵟。*Buteo platypterus*[127]。牠經過時離他很近他甚至可以看見牠的眼睛。十一釐米。大角鴞的話是二十二釐米。跟**白尾鹿**一樣。不過富含感光的視桿細胞。**暗夜中的獵手**。那隻老鷹轉向後往下沉沿著山坡往下滑翔然後再次飛升，迎風挺立。動也不動。現在應該是你要遷徙的時候了。老鷹再次轉向後消失。他又望向奶奶的房子一次。那裡有片綠色的金屬屋頂。紅色磚造煙囪需要進行接縫整染工作。她的車停在車道上。距離有多遠呢？兩英里？他起身沿山脊頂部走。陽光中吹著一陣冷風。狐狸在小徑上匆匆走過。一枚**十二鉛徑**的散彈槍彈殼被人踩進泥土裡。歪扭矮小的闊葉樹根長在石頭裡樹頂朝著風消逝的方向生長。

---

125 約翰・詹姆斯・奧杜邦（John James Audubon, 1785-1851），法裔美國畫家，自學繪畫，也是自然主義者。

126 鼩鼠的學名。

127 巨翅鵟的學名。

他沿著一條不同的路下山越過小溪來到距離屋子下方半英里的路上。當他沿著車道走向屋子時他的奶奶正從牛舍走過來。她身穿連身工作服頭上戴著寬邊遮陽帽還套了一件牛仔粗工外套手上提著一只上面蓋著布的不鏽鋼牛奶桶。她看見他時臉上的微笑完全停不下來。

他在屋外的柵門跟她會合從她手上取走牛奶桶而她伸出雙臂抱住他。喔，鮑比，她說。真高興見到你。

你好嗎，愛倫奶奶。

別問了。

好吧。

哎呀可以稍微問一下啦。

你還好嗎？

不是我在吹牛。鮑比。老娘還沒進墳墓呢。

他已經轉身去處理她身後的柵門。來，她說。那個給我拿。

他把桶子交給她同時把柵門拴上。我就是受不了看到有人把牛奶桶放在地上。

他微笑轉頭再次接過牛奶桶然後兩人繼續往房子走。

皇家還好嗎？

她搖搖頭。不太好呀，鮑比。如果他再變得更瘋我完全不知該怎麼處理。我有去柯林頓參觀那個地方呀然後心想，哎呀，我可不希望別人把我塞來這裡。納什維爾那裡也有個他能去的地方我聽說很不錯可是距離真的很遠呀。我也不知道我還有多少日子能開車。這是個問題。我不知道呀，鮑比。最後我們可能得一起去住進去。關於這事我大多時候就是不停在禱告。

她用布擦拭牛奶桶底部把牛奶放在後門廊上的鍍鋅冷藏鐵箱內再直接把雙腳從原本穿著的綠色橡膠及膝靴踩出來。這雙是皇家的。可是我穿這雙比較好穿脫反正我也不會穿去很遠的地方。

他們走進廚房。我真討厭問別人要待多久因為聽起來像是不希望他們住下來一樣。但你沒打算像上次那樣對我吧？應該不會只喝杯咖啡就跑掉吧？

不會。我可以待上幾天。

她摘下帽子把髮絲搖散脫下外套掛在門邊的外套架上。坐下呀，她說。我要上樓去脫掉這身工作服。我真討厭在大白天擠奶可是有時就是別無選擇。脫下你的外套坐下呀，鮑比。

好的。

他拉開一張椅子將皮夾克掛上椅背後坐下。這張椅子的材料是山裡的白蠟木無論是紡錘狀椅腳還是扶手都是用腳踏式車床製成而那已經是個現在難以想像的世界了。座位是用燈心草編織而成但磨損嚴重許多地方還是用粗麻線修補。她再次下樓時走向冰箱。我知道你還沒吃飯，她說。讓我幫你準備點吃的呀。

不用幫我準備吃的也沒關係。

我知道。你想吃什麼？

我想要一份白吐司做的田園三明治搭配美乃滋、鹽、胡椒最後還要有一顆切片水煮蛋。

我們六週前吃掉最後一顆新鮮番茄了。但我得說你描述的實在很誘人。我還有一些店裡買回來的番茄。

我不餓啦，愛倫奶奶。晚餐再吃就行。

哎呀我已經煮了一些豆子。巴特家的女孩帶來一些他們自己手切的鄉村火腿而且我本來就打算做一些比斯吉麵包和肉汁。

聽起來很棒。

要喝杯冰茶嗎？

好。

他們坐在桌邊用遊樂園那種綠色高腳玻璃杯喝茶。

你怎麼有辦法弄到那東西的零件？他說。

什麼東西？

冰箱。

那東西不需要零件。自己會運作啊。

不可思議。

我從來不懂為什麼要叫冰箱。為什麼不叫冷箱就好。又不是整個箱子的東西都會結冰[128]。據我所知是這樣沒錯吧。

好問題。

皇家還是把冰箱說成冰塊盒。

好吧至少他沒說那是鋼琴。

他奶奶笑出來但立刻用手遮住嘴巴。哎呀，她說。還沒瘋到那個地步啦。我最好還是小聲點。你早上到底跑去哪裡呀？

我去了山上的池塘。

老天。你真是很常跑去那座池塘。你以前還因此把冰箱塞滿各種瓶罐。到最後你塞的東西都會讓我很怕打開冰箱。

你真是很包容我。

我一直以為你會成為醫生。

抱歉。

我不是那個意思，親親。

我知道。

你沒有什麼需要抱歉的。

威斯特恩用食指背面把玻璃杯上的水珠抹掉。好，嗯。

怎麼了？

沒什麼。

不是沒什麼。到底怎麼了？

沒什麼。只是那不是你的真心話。

什麼不是我的真心話？

我沒有什麼需要抱歉那句話。

她沒有回答。然後她說：鮑比，過去就過去了。不可能挽回了。

但不太能讓人感到安慰，不是嗎？他把杯子推開站起來。她伸出一隻手輕抓住他的手臂。鮑比，她說。

沒關係。

我可以說句話嗎？

可以。當然。

我不認為慈愛的天主想讓任何人那樣哀慟。

那樣是哪樣，愛倫奶奶。

就是現在這樣。

---

128 這裡的原文是「I never could understand why they call it a refrigerator. Instead of just a frigerator. It dont do it twice.」，而直翻成中文大概的意思是：我從來無法明白為什麼冰箱的前面要有re（重新、再次的意思）。為什麼不叫frigerator就好。畢竟冰箱又不需要冰兩次。

好吧。我也**不**認為他會那樣。

你知道我擔心你。

他停止動作後轉身。把雙手搭在椅背上望著她。你認為她下地獄了，**不**是嗎？

這句話充滿恨意，鮑比。充滿恨意。你知道我**沒**那麼想。

抱歉。我就是這種人。大概吧。

我**不**相信。

沒關係啦。

請**別**走，親親。

我沒事。等等回來。

他走出屋子沿車道離開然後在柏油路不停走著。沒走多遠就有台車停在他身邊有個男人從稍微搖下的車窗玻璃上緣看著他。

需要搭便車嗎？

不用，先生。但還是感謝你停下來。

那男人沿著路往遠方看。似乎在評估威斯特恩能走到目的地的可能性。你確定？

我確定。我只是想散散步。

散步？

是的先生。

那台車子往前開後再次放慢速度。威斯特恩走到車子旁時男人為了把他看得更清楚而彎下腰。我知道你是誰，他說。那語氣就像是他在田納西的瓦爾特堡認出一個納粹戰犯在路上徒步旅行一樣。然後他繼續往前開。

他一小時後開回奶奶的屋子把袋子從車裡拿出來關上車頭蓋和車門走進屋內。他把外套從椅背上拿起來。太陽還沒從雲後探出頭他覺得有點涼。他的奶奶正在客廳。你沒把我的房間租出去，對吧？他說。

還沒。

剛剛在這裡的女孩是誰？

她的名字是盧·安。一週來兩次。

皇家呢？

他還躺在床上。我和他作息不同。

威斯特恩轉身走進走廊沿著窄窄的木梯往上走。

他的房間位於房子後方，幾乎不比一個衣櫃大。他把袋子扔在地上站在窗邊往外看。有個影子沿著垂掛在屋頂上方的栗子樹枝移來回跳動。既然是在這個國家的這個地區應該是一隻黃鸝。他轉身坐在小小的金屬床架上。床架上鋪著粗糙的灰色毯子。床對面的牆上凹陷處放著他的一些書。三個大大的銀色獎盃是參加改裝車賽贏來的。還有個耶穌聖心像。一台依照工廠草圖做出的一九五四年法拉利「小船」賽車模型。車身是用十六號鋁板在六乘八英寸的橡木木模上槌打出來的。床頭的牆面上有一方表面塗漆的亞麻布料是從飛機機身上切下來。那塊底色是淺黃色的布料上有用藍色畫上的數字22。

他站起來伸手抽出狄拉克的《量子力學原理（第四版）》。他快速翻過。書中的頁面邊緣滿是筆記和方程式。狄拉克的著作啊，老天憐憫。他把書闔上放在一邊把手肘撐在膝蓋上頭埋進雙手中。

她叫他吃晚餐時他正躺在床上但一隻腳垂放在地面。房內除了走廊照進來的光一片黑暗。他把狄拉克的書從地上撿起從袋子裡掏出刮鬍子工具組沿著走廊走進浴室。

他下樓時皇家已經坐在餐廳桌子的主位而且下巴下方的領口塞著一條晚餐餐巾。他一直等鮑比經過桌子進入他的視野後才開口說話因為這樣才不用轉頭。哈囉鮑比，他說。

最近如何，皇家？

沒事。你過得怎麼樣啊？

我還好。

還住那些水的對面嗎？

不。我住在紐奧良。

我去過一次。很多年前。

喜歡那邊嗎？

不能欸[129]說很喜歡。我在那裡進了監獄。

為什麼進監獄？

就是幹了些蠢事。他們那裡有跟寵物狗一樣大的老鼠呀。我們拿橡皮筋對牠們射迴紋針但牠們連看都不看你一眼。牠們總是很匆忙。總是要趕去哪裡。不過我不知道到底是要去哪啦。

他的奶奶拿著裝在碗裡的馬鈴薯泥和豆子進來。威斯特恩起身跟著她走回廚房。

我可以拿什麼？

這裡，她說。拿這些。

她把一盤切片火腿和一盆上面蓋著布的比斯吉麵包遞給他然後拿著肉汁和一碗玉米跟在他身後走出去。她拿出咖啡幫大家倒滿杯子大家坐下，他和奶奶坐在彼此對面而皇家坐在主位。他們低垂下頭他奶奶說了禱詞還說謝謝你把鮑比送回我們身邊。威斯特恩偷看了他舅舅一眼。他閉著雙眼。在愛倫奶奶講到謝謝天主把鮑比送回來時他點點頭。對啊，他說。我們很感謝。然後他們把裝著食物的碗彼此傳遞開始吃飯。

這些甜玉米哪來的？愛倫？

從冷凍庫裡拿的，皇家。不然你以為呢？

我不懂你為何不能欸冷凍番茄？
我也不懂，我只知道不能這樣做。
為什麼不能欸冷凍番茄？鮑比？
我不知道。大部分水果都能冷凍。像莓果啊。
你覺得番茄是水果嗎？
大概算吧。我想你也可以說番茄是一種莓果。
一種莓果。
對。
哎呀我聽說過水果的這個說法。但在我看來你是沒辦法證明的。這個莓果的說法也是。你信嗎？
番茄屬於茄科。其中包括顛茄。是西班牙人從墨西哥帶回去的。
從墨西哥。
對。
皇家停止咀嚼只是坐在那裡盯著他的盤子。你的意思是哥倫布來這裡取得番茄之前他們根本沒番茄呀。
對。還有馬鈴薯和玉米以及我們吃的大概一半的東西。
馬鈴薯。
對。
問你一件事。
好啊。

---

129 在這裡的文字書寫中皇家都會把can't說成caint，翻譯上以多了「欸」來表示。

你覺得義大利人沒番茄要怎麼做醬汁呀？

我不知道。

你覺得愛爾蘭人沒欸馬鈴薯要吃什麼？你知道你在想的其實是什麼嗎？

我在想的其實是什麼？

菸草。

有可能。

華特・雷利[130]把菸草帶了回去。這就是為什麼以前有華特・雷利香菸。我知道有人在抽那些菸呀。他的照片有印在包裝上。你買那些可以得到優惠券然後寄出優惠券就可以拿到東西呀。

什麼樣的東西？

我不知道。可能烤土司機吧。

威斯特恩在一個比斯吉麵包上抹奶油然後再把紅通通的濃郁肉汁抹在奶油上。這真好吃，愛倫奶奶。

哎呀謝謝你。

那玉米呢？

什麼？

那玉米呢？

皇家咀嚼著。對啊，他說。他有可能把玉米帶回去。他們說那是印度玉米。

還有豆子。

豆子。

豆子。

皇家點點頭。哎呀至少就我所知人們自從創世的第一天就一直在吃豆子呀。我想亞當有吃豆子呀。他和夏娃都有。他們會咬一大口啊然後坐在一起對彼此放臭屁呀。

皇家。

鮑比露出微笑。皇家從盤子裡叉起一片火腿一心要把外圍那圈脂肪切掉。他搖搖頭。你在這裡講話要小心呀。你之後就會懂了。他抬眼看向鮑比。我在這裡是囚犯，鮑比。完全實話實說。我哪裡都去不了。根本見不到任何人呀。也沒人能說話。他一邊搖頭一邊咀嚼。

我有說我可以帶你去老鷹酒吧。你什麼時候想去都可以。

我不想坐在那邊跟那些老屁股說話。

他奶奶看著威斯特恩。

怎樣呀我就是不想呀。現在幾點。

快六點。

皇家站起來把脖子上的餐巾扯掉。

皇家你幾乎沒吃。

我要帶去裡面吃。

他拿著盤子和叉子的身影消失在客廳裡。幾分鐘後他們可以聽見電視的聲音。

他會坐在那裡跟電視吵架。你坐在這裡就可以聽見。

他看起來還好。

你連一半都還沒聽到呢。有時他以為我們還在安德森縣。我們離開那裡可有三十八年了呀。

他們可以聽見客廳裡的皇家正在喃喃自語。

---

130 華特・雷利（Walter Raleigh, 1552-1618），英國伊莉莎白一世時代的冒險家，把菸草從當時的英國殖民地維吉尼亞帶回英格蘭。

我猜他是想回安德森縣。

哎呀。我也想呀。想想回去對我能有多好。

我知道你想念那間屋子。

她點點頭。我的爺爺和叔叔是靠他們的雙手在一八七二年蓋起那棟房子。當然他們在那之前就已經開始砍木頭。房子的一切材料都來自我們自己的土地呀。一開始是由大小橫樑撐出框架他們花了幾乎一整年的時間砍木材包括胡桃木和白楊木，然後他們用六隻騾子組成的隊伍藉由滑動墊木拖那些木材。有些木材有二十英尺長就算兩個人張開手臂都沒辦法環抱住。客廳裡的一些舊報刊裡還有他們的照片。他們在樹林裡距離房子大概一英里處蓋了一間動力仰賴蒸汽引擎的鋸木場然後把木材拖進拖出，一疊疊拖來拖去。然後他們把木材晾著，他們是這樣說的，他們把木材堆在一個農舍儲物間不知多久然後才從中切出第一塊板材。我不知道他們怎麼知道如何做到這一切，鮑比。我想說他們其實什麼都辦得到。他們甚至連本書也沒有呀。當然是除了《聖經》以外啦。我不認為他們家裡找得到一張紙。我一直覺得神不讓我們看見未來是好事。那棟房子是我見過最美的房子。每一塊地板都是堅固的栗木其中有些板材還有將近三英尺寬。每片都是靠手工刨平。而現在一切現在都在湖底了。我不知道，鮑比。你必須相信世界上有良善呀。我想要說你必須相信你透過雙手的努力能把良善帶進你的生命。或許犯錯也沒關係，但如果不相信這件事就沒有人生可言。當然你還是可以堅稱那是一種人生。但不會是。好吧。聽聽我在說什麼。我真是愈來愈傻了。

你才不傻，愛倫奶奶。

總之。當時在打仗。我知道有很多人樂意拿一座位於河谷底部的農場去換回一個再也無法見到的兒子。甚至是願意拿更多去換。儘管如此，我們還是努力想守住這座農場。可是他們直接奪走了。他們派來那些他們口中的什麼協商員呀？可是根本沒什麼可協商呀。他們只是想讓你簽字然後盡量不要給他們惹麻煩就好。收下頭期款吧。他們聲稱這是契約上的規定。如果你堅持不賣就得上徵收法庭我想有些人拿到的錢確實比政府原本願意給的還要更多可是等他們拿到手時土地的價格已經翻倍所以最後拿到的還是太少。你會拿到兩週內要搬走的通知。然後你就得消失。你甚至不該把家具拿走但大多數人都有帶走。他們會在大半夜時離開。我們在柯林頓一間租來的房子住到一九四四年三月。很難熬。我知道三〇年代有些家庭是直接被TVA[131]從農場趕出來結果來到安德森縣後又被趕出去一次。三〇年代時有些家庭甚至是從他們位於大煙山國家公園內的家園被迫直接遷走，又是TVA在三〇年代幹的好事，然後是四〇年代的原子彈。到那時候他們已經什麼都沒了。

最好是啦你，皇家大吼。你這狗娘養的騙子。

愛倫奶奶搖搖頭。我覺得最可憐的是那些租客。他們打從一開始就一無所有。他們只是住在農場上的一些棚屋裡。因為沒辦法拿到任何食物或必需品所以也只得離開。而當然也無處可去。他們其中有些家庭是有色人種。有些人最後淪落到森林裡活得像動物。那還是個寒冷的冬天呀。有人會看見他們晚上在車燈照射下跑過路面。整家人一起跑呀。手上還抱著毛毯。或是鍋碗瓢盆之類的。大家會想辦法去找他們。幫他們帶去一些麵粉和餐食。還有咖啡啊。或許還有一點醃漬豬肉。我常想起那些孩子。現在還會想。

如果你不是個滿嘴狗屎的騙子那耶穌就沒活過呀。

在胡說什麼呀，愛倫奶奶說。

她把椅子往後推站起身走到客廳門口。皇家，她說，你如果非得罵人你就罵，可是不准在我家褻瀆神。我不會容忍。

皇家沒回答。

131 田納西河谷管理局（Tennessee Valley Authority）成立於一九三三年，官方說法表示是要透過建造水壩等等的新方法來處理河谷內的水土流失、濫伐及水災等等的問題。

她走回來坐下。我才不會跟他一起坐在那裡。我都會上樓回自己的房間看新聞。我通常會在洗完碗盤後直接上樓而他大半個晚上都會坐在這裡。就是吼個不停呀。

他躺在小房間裡聽著屋外的風聲。他已經把通往走廊的門關上但房內沒有暖氣所以很冷。他母親十九歲時去了名為Y12的電磁分離廠工作。那是鈾235同位素的三種分離程序之一。工人們會被巴士載到廠區，不平坦的斜坡讓她們一路彼此碰撞，再因為天氣不同走過沙塵路或泥巴路。所有人都不准交談。鐵絲網欄杆綿延好幾英里，完全由水泥打造的建築物部件都巨大的像是由石頭一體成形製成，而且大多區域沒有窗戶。這些建築蓋在城市邊緣從未開發的泥土地上再遠方是一圈被推土機推過而顯得殘破扭曲的樹木。她說看起來就像是莫名其妙從地底長出來一樣。她指的是那些建築。就彷彿這些建築不是人蓋出來的。她看著巴士上的其他女性可是她們似乎已經自我放棄她覺得她可能是她們當中唯一不知道這一切是怎麼一回事但太清楚這一切當中沒有神而且這一切毒害地面上的所有生命讓他們變回基本元素的爛泥而且距離結束還很久。這只是剛剛開始。

這些建築內有超過一千英里的管線和至少二十五萬個閥門。這些女人坐在板凳上監控眼前的指針而鈾原子則在電磁型同位素分離器中不停狂奔。她們每秒要測量它們十萬次。加速它們前進的磁鐵直徑有七英尺而線圈是由從美國財政部借來的一萬五千噸純銀料製成因為所有銅料都已投入戰爭。有個年紀比較大的女性跟她說第一天工作站的所有女性一丁點也不知道這是在做什麼而當工程師接連把開關打開一種巨大發電機的嗡鳴聲充斥大廳然後大量髮夾從這些女人頭上跳起來像虎頭蜂一樣飛到廠房空間的對面。

她和其他人進入一棟警衛樓並拿到一張在小黑框內貼有她照片的工作證和兩支黑筆。她已經通過安檢及健康檢查。她在女性更衣室內被分配到一個更衣櫃、兩件白色連身工作服和套在鞋子外的白布鞋套。但之後她們只會穿著平常上街的衣服工作。沒人跟她們說她們在做的是什麼。她們只有獲得簡單指示然後一天花八小時坐在她們的工作站前頭頂上是極亮的螢光燈並在望著一根指針的同時轉動一個旋鈕。如果你跟其他人說話就可能被解雇。甚至有可能入獄。那些筆是輻射的放射量測定儀。

她在那裡坐了六個月然後某天有群物理學家在她的工作站後方停下腳步。他們正用一種她聽不懂的語言對話。然後其中一個人用英文對她開口。

我不能跟你說話，她悄聲說。

我知道不行。之後打電話給我。

他靠過去把用鉛筆寫上電話號碼的紙條放在她的控制機台上。

你會打嗎？他說。

她沒回答。

希望你會打，他說。她勉強把眼神從那些指針移開一下下但他已經跟其他人走開了。那是她第一次見到他的父親。他們兩人後來都死於癌症。他們曾一起住在洛斯阿拉莫斯。之後搬到田納西。他父親之前結過婚但沒跟她說過因為她是個正統猶太人。威斯特恩發現那女人還活著而且住在加州河濱市在那過後幾年後艾莉西亞也有去探望她。她答應在鎮上的咖啡店與她碰面。能聊的不多喔，她說。實際情況也確實如此。

他奶奶跟他說她第一次見到他父親時就知道一切都變了。她第一次把他帶回家時就知道了。我不知道會發生什麼事。我嘗試為此禱告呀但不知道我在為何禱告。我不該跟你說這些才對。

你沒說什麼不好的事。

是沒有。但我心裡有想。

他睡著了。然後再次醒來。你不該回來的，他對自己說。

他起床拿起夾克穿在T恤外面然後站在窗邊往外看。他的呼吸讓玻璃起霧。水銀燈的光線把房子和樹木彷彿倒落的影子投在田野上並往道路延伸。他轉身走出房間沿著走廊走到底。燈還開著而他穿著襪子、短褲和夾克下樓。皇家在**客廳**裡專屬於他的扶手椅上睡著了。電視的灰色螢幕底下有許多數字從左橫跨到右同時發出穩定低沉的嗡鳴。他走進廚房打開冰箱站在門前。冰箱最底下的籃子裡有一些紅蘿蔔他拿出一根後關上門。他站在水槽前一邊往窗外看一邊吃著紅蘿蔔。紅蘿蔔吃起來有土味。有些什麼從牛舍另一頭跑過去。可能是狐狸吧。又或許是貓。再過幾年他奶奶就不在了這片土地與房子會被賣掉而他也永遠不會再來這裡。關於這地方以及這些人的記憶終將會從這個世界的紀錄中遭到刪除。

夜晚很冷。一切如此凝滯。他把紅蘿蔔吃到只剩最上面的葉梗。然後把葉梗也吃了。土味濃重而且苦。好苦。他上樓睡覺。

他在林子裡花了很長時間散步。沒看見任何人。在世界這個角落的每年秋季沒拿槍走在樹林裡的男人一定會招致懷疑其實他本來也會帶槍可是兩年前闖入屋子的小偷把槍都拿走了。他們也偷走了他的吉布森牌曼陀林琴。他奶奶的廉價人造珠寶。另外也把**客廳**裡老式傑克遜報刊櫃中的紙全部清空帶走可是當他向奶奶問起這件事時她只是搖搖頭。

他檢查了衣櫃裡的所有東西。有年輕時留下的各種紀念品。有個罐子內裝著化石、貝殼和箭矢頭。還有隻被他做成標本的**條紋鷹**，被**蛀蟲啃得很慘**。他想他應該要在一開始得知這場搶劫時就明白發生了什麼事但實際上並沒有。

皇家的奇怪程度就跟他奶奶之前描述的完全一樣。他會突然從椅子上站起身要求那些早已死去的人發表意見。他望向窗外愛倫奶奶的道奇車然後問她何時換了新車但她明明已經開了那台道奇車十一年。

他開車進入諾克斯維爾。那是個灰沉沉的雨日。坐在車裡很難確保玻璃乾淨所以他為了擦拭擋風玻璃帶了條小毛巾。這台瑪莎拉蒂是台怪車，裡面裝滿法國的液壓系統。煞車踏板幾乎完全踩不下去所以需要花一段時間才能習慣。他沿著蓋伊街往前開再開上坎伯蘭大道。他在這個小鎮幾乎誰也不認識。所有事物都散發一種遭人遺棄的灰暗氣息。他開上阿爾柯亞公路把車速推進到每小時一百五十英里於是車後拖著一條**雞尾狀**的**水霧**。

隔天早上他在破曉時離開屋子走到通往橋的路上再穿越田野後來到舊採石場，沿著採石場道路留下的隱隱凹痕走進樹林。有些烏鴉從他頭頂上的山脊樹林間俯衝出來再靜默地飛走。許多巨大的方石座落在比樹林更遠的所在。那些石頭跟**樹幹**的顏色一樣而整座採石場彷彿在樹林裡圍成一座圓形露天劇場。包括石板地和階梯狀的雙層平台以及一個靜定深邃又黝黑的倒影池。劇場三側有高聳的石牆，石塊上滿是羽毛鑽頭留下用來放炸藥的一排排凹槽。

他越過水池對面用切割石塊搭建的矮牆坐在多年前那個夏日夜晚他坐的同樣地方當時他就是在此看著妹妹獨自在採石場扮演米蒂亞的角色。她身上穿著床單做的長禮服髮絲上掛著一頂歐洲忍冬編織的頭冠。舞台上的腳燈是用水果罐頭的罐子塞滿碎布再灌入煤油製成。反光板是用錫箔紙而當一旁燃燒的黑煙往上飄入她頭上的夏日林葉讓葉子輕輕顫抖時她穿著涼鞋踩踏在掃過的石頭地板上。她當時十三歲。他正在加州理工學院讀研究所二年級而望著那個夏日夜晚的她時他知道自己迷失了。他感覺他的心堵在喉頭。他的人生不再屬於他自己。

表演結束後他起立鼓掌。扁平而死寂的回音從採石場的牆壁反彈回來。她行了兩次屈膝禮後消失，大步走入黑暗，手中的提燈在拎環底下搖擺樹木的陰影則在提燈的光線中朝她彎曲身子。坐在冰冷石塊上的他把臉埋入雙手中。我很抱歉，寶貝。我很抱歉。真的只是因為黑暗的關係。我很抱歉。

他們所有人在他回來拜訪的最後一天安靜地坐在一起吃晚餐。他的奶奶準備了炸雞以及比斯吉麵包搭配淺色鄉村肉汁。皇家坐著用餐具戳眼前的食物然後放下叉子抬眼望向牆壁，喉頭上還塞著那條餐巾。事物的本質就是一個虛無接著一個虛無，他說。**不**會只有那唯一的一個。那本好書裡說的根本不是事實。你以為虛無就是指那唯一的虛無但不是。虛無永無止境。

吃點東西啊，皇家，他的奶奶說。你得吃東西。而不是再猜讀[132]《聖經》的內容。

他們繼續吃飯。威斯特恩看著他的奶奶。

你覺得她有論文留在這裡嗎？

鮑比，就我所知真的沒有。

我只是想知道你有沒有剛好翻到些什麼。她搖搖頭。他們每個房間都翻遍了呀。你大可自己找找看。你很清楚沒有。

好吧。

什麼論文？皇家說。

小艾莉的論文。

小艾莉死了。

我們知道她死了，皇家。她死十年了。

十年，皇家說。感覺不像真的。就這樣冷冰冰地死了呀。

突然他開始哭。威斯特恩看著奶奶。她從桌邊起身走進廚房。

等皇家去了客廳後威斯特恩和奶奶坐在廚房的桌邊喝咖啡。我很高興你來了，鮑比，她說。真希望你能待久一點。

我知道。但我得走了。

你覺得這個家族有受詛咒嗎？

威斯特恩抬眼看她。詛咒？

對。

你覺得呢？

有時覺得有。

什麼意思？像是祖先留下的罪孽嗎？

她悲傷地微笑。我不知道。你相信神嗎？鮑比。

我不知道，愛倫奶奶。你之前也問過我。我也告訴過你。我真的一無所知。我最多只能說我認為神和我的看法基本上差不多。至少在我狀況好的時候是如此。

哎呀。我希望真是如此。我猜這是我怪你父親的另一件事。但我也知道不該由我來頤指氣使地決定該怪誰。

什麼？另一件事是什麼？

就是對愛蓮諾造成的影響。試圖混淆她。害她哭。我猜你可以說他讓她質疑自己的信仰。

這是他們離婚的原因嗎？

我不知道。間接原因吧，我想。

那直接原因是什麼？

我想你清楚。

他沒辦法好好待在家裡。

嗯。

你覺得他們不配。

我是這樣想。但當然她也是個大聰明人。

132 這個 secondsaying 是不存在的字詞，以 second 和 say 的意思推測翻譯。

你認為他們為什麼結婚？

我不知道，鮑比。當時在打仗。我想很多本來打算再等一陣子的年輕人都結婚了吧。他喜歡漂亮女人。而她是最漂亮的。

但美貌對她沒好處，是吧？

通常是沒好處。

你真覺得是這樣？

是啊。美貌帶來的承諾並不能靠美貌維持。我見過太多了。這棟屋子裡就見過兩次。

她倒了更多咖啡。

我想念那個爐子，威斯特恩說。

我知道。但就是找不到人砍爐柴了。

可以問你件事嗎？

當然可以，鮑比。

你有後悔過什麼嗎？

哎呀。我想你知道我後悔什麼。

我是指你本來有可能做出不同選擇。又或是本來根本可以不做某些事。這類的後悔。

他奶奶轉頭望向窗外，眼神越過逐漸陷入黑暗的田野，一隻手放在嘴巴上。我不知道，親親。沒有那麼嚴重的事。我覺得比起做過的事人們更會後悔他們沒做的事。我想所有人都有沒做到的事。你沒辦法預測未來，鮑比。就算有辦法預測也無法保證能做出正確選擇。我認為這都是神的設計。我有時也會陷入黑暗並因此有過很多陰暗的懷疑心思。但從未後悔。

她喝完咖啡把杯子推開。然後雙手交疊看著威斯特恩。

我**不**是有意讓你心情不好的，他說。

你**沒**有讓我心情不好，鮑比。

想一起看些照片嗎？

喔，鮑比。

怎麼了？

我以為我有告訴你。

告訴我什麼？

他們拿走了。

他們把相簿都拿走了？

對。我以為跟你說過了。

沒有。

我很抱歉，親親。

沒關係。

我很抱歉。

他們把報刊櫃裡的東西都拿走了？

沒錯。他們把抽屜清空後把抽屜留在地上。

所以他們拿走爺爺的**獵豬步槍**和散彈槍。我的曼陀鈴琴。就是那種小偷可能拿去當掉換錢的東西。然後還拿走了所有的家族相關文件照片。你**不**覺得很怪嗎？

我確實覺得很怪。那些東西從沒在當鋪中出現呀。他們有確認過諾克斯維爾的每間當鋪。

那些人根本**不**是小偷，愛倫奶奶。那些東西根本**不**會出現在當鋪。一定都在湖底了。可能在三十三號公路另一頭跟著天曉得不知什麼其他東西一起扔了。

你這是在暗示什麼？鮑比？

沒什麼。沒關係啦。

不，你在暗示什麼？

沒什麼。

跟你父親有關。不是嗎？

我不知道。真的不知道。我不該說這些的。

他奶奶把手掌平貼在桌面上彷彿打算要站起來但終究沒有。她看起來疲累不堪。

你還好嗎？

我沒事，鮑比。別管我。只是有時很寂寞。她轉頭望向他。你從來不會嗎？

他想告訴她他完全不懂寂寞以外的生存狀態。有時候吧，他說。

他的奶奶出生在一八九七年。當時的總統是麥金利而且美國正在跟西班牙打仗。他們沒有電、沒有電話、沒有收音機、沒有電視、沒有車子也沒有飛機。當然也沒有暖氣和冷氣。世上大多數地方都沒有自來水也沒有廁所。生活打從中世紀以來沒有太大改變。他看著她。她把頭轉開。她搖搖頭但他不知道是什麼意思。不過她轉頭再次望向他。我們需要害怕嗎？鮑比？

不用。你不用。

那你呢？

他沒有道別就在天剛破曉時離開。他在窗前站了一下望著籠罩著鄉間的灰暗清晨天色。溪流上覆蓋著薄霧，棉白楊樹只能看見淺淡的形影。田野上結著霜。眼前沒有任何動靜。他把一個袋子揹在肩膀上然後拎起另一個袋子走下樓梯。

他把兩個袋子放進車裡走回廚房用兩個小燉鍋在水龍頭下裝滿熱水然後走出去倒在車子前後的窗玻璃上把霜融掉。然後他把鍋子放上門廊階梯上車發動引擎打開雨刷將車子沿車道後退到路上掉頭開往高速公路。

他沿著I-40往西前往坎伯蘭高地並在四十分鐘後抵達克羅斯維爾。路邊堆著一排表面堅硬的沙黃色積雪而且天氣很冷。他在卡車停靠站吃了早餐。雞蛋和燕麥粥。香腸和比斯吉麵包配咖啡。他付錢後離開。外頭停車場裡有個男人把一隻手臂靠在他那台瑪莎拉蒂車的不鏽鋼車頂上而他的女友在幫他拍照。

—

他在下午四點時把車開進法國區然後把瑪莎拉蒂停在一間酒吧前拎起他的那些袋子後走進酒吧。坐在吧檯尾端的哈洛德·哈本哲舉起一隻手和他打了一個大大的招呼。就彷彿他一直坐在這裡等他一樣。鮑比老弟啊，他大喊。

你去哪裡啦？喬西說。

去看我奶奶。

你去了諾克斯維爾？

對。

喬西搖搖頭。諾克斯維爾啊，她說。

有人來這裡找我嗎？

我想沒有。你可以跟珍妮絲確認一下。諾克斯維爾那邊有人在找我嗎？

威斯特恩露出微笑。我猜你是希望最好沒人找你。銀行幾點關門？

德卡圖街上那家？

對啊。

四點。她看著她的錶。十分鐘之後。

我知道。所以銀行幾點開？

大概十點吧。

到了晚上他把車子開回儲物間把車子蓋好重新接上**涓流充電器**然後搭計程車回法國區的老廣場餐館吃飯。接著他回到酒吧爬上樓梯上床睡覺而貓就窩在他的肋骨旁輕輕哼唧。

他夢到她的時候她臉上有時會有一抹他努力想記住的微笑而她會用一種像是在吟誦的口氣對他說話但他幾乎無法聽懂。他知道她可愛的臉龐很快就只會留存在他的記憶和夢境中而再過沒多久就哪裡都不復存在。她半裸著走進來身後拖著薄紗綢又或者穿著那身模仿希臘風格的床單在冒煙的舞台腳燈之間拖過石造舞台又或者她會把袍子的頭罩往後推開任由金色髮絲在她彎腰靠近躺在濕黏床單裡的他時從她的臉龐周遭垂落她對他低聲說我本來可以成為你的**隱蔽幽徑**，成為你的靈魂在其中感到安全的那棟屋子的唯一守護者。在此同時一直有鑄造廠的吵雜音響傳來那些煉金火堆旁有許多陰暗人影，還有灰燼和煙。地板上滿是他們努力過後卻失敗流產的形體但他們還是繼續勞動，那些半有感知意識的原始泥漿在高壓鍋中顫抖。在幽暗的密室中他們擠在坩堝旁彼此推擠又喋喋不休而看來莫測高深的邪教領袖陰森森地埋藏在層層疊疊的斗篷中敦促他們繼續勞動。然後有什麼無法言喻的東西滴滴答答地穿越地殼及花萼從什麼地獄般的醃泡汁液中升起。他滿身大汗地醒來打開床邊燈把腳擺盪到地板上坐著再把臉埋入雙手。**別**為我感到害怕，她曾這麼寫道。死亡何時傷害過任何人呢？

隔天早上他下樓到世界咖啡館喝咖啡讀報。十**點**時他過馬路走向銀行。那棟老舊的古典復興式白石建築在法國區的建築風格中顯得難以歸類。有受到拉特羅布[133]的影響。他走到銀行大廳後方的桌前簽好登記表把鑰匙交給行員跟著他走到地下儲藏間然後行員解開大門鎖伸手示意他進去。他們經過一排帶有機刻圓形紋路的小不鏽鋼門找到他的號碼行員把鑰匙插進去打開門拉出灰色的鍍珐瑯不鏽鋼托盒放在他們身後的桌子上。他打開其中一個鎖把鑰匙還給他後轉身離開。

威斯特恩把鑰匙插進去掀開蓋子。裡頭是一個鼓鼓的棕色厚紙大信封。他拿出信封後解開捲在夾扣上的繩子打開信封拿出那些信。還有她一九七二年的日記。他看了看裡面後把所有東西放回信封重新把細繩捲回夾扣上再把信封放在桌上關上不鏽鋼托盒的蓋子鎖好推回去把不鏽鋼小門關上鎖好。他轉身帶著信封離開在大廳登記表上簽名確認離開並對行員表達感謝後走到外面的街上。

他在他的簡陋小床上伸展身體然後隨機從信封裡抽出一封信打開閱讀。他把這些信的內容都背下來了但還是讀得很仔細。貓一邊呼嚕一邊沿著床邊來回走動。

他不知道他寄過去的那些信在哪裡。說不定也不想知道。他把信折好後放回信封並從那疊信底下又抽了一封出來。裡面寫道十二歲的她把一張法蘭克・萊姆西[134]的照片放在出清廉品店買來的相框中立在床邊桌上。她想知道人是否可以愛上死去的人。她說再過十四年他們就會是同年。他沒有再讀下去。後面那些信對他實在沒辦法讀。她在那些信中表示愛上了他。他把所有信收回厚紙大信封後封好收到床墊底下然後走出房間來到樓下酒吧。

喬西伸出下巴對他示意。

---

133 本傑明・拉特羅布（Benjamin Latrobe, 1764-1820），出生於英國後來移民美國的建築師。

134 法蘭克・萊姆西（Frank Ramsey, 1903-1930），做出許多開創性貢獻的英國天才數學家。

有人打電話找你。拿去。

她把一張寫了電話號碼的小紙片拿給他。他把紙片轉過來看。

男的還女的？

男的。

謝啦。

他打了那個號碼過去但沒人接。

他餵貓吃飯然後走出房間經過走廊來到浴室。他走進浴室關上門插上門閂打開老舊的錫製鏡櫃站在那邊看著櫃內。裡頭有一些老舊瓶罐和幾條歪扭扁空的牙膏。他回到房間拿了空的購物袋回到廁所把所有東西掃進袋子再把袋子折起來塞進**垃圾桶**。那個櫃子是用四顆螺絲固定在牆上。每隔螺絲頭都是帶有突緣的螺栓頭。他把手伸進**垃圾桶**把紙袋撕下一小片再伸手用大拇指使勁把紙壓在其中一顆扣件頭上藉此留下一個清楚的印子然後把那張紙放進**襯衫口袋**關上櫃門離開浴室。

等他回來後時已經去過運河街上的五金行買了一組便宜的進口八分之三英寸套筒。這些套筒都裝在一個小小的錫托盒裡甚至還附有一個帶把手的棘輪。他把那包信從床墊底下拿出來回到走廊走進浴室。他關上門插上門閂打開鏡櫃找出正確的套筒裝在把手上再把棘輪套好退出兩顆底下的螺絲。他已經把洗手台的橡膠塞子塞好以免螺絲掉進去然後一邊抓著櫃鏡確保櫃子不會掉下來一邊退出上面的兩顆螺絲再把櫃子放到地上。之前這裡為了露出立柱牆板已經切開。由於鏡櫃螺絲拴進去的橫梁比牆板厚度突出一些所以可以輕鬆把這包信塞進其中一塊塊二乘四英寸的木料之間。櫃子後方的螺絲洞是鑰匙孔的形狀他把螺絲轉回去時沒有轉得很緊所以可以把櫃子直接掛在螺絲頭上下次要把櫃子抬起來時也不需要用到螺絲起子。他把幾個瓶罐從垃圾桶裡撿出來放回櫃子關上櫃門。

他到A&P超市買了十幾罐貓食回來上樓進入房間。他把裝了許多罐頭的袋子放在桌上抓著貓的腋下把牠抱起來與自己對視。那隻貓彷彿柔弱無骨地垂掛在他手上。牠平和地眨了眨眼後把眼神別開。

保持警戒啊，比利・雷。保持警戒。還有貓食來了喔。

他餵完貓後下樓打電話給盧可是他那天不在。他出門穿越整個法國區。到處都是濃郁濕重的氣味。油和河和船隻的氣味。惠特曼[135]曾住在角落的那棟房子裡。窗後的燈光隨著暮色逐漸亮起。沙爾德街上的老路燈像在霧氣中燃燒的薄紗。那台謝爾比賽車跑了二十六圈之後沒再出現。夜色已經暗到無法看見煙塵可是他仍掃視著賽道彼端想看看有沒有失火的徵兆。他走到維修區發現法蘭克正在那裡等所有車子再次繞回來。賽道上沒看見有揮旗。目前一切都好。我知道你希望不是引擎出問題。

我希望不是車出問題。

確實不是引擎。集群齒輪開始脫落終於變速箱停止運作後方萬向接頭脫開傳動軸　啷一聲滾過賽場於是亞當斯把車子開到草地上停下來解開三向安全帶下車拿著安全帽走過來。他跟法蘭克說車子像是加州暴雨中的紙板行李箱一樣解體了。他們一起到鎮上的一間酒吧亞當斯身上還穿著諾梅克斯賽車服然後他們一起坐在卡座裡。亞當斯舉起手。給我來杯雙份的蘇格蘭威士忌和另外一杯水。不然就做成三杯吧。他轉向其他人。你們要喝什麼？他說。

電視上正在播放那場比賽可是從他們坐的地方不太能直接看見。之後威斯特恩往外走到減速彎道處坐在草地上看著車子不停開過來那些車子隨著油門慢慢放開而降檔剎車時頭燈因為逐漸接近而從一側照到另一側前輪煞車碟盤逐漸發亮直到像太陽一樣火紅甚至有火花從邊緣噴出然後在卡鉗鬆開輪子時再次褪回黑色此時車子以三檔加速衝出彎道推高檔速沿著直線道呼嘯而去。

135　華特・惠特曼（Walt Whitman, 1819-1892），美國詩人及新聞工作者，創造了「自由體」的詩歌風格。

六

從那天她和彷彿夢中死去孩子一般穿著白衣的同班同學站在聖瑪莉教堂的門廊上開始。她們穿著白色**漆皮**鞋。另外還有花冠和頭紗以及她們祈禱時緊握在雙掌中間帶有金色飾釦的祈禱書。從那天開始那保護她純真的神就如同潮水般緩慢地從她生命中退去。在一個夢中她看見他站在一個無名的十字路口望著地上屬於她的那具冰冷黏土製成的**孩童身體**哭泣，還跪下碰觸他所手製但已死去的這個工藝品。終於小子和他的那些夥伴一起出現了。關於神可能逃離什麼或神會丟下什麼的答案只有靜默，可是她認為她和前來她閣樓的訪客都是很可能的人選。小子和他的**影子同類**是跋涉過廣闊的荒原而來。那蒼涼的光景沒完沒了。她認為這件事充滿活力同時看不出其中有什麼好處。她透過小窗口訴說她種種純真的罪孽。一次。再一次。然後就沒有了。地獄盤旋了更久的時間。她看見那些死而復生者被從土坑中嘔出後眼神空洞地遊蕩，在一條條街道上冒著煙。他們因為不習慣光線而不停眨眼。她從一個個奮力掙扎的夢境中醒來。從沉重的逃亡夢境中醒來。有些人坐著而她聽著雨打在拼接金屬屋頂上的聲響可是雨在晚上停了只剩從簷廊滴落的水聲。有些什麼在路上。有些什麼正在接近。有某頭**被汗水浸濕**的野獸，或某種頭戴連衣帽還發出咻咻呼吸聲的可怕東西沿小徑**啊緩步踩著**[136]沉重腳步前來。只有極其輕微的空氣擾動像一股病態且尚未分類的氣息逐步飄向她的孤寂崗哨。

她的海倫阿姨來訪時問這女孩長大後想做什麼呢她說想死。

我是認真在問。

我也是認真在回答。

不你才不是。你就是擺出隨便又消極的樣子。好了。你未來希望能？

病到快死掉？

她阿姨起身離開房間。

等她再次醒來時小子已經在房間內踱步而一旁有個把襯衫袖子捲起的瘦巴巴男人正笨手笨腳地修理一台裝在木製三腳架上像是骨董投影機的東西。小子對著那個東西搖晃一隻鰭。這些該死的東西啊，他說。真是麻煩死了。你覺得如何啊華特？這週有可能嗎？

那位投影師沒有回答。他扯了一下頭上的棒球帽後彎腰想找出問題所在。從他香菸飄出的白煙在光束中纏繞。她抓著枕頭坐在床上。小子往她的方向瞄了一眼。不急，他說。我們有光線也有嵌合獸[137]可是當然如何讓一切化為演出永遠是另一個問題。

你在做什麼？

努力想讓這台該死的投影機可以開始運作啊。你如果想要的話可以再小睡一下。這可得花上一點時間。

投影機發出齒輪轉動以及其他吱吱嘎嘎的聲音一個黃光形成的方框開始在閣樓牆面上閃爍。數字八短暫地出現，然後是七，然後是六，然後一切又變黑。天啊，小子說。誰去開一下屋內的燈。

她打開床邊的檯燈。你在做什麼？她說。

---

136 這裡的「啊緩步踩著」是一個不存在的字atrundle，取a＋trundle做組合翻譯。

137 「我們有光線也有嵌合獸」的原文是「we got lights and chimeras」，這裡可能是模仿「We got delights and ideas（我們有樂趣也有想法）」這個說法。

小子把一個老舊的木製雪茄盒傾斜立在她的書桌上後往裡面翻找。他在一盤盤影片膠捲中翻來翻去後拉出一段對著光看。看不出裡面有什麼。老舊的八釐米膠捲。這東西已經有好長的年歲不見天日了。

什麼東西？

大部分的狀況挺好的。無論如何。天啊。看看這群矮小的傢伙。全是基因的關係，不是嗎？等你之後看到其中一些居民就知道了。

你是指我會這樣也是基因的關係。

不知。不過我們基本上就是因此才會出現在這裡，不是嗎？哎唷唷。看看這捲好嗎？總之，如果我們打算對這些臭傢伙發動大規模戰爭那我們需要知道的可不只血型。你怎麼想啊華特？有新進展嗎？

投影師用大拇指把帽子往後推一邊把額頭汗水稍微擦掉一邊前後滾動肩膀然後從後方口袋掏出一把螺絲起子。

小子把膠捲拉開來。那條膠捲像螺旋狀的舌頭垂掛著。他搖搖頭。倒回去一點，你會看到有群人穿著**豹紋**緊身褲圍坐在火邊。

嗚哇。那是什麼？

牆上的光線閃爍一下後再次滅掉。

假警報啦，小子說。他把膠捲重新捲回去再去找另一盤影片。耐心啊。向來不是我擅長的套組[138]喔。大概在這件事結束前都是我罪有應得。另一方面來說我還真是堅忍不拔。天啊。這些雞怎麼有辦法跑來這裡面大便？

什麼事？

什麼？

什麼事啊？你剛剛說「這件事」。

這件事？

你說「這件事結束前」。到底什麼事？

可能我**說**——**錯**了吧。

不你**沒**有。到底什麼事？

耶穌基督啊。我早該知道的。好。關掉吧華特。直接把那爛東西的電源拔掉。好吧。管他去死。他轉身面對女孩。聽著。有些不光彩的過去又怎樣？我們甚至願意搞出這些伎倆你都該感到幸運。清晨突襲**家禽舍**。到處都是灰塵。滿地雞糞。不管你讀過多少書但有些東西真**沒**辦法確定一個數量。但情況其實更糟。有些東西連個正式名稱都**沒**有。任何種類的名稱都沒有。哎呀怎麼可能有這種事她問。哎呀很簡單啊那個身穿長袍的矮小傢伙神色自若地說。名字都是你之後加上去的。什麼之後？出現在螢幕上之後。你的螢幕我的螢幕我們全部的螢幕。我們有一些關於傢伙還有女傢伙[139]跳動顛簸的影像但他們沒有名字。他們以前有名字但現在都**沒**有了。最後一個可以把名字加到這些臉上的目擊者已經被裝箱放到地底下就在他們旁邊而且本身就算不是無名無姓也快要是了。所以啊。他們是誰？他們曾以獲得命名的狀態到處走動令人稍感慰藉。對誰來說稍感慰藉？哎呀該死。你就是直接高舉雙手。你**不**需要有個名字你說。好。**不**需要有個名字為了什麼？

他來回踱步。他看起來正在思考。

還是一些了無新意的說法啊，她說。我想你正在沉思。

或許吧。我猜要是你能有個繆思就**不**會需要我了。

---

138 在此小子把「向來不是我的強項」（Never my strong suit.）講成「Never my strong suite」。

139 這裡的傢伙還有女傢伙是「dudes and dudesses」。

我是不需要你。你就是個累贅。你甚至不好玩。

對啦。你說過了。

為什麼我沒有繆思？

你要從哪找繆思？你就是個絕無僅有的傢伙。出生時沒有多一顆頭已經算你幸運。

謝啦。所以是什麼事？

什麼？

什麼事啊？就是「在這件事結束前」的這件事。

耶穌基督啊。這人是不能被引開話題的，是吧？正所謂堅忍不拔啊。為什麼我們不能繼續推進話題就好？偶爾也試著順著我的意思吧。

我們總是順著你的意思。

我可是努力在照顧你，怪異公主殿下。你以為這容易嗎？華特讓時光機開始運作後我們就會來觀賞一些歷史，就這樣而已。或許離題一下來段強調中立立場重要性的哲學思辨。從所謂的無名及未知開始你或許就比較不會說看吧我不是早跟你說了。數字的命名和面額是同一枚硬幣的兩面。兩者訴說著彼此的語言。像是空間與時間。最終我們當然會理解這個數學問題。總之永遠擺脫不了。

為什麼我是個絕無僅有的傢伙？

小子一時沒說話，然後伸出兩隻鰭，雙眼往上望，彷彿一種祈願的姿態，然後又再次開始踱步。

沒有人是百分之百獨特的。

沒有。只有你這樣。

我是獨一無二的。

沒錯。

可是你沒辦法說出我是獨一無二的什麼。

哎呀，可以說是獨一無二的類型吧，我想。可是當然你說的沒錯。沒有類型的存在。這也就導致一個悖論畢竟沒有所謂類型就不可能有獨一無二。

這裡的一是指數字還是一個存在的人？

都是。在另一個東西出現前你無法擁有任何東西。這正是問題。如果只有一個東西時你無法說它在哪裡或是什麼。你無法說它有多大或多小或是什麼顏色或重量有多少。你無法說它是否存在。除非有另一個東西不然沒有什麼東西得以是任何東西。所以我們有了你。哎呀。這可不是嗎？

沒有人那麼獨特。

是嗎？

你不能把我跟某種飄浮在虛空中的實體相比。

為什麼不行？聽著。我們來放些電影。好嗎？圖像可是勝過千言萬語。大概是這樣講的吧。每秒二十四幀畫面。還是這些是十八幀的？我們其實在其中一個箱子裡找到一台很老的手搖柯達攝影機。

電影。

對啊。

什麼電影？

看了才知道。好像在殯儀館認屍時的標語喔。我們何不直接開始？

我以為投影機沒辦法用。

什麼啊，你對華特沒信心嗎？

他為什麼打扮成那樣？

我不知道。他都和比較老的傢伙一起混。你想要的話可以問他但他不是很健談。等等。有動靜了。把燈熄掉，好嗎？

她把檯燈關掉。牆上有個充滿粗顆粒的黃光形成的閃爍方框一個個數字陸續在一個圓圈中出現。八、七、六。有根時鐘的指針不停轉圈把那些數字掃掉。

為什麼六是用手寫出來的？

噓。老天。

這樣如果投影機上下顛倒一看就知道。

安靜。

而且反正也沒有九。

老天爺啊你能閉上你的大嘴嗎？

數字來到二。一個影子隱約出現在螢幕上。前面的不要擋，小子咬牙切齒地說。投影機繼續喀拉喀拉運轉著。突然有淺色人影浮現出來。身上是手工縫製的衣物。他們露出淡淡微笑。幾個人對著攝影機做鬼臉。又或者是跨越了長長的年歲向這裡揮手致意。

他們是誰？她說。

可以安靜嗎？耶穌基督啊。

他們為什麼揮手？

不然你希望他們做什麼？寄明信片過來？住嘴看就好，可以嗎？

影片答答答地繼續播放。燒傷與水泡出現又消失。穿著夏日衣著的男男女女。草帽及雅致女帽。一場孩童的葬禮。許多穿著吊帶連身服的男人將一具小小的棺材從馬車車板上搬下來。她看見一個男人從圓木高架台的地板間隙掉下死去同時有個牧師將《聖經》貼在胸口站著而另一隻手高舉在空中還有一名身穿皺巴巴西裝的警長從他的背心口袋裡拿出一只錶。她看見一群聚在一起的男人身上只穿襯衫前臂上掛著外套，帽子則拿在手裡。他們的頭看起來像是身體上下都綁著繩子的玩偶。

他們是誰？她悄聲說。

再等一下，好嗎？

兩個女人站在她奶奶位於阿克倫的房子前方草坪上微笑。我想我認識她們，她說。還有那台在車道上的車。她在老照片裡看過。那台黑色的車又高又大。經典款，小子說。有裝連控軌道閥。

可以把影片停下來嗎？可以倒帶嗎？

沒辦法倒帶。老天。或許你第一次就該專心看。

可以放慢速度嗎？

你要怎麼放慢速度？

她**沒**有回答。她試圖回想電影攝影機是何時發明的。她看見很多人展開雙臂站在一座湖裡。身上穿著很久以前那種黑色羊毛泳裝。她看見一個可能是她父親的孩子。他正走向攝影機。他逆光而來。彷彿光的化身。她的母親在他們位於洛斯阿拉莫斯的房子前面。地上有雪而路上凹陷的泥巴車轍往遠方延伸更遠的山上也有雪。結凍的衣服如同屍體硬邦邦地掛在庭院的**曬衣繩**上。本來面向攝影機的母親把臉轉開揮手要攝影機別拍。她用大衣把身體包好掩藏住她的身體狀況。

在她肚子裡的是我。

對啊。我想那時還沒有名字。

如果鮑比是鮑比我就是小艾莉。

聽起來真蠢。

確實很蠢。

終於出現了她本人。在一九六一年十月的田納西州柯林頓的一間教堂地下室她穿著表演服在芭蕾獨舞會上踮著腳尖旋轉。

停在這裡，她說。可以停下來嗎？

哎呀，當然可以，小子說。你永遠可以把影片停下來。你確定要這樣做？

是的。麻煩了。

好。管他去死。關掉吧。就這樣。老天。大家還真有好好感激我的付出呢。

投影機又無力地運作了一下才停止，燈光閃爍之後熄滅。她打開檯燈。小子正坐在椅子上一邊旋轉身體一邊搖頭。你真是讓我忍俊不住呢，他說。

很高興能逗你開心。

最好是。我可不需要別人逗我開心。反正這本來就是個意義不明的手藝。把一堆靜止畫面用特定速度連續播放但這看起來像是生活的成品到底是什麼？哎呀，其實就是幻覺。喔？那是什麼？哎呀只要可以把死人帶回眼前誰又真的在意呢？當然他們沒什麼話好說。能說什麼？在挖墳之前先打通電話嗎？你可能以為訣竅在於挑選一條存在於某個平行宇宙的軌道。如果你看不出其中謬誤。看不見最要緊的惡意。你大可加入一些全新的向量但不代表他們就會前來。那是個好主意嗎？如果真有傢伙想回來呢？

他們沒辦法。

聰明的女孩。重點在於你永遠不會擁有空白的螢幕。此外當然重點不是螢幕上有什麼而是誰把那些放上去。如果你真的抬眼看螢幕上卻一無所有你就會自己放一些上去畢竟何樂而不為呢。

我想我就是這種人。

好喔。無論你可能是從哪種霉氣沖天的左半強主義[140]搞出這種想法都行。我們甚至不會嘗試去撤銷你這個覺得有辦法挑揀決定哪個要哪個不要的想法。我們會努力用你能理解的方式來表達。這也符合我們的利益。並盡量減少各種可能的複雜曲折。你想把那個小雜種當成某個不知哪來的臭傢伙刪掉那也是你的特權。純粹因為偶然機遇來到這裡？那也好。或許改變一下飲食會有幫助。減少攝取飽和脂肪並別在**上床睡覺**之前吃零食。這些事我們可以努力看看。或許辨識出一些遊蕩過**夜間森林**的此刻威迫是什麼身分。

我不想辨識出他們的身分。我只想要他們離開。

聽著。何不先把這事放在一邊。我們還有幾盤影片。

我要怎麼知道這些不只是**二手雜貨店**買來的東西？說不定是你臨時拼湊出來的假貨？影片中有些人看起來比愛迪生還老。

竟然是這樣想的嗎。

而且這些影片毫無娛樂性。這些影片很悲傷。死人不會被長久地愛著，你說的。你可能已經在你的種種旅程中發現了，你說的。

你可以稍微敞開你的心。

我確實有敞開我的心。而這就是我得到的結果。總之有些事終究**無**從挽救。過往的歷史不見得適合每個人追尋。

老天。我的鉛筆呢？得把這些記下來。

你為什麼要嘲笑我？

誰說這好笑了？

你當然知道誰在這裡讓自己成為可笑的角色。

140 左半強主義這個字「sinistralium」在英文中並不存在，推測是從sinistrality衍伸而來，而sinistrality是某些左半部器官（例如眼睛）比右半部效能更強的意思。

我知道嗎？你打算向誰確認。還有別叫我雪莉[141]。

我沒有理由相信那些人真的就是我的家人。

對啦，隨便。真是個睿智的孩子呢。

而且我不會自以為懂一些我其實不懂的事。我不會詐欺別人。

我想我就會囉。

我才沒說你會詐欺人。我說你就是個天殺的騙子。

老天。你講夠了嗎？

誰知道呢。

你不覺得可能是你們身邊有人藏匿了一台小小的手搖柯達攝影機在大衣裡拍到的嗎？剛剛那個在舞台上絆倒的人是你嗎還是不是？

我怎麼知道？

觀眾席裡有多少人？

什麼？

觀眾席裡有多少人？這是個很合理的問題。

我不知道。

你當然知道。又不是很久前的事。拿你的灑聖水禮器淨化一下腦子吧。

八十六[142]。

那不是想擺脫掉什麼的暗號嗎？總之，你說的可能沒錯。反正就算你還想繼續看下去但如果覺得一切都是假的我也不知道有什麼意義。

這就是我的重點。而且我不想再看下去了。

我以為我們這裡的人都是朋友。

你才**沒**這麼想。還有那個清晨突襲**雞舍**是怎麼回事？

什麼？

你說那些膠捲盤盒上有雞屎。

所以呢？

你還提到清晨突襲。

從某種意義來說是這樣。怎樣？你覺得那是一場祕密任務？

誰會突襲雞舍？

好問題。以火攻火啊。雞舍人員吧。幾乎不能說前所未聞喔。

他遊蕩到窗邊往外凝望。

她抬眼望去。雞舍裡有只大木箱。破破爛爛的。說的是雞舍。鮑比拿雞舍的一些木材來用。那裡堆了很多東西。有些板條箱裡裝著**梅森玻璃罐**。老家具。其中有座**馬毛**沙發鮑比小時候把上面的皮料一塊塊割下來做成印地安軟皮鞋。那個大木箱是一個老舊的蒸汽船行李箱裡頭裝了很多舊文件。我父親大學時寫的報告啊。信件啊。都是從阿克倫的家帶來的。我猜他本來打算好好整理。但他死了。之後這些都被偷了。

喔令人悔恨的一天。

---

141 一九八〇年的美國搞笑電影《空前絕後滿天飛》（*Airplane!*）中，一位有戰鬥機飛行經驗的乘客被要求去駕駛民航客機，他很驚訝地表示「Surely you can't be serious」（你不可能是認真的），但對方卻因為surely聽起來像Shirley而回答「Don't call my Shirley」（別叫我雪莉）。

142 「八十六」當作動詞可以是停止使用的意思，也可以指某些東西沒有存貨了。

確實是令人悔恨的一天。最令人悔恨的一天。

對啦，哎呀。我以為你不喜歡沉浸在家族的不幸中。我們花了兩個世代就從吊帶連身服進展到《時代》雜誌。再一個世代就走向全面的遺忘。結束通話。好吧，管他去死。如果我們知道每個人的人生會怎麼走或許就知道如何為這趟旅程好好打包。不過，你還是不會想失去信仰。

失去對什麼的信仰？

事情總會有轉機嘛。

不會有什麼轉機。還有多少？

什麼還有多少？

影片。

我不知道。還有幾捲吧。

播放吧。

真的？

投影機現在應該已經冷卻了。

對啊。我有看見華特用他的帽子在搧。真不知道我為什麼會被惹怒。又不是沒人警告過我要注意。

警告你注意什麼？

你啊，**小奶妹**。

你用這種名字叫我有什麼好處？

名字是重要的。名字為人們的來往規則設下參數與界線。語言的起源就是用來點名他人的單一音響。

早在你對他們做出任何事之前。

你和一個人交談時沒有一定要表現得無禮吧。

是嗎？哎呀，我們得吸引你的注意力嘛。你似乎覺得可以隨意選擇聽不聽人說話而我們得制止這件事。

我們？

我和我的員工。

你的員工？

有什麼問題嗎？

你為什麼從來不用正確的名字叫我？

我不知道。我想我比較喜歡叫做小艾莉的你。感覺是個更樸實的女孩。小艾莉只讓人有惡意。艾莉西亞叫來革命家[143]。一個名字裡有什麼？事實證明，太多了啊。想再多看些影片之類的嗎？

我想這代表你的那些小夥伴不會來了吧。

不會喔。今天就是影片。準備好了嗎？

可以啊。好。隨便。

女孩啊這樣讚！把燈熄掉，好嗎？

她伸出手關掉檯燈。好囉，小子大喊。開始放映。

143 這兩句的原文只是玩押韻的文字遊戲，跟前後文沒有實際連貫的意義：「With Alice we just had the mal ice. With Alicia we got to call out the Militia.」。

他在一九六九年時抵達巴黎，當時是從倫敦搭客輪接駁火車前來。查普曼對他說的最後一段話是有關賽車的老生常談。不管是速度快、有錢，還是白癡，有時你會發現這三個傢伙塞在同一套諾梅克斯賽車服裡。

你太遲了，鮑比。紳士賽車手的年代已然終結。我見過許多有錢的蠢傢伙變得又窮又聰明。賽車中的一切都是**取捨**。只有煞車盤是愈大愈好。你在方程式比賽中唯一可能擁有的優勢其實只有想辦法找出取代排氣量優勢的方法。這就叫工程學。

我是這樣嗎？

他帶著他的兩只皮袋子走出巴黎北站後站在巴黎的夜色中。站了很久。整理著腦中一團爛泥般的思緒。終於他上了計程車把弗羅芒坦路上的蒙若利旅館地址告訴司機就靠近皮加勒區。這間旅館受到許多巡演藝人的偏愛每天早上都會有雜耍演員、催眠術士、異國舞者以及受過訓練的狗出現在大廳的**咖啡廳**。他在第九區租了一間車庫後開始蒐集工具。車子在一週後透過運輸車送到而阿曼德則在隔天出現。每天他都搭公車穿越蒼涼的郊區打開門鎖取下連身工作服穿上。蓮花賽車立在千斤頂上他和阿曼德則躺在技工滑板上藉由滑板的輪子在水泥地面到處移動。設定著車子的後傾角、外傾角和前束角。調整防傾桿。然後重新校正那台發出尖銳聲響的小小引擎的噴油角度及時機。他們會把那台車用阿曼德的卡車和拖車拖到車道上然後輪流駕駛那台新設定的車子後再拖回去，有時還是摸黑這麼做。

在一開始的那些晚上他獨自坐在工作檯旁重建備用引擎。查普曼已經完成機械加工的部分並為汽缸加上襯套。一切都是鋁製的而且間隙非常大。他鎖緊連桿螺栓後用針盤指示器測量了**螺栓伸展度**。查閱書籍後又量了一次。工作坊內有台煤油暖爐但他總是覺得冷。他和阿曼德會在距離車庫兩個街區的一間會賣菸的小咖啡店吃午餐。那裡的常客看見一個穿著油膩膩連身服的美國人跟他們坐在一起時很震驚。

她不再上學來到巴黎晚上時他會帶她去吃旅館附近的布汀餐館吃晚餐。米勒在三〇年代也會來這裡吃飯。美好的小牛肉料理搭配奶油醬要價七法郎。那些妓女無法把眼神從她身上移開。第一場比賽是在斯帕—弗朗科爾尚賽道那台蓮花賽車像火車一樣馳騁了二十七圈卻在燃油輸送泵故障後整個熄火。

他把她帶到IHES[144]他們為她找好一個房間後向她告別。查普曼在三月時又送了一台車來。他和阿曼德打算利用一台三手運輸車遊遍歐洲期間就住在運輸車上或找便宜旅館不過都吃得很好。他們在比賽時都跑得不錯可是從來沒有獲勝。到了季末時他賣掉車子那年十一月他收到來自約翰・奧爾德里奇的信。隔年他受邀去二級方程式比賽為馬奇車隊開車。他不確定為什麼。他和她在巴黎見面吃晚餐她熱烈跟他聊起許多數學的想法但對他來說那些想法都威脅著要毀棄任何他所忘情投入的現實世界。

他們走進控制室時盧正在講電話。他點點頭掛掉電話抬頭望向威斯特恩。還真是浪子回頭啊。你回來啦？

我回來了。有工作可以給我嗎？

沒有。

我為什麼不能去休士頓？

因為我們組隊時你不在這裡。或許你可以請紅仔跟你解釋。

我得去見我的奶奶。

---

144 法國高等科學研究所（Institut des Hautes Études Scientifiques），簡稱IHÉS。

你說過了。而我們得去休士頓。

你們何時離開。

他們今早走了。大部分人都已經出發。

你手上沒有任何工作了啊。

沒有特別想推薦給你的工作。

那有什麼不推薦的工作？

盧把身體往後靠向椅背仔細打量威斯特恩。彭薩科拉那邊有個小隊在找潛水員。我對他們一無所知。你甚至可能得無酬工作。

工作內容是什麼？

你得問他們。他們想找人去海上的升降式鑽井平台跟他們的隊員會合。他們會用直升機把你載過去。

時間多久？

一週。大概吧。如果是我會多帶一些襪子去。

我要怎麼去彭薩科拉？

那得由你自己處理。這段交通費沒人買單。

好吧。

好吧？就這樣？

就這樣。

盧搖搖頭。他把一個電話號碼抄到筆記紙本上撕下那張紙遞給威斯特恩。請隨意囉，他說。

威斯特恩看著那個電話號碼。如果你覺得這個工作問題很多為什麼還要記下他們的電話號碼？

我喜歡潛水這份工作啊。聽著。我很確定你清楚這裡的公司政策就是希望讓所有員工方便做事並保持開心。泰勒只是希望你們開心。如果他們可以因此順便多賺一點錢，哎呀，那當然也很好。

紅仔對那張紙點點頭。可以給你個好建議嗎？親愛的？

好啊。

把那張紙揉起來丟進那邊的垃圾桶。

他們會在多深的地方工作？

我不知道。那是個海上的升降式鑽井平台所以不可能潛太深。我猜他們是要拆掉一些平台。

準備關閉的意思。

對啊。

你覺得如何？

要是有人拿槍頂著我的頭可能會去吧。或許你該聽紅仔的建議。進行危險崗位工作時的第一條守則就是要知道你是在為誰工作。

紅仔點點頭。舉雙手同意，他說。

——

直升機穿過部分籠罩著陰雲的天空幾乎是在鑽油井台正上方下降。那個升降式鑽井平台上的眾多燈光讓整個結構像是聳立於黑暗海面的一座煉油廠。直升機的降落燈找到降落平台上的H記號而記號上方是這座頂舉高塔的名字。卡利班貝塔二號。駕駛把直升機停在甲板上關掉旋翼升力裝置轉頭望向另一邊的威斯特恩。好了，他說。你明白之後要面對的狀況很嚴峻吧。

我沒事的。

你有來過這種平台工作嗎？

有啊，一次。為什麼問？

因為如果遇到很糟糕的海況時你是爬不上平台的。

你不認為有人能平安脫身。

我會很驚訝。

威斯特恩把手伸到後面拿起他的潛水袋後爬出直升機。輕巧的鋁門在風中嗡嗡作響。風在頭頂的鋼鐵井架以及照明塔之間低吟也在林克—貝爾特起重機裡頭低吟。

如果你想要的話我能載你回去，駕駛說。反正不干我的屁事

謝啦。我沒事的。

他關上門駕駛靠過來把門閂插好然後拉動總距操縱杆於是直升機在平台上浮起懸空。站在原地的威斯特恩身上衣服因為旋翼轉動的風湧來而不停甩動，他瞇眼看著直升機往上飛入燈光中往後退再朝向佛羅里達的海岸飛去然後直升機的導航燈光逐漸變弱最後終於消失在黑暗中。

他揹起袋子沿著狹窄架高的鋼鐵平台走道朝艙房走去他打開鋼鐵門跨過底下是海的縫隙走進艙梯。他關上門轉了一下轉輪把門關緊然後靠著裡面的桌子脫下重型鋼頭工作靴後把靴子留在地上。控制室就在他的左手邊近處。他揹起袋子用穿著襪子的腳沿著樓梯往下走進底下住宿區。

所有東西看起來都像是在船上。狹窄的走道以及灰暗的鋼鐵艙壁。鐵製扶手以及裝在鐵絲網燈罩裡的燈泡掛在頭頂上方。可是這裡並不是一艘船除了在平台肚腹深處發動機發出穩定的聲響之外周遭沒有任何聲響也沒有任何動靜。

他找到了食堂和艙室煮飯間打開冷藏櫃拿出一些切片醃漬鹹牛肉和一條麵包。他為自己做了個三明治還在麵包上抹了一些黃芥末又倒了杯牛奶。他把袋子放在食堂的木製野餐桌上開始在住宿區內遊蕩。這裡

的房間很小裡頭放著**雙層床**。床腳插在地板上的洞裡。小小的浴室有鋼製淋浴龍頭和像是監獄裡用的那種不鏽鋼室內便器。他拿著牛奶和三明治站在艙梯裡。哈囉？他大喊。

他不太確定要如何回到艙室煮飯間。他沿著走道前進上下不同的鋼鐵艙梯終於來到那扇通往外面的門。他的三明治已經快吃完牛奶也喝光了他把空玻璃杯放在角落吃完三明治然後藉由轉動大鐵轉輪把眼前那扇海門的門栓向後退出。

風立刻攫住那扇門並把門用力甩到艙壁上。他走出去後轉動轉輪把門關上沿著狹窄架高的平台走再走下一道鋼鐵樓梯。他的下方就是鑽台。油塔聳立在多風的夜晚中而在頭頂的那些燈光之間許多鳥沉默盤旋牠們迎風飛行然後一轉身就立刻被吸入黑暗中。他靠著艙壁身上的夾克不停翻騰。空氣中有許多令人感到微微刺痛的鹽粒整座平台彷彿正在夜晚的海中漂浮、搖晃。

他翻起夾克領子沿著甲板走。他望入其中一片用螺栓鎖入油漆鋼鐵窗框裡的厚重玻璃。他已經覺得很冷牙齒也開始打顫。他繼續沿著艙壁走終於直升機平台映入眼簾然後他走到他一開始走進艙房的門口後再次進去關上門下樓抵達艙室煮飯間後把袋子從食堂桌上拿走。

他沿著舷道走選了最靠近食堂的**雙層床間**把他的袋子放在小書桌上打開檯燈。他在床上坐下背靠著冰涼的金屬牆。牆面傳來電力系統造成的輕顫。他覺得他可以隨著這個顫動打起盹來。他坐直身體拉開袋子拉鏈拿出**內襯羊毛**的尼龍夾克把夾克在床上攤開。然後他起身再次走去艙室煮飯間。他在冷藏櫃和步入室冷藏庫內翻找希望可以找到啤酒可是平台上沒有啤酒。他拿出一個杏桃罐頭然後開始找**開罐器**但找不到。終於他拿了一把肉刀把刀刃靠近把手處插入罐頭後撬開然後拿了一根湯匙回到房間坐在床上吃杏桃。挺好吃的。他又吃了一些後才把罐子拿回艙室煮飯間重新放回冷凍櫃。他在下層甲板遊蕩往每個房間裡看。他站著不動聆聽四周。哈囉？他大喊。

他回到他的雙層床間拿出一本霍布斯的《利維坦》[145]平裝本。這本書他以前從沒讀過。他把上層床的枕頭拉下來把兩顆枕頭拍鬆然後躺下翻開書。

他讀了開頭的大概二十多頁後把翻開的書蓋在胸口闔上雙眼。

醒來時那本霍布斯的書還在他的胸口。他躺著仔細聆聽。外頭暴風雨的聲響在建築內被消音了。但還有些什麼別的聲音。他坐起身闔上書把腳垂放到地面。時間是凌晨兩點二十分。他把手放在冰冷的鋼鐵艙壁上。平台的肚腹深處有心跳。大概兩千馬力。他起身用**穿著襪子的腳**走出去往交誼廳走。他打開電視。螢幕上是白色雪花的雜訊。他嘗試換了幾個頻道後關掉。

他重新走回艙梯打開通往外面的門。外頭狂風大作。風聲高亢淒厲。在平台與海面中間氣隙底下的海水像一口黑色深鍋而所有鳥已不見身影。他把門拉起關上把轉輪轉動後卡好。他回到艙室煮飯間拿了那罐杏桃經過走廊回到房間坐在床上又吃了一些杏桃然後把罐子放在書桌上湯匙就直直插在罐子裡。

第一次在醫院見到她時她穿著他們發給她的紙拖鞋窸窸窣窣地沿著走廊走向他臉上露出淺淺的微笑握住他的手。隔天他來的時候給了她一個包裹但她**不**肯收。

為什麼？他說。

我知道裡面是什麼。

裡面是什麼？

拖鞋。

好。

我喜歡這邊的拖鞋。抱歉，鮑比。你帶這些拖鞋來真的很貼心。可是我**不**想要。我**不**想跟別人不一樣。

可是你跟別人不一樣。

不。我沒有不一樣。無論如何就算我想做自己也不會成為一個穿特別拖鞋的人。

或許我們該聊聊別的話題。

他在他的床位上躺下手臂蓋住眼睛。我不會為汝而死喔身姿如天鵝的女子。我由狡猾的男人教養長大。喔纖細的手掌，喔潔白的胸脯。我不會為汝而死[146]。

他睡著時面對著冰冷的鋼鐵牆而臉埋在雙手中。

他睡著後再次醒來躺在床上仔細聆聽。所有的牆內都有著連續的敲擊聲響。他覺得他此刻聽見的是暴風雨的聲音。他起身走到起重升降室往窗外望。狂野的帶鹽水霧吹過架高的平台走道也吹過整座上層的建築結構。鈉燈正散發出霧氣。他轉動鐵轉輪用肩膀靠住門使勁往外推。在外頭傾盆大雨的夜色中持續有高頻的尖嘯聲以及讓人看不清前方的雨。他把門拉上關好轉動轉輪。老天爺啊，他說。

他走下去後悠哉地穿越組員住宿區來到下方的第三層甲板。途中燈光閃爍了一下他於是站定不動。別這樣，他說。

燈光穩定下來。他轉身回到艙房從袋子裡翻找出手電筒塞進褲子後方的口袋再次走出房間。等他回來時已經吃過一碗冰淇淋並坐在下舖床上盤起腿再次拿起霍布斯的書。他開著燈睡著醒來時已經是白天。

他走上去站在外頭望向暴風雨。一整片的水霧掃過甲板。整座平台都在顫抖海浪從四十英尺以下的地方一波波往上拍打著連接橋的欄杆再落回去。他走回去坐在床上撈出他的刮鬍套組和牙刷。但只是坐在床上。他有一種不安的感受但跟暴風雨無關。甚至是比不安還要嚴重的感受。他努力重新思考直升機駕駛跟

145 湯瑪斯・霍布斯（Thomas Hobbes, 1588-1679）是英國的政治哲學家，其著作《利維坦》（Leviathan）另譯為《巨靈論》，強調政府必須強大得足以規範人民並干涉宗教，以避免社會的失控。

146 愛爾蘭詩人帕德雷克・科倫（Padraic Colum）的詩作〈我不會為汝而死〉（I shall not die for thee）。

他說的話。他並**沒**有言過其實。

一陣子後他走去艙室煮飯間找出一些蛋為自己做了早餐還泡了一杯茶後坐在餐桌旁吃。然後他停止動作。有個空的**咖啡杯**放在流理台上。他**不**記得之前曾看到這個杯子。如果之前就在的話他會注意到嗎？那個杯子一定本來就在那裡吧。他起身走過去拿起杯子但當然杯子是冷的。他重新坐下吃他弄好的蛋。

他把杯子、盤子和餐具放進水槽後走去交誼廳。他再次嘗試看電視。沒有訊號。他在**撞球桌**上用三角框擺好球開球然後打了一場八號球。他穿著襪子在撞球桌旁輕輕踱步。撞球桌的一角有點傾斜邊台又已老化到反彈效果不佳。他打完一局後把球桿放在架子上回去躺在床上伸展身體。他起身走到門口把門關上。這個門沒辦法鎖住或用門閂卡死。他把牙刷放回他的**刷牙套組**包裡從袋子裡拿出一條浴巾到浴室在其中一個鋼鐵板隔間內沖澡刮好鬍子刷完牙回來穿上洗好的襯衫。他踱步走向艙室煮飯間從冷凍庫裡拿出一些漢堡肉排放到流理台上解凍。然後他走到控制室坐在那裡看著暴風雨。有人跟他一起在這座升降式鑽井平台上。

他回去躺上床睡覺但睡覺時把書桌推到門邊等他將近傍晚時醒來書桌已經往後退開了大概一英尺。整座平台的震動讓桌子緩慢在地面上移動。他環顧房間四周。還有什麼因此移動了呢？他起身把書桌拉開走到艙室煮飯間拿了**剁肉刀**回來坐在床上把刀放在雙手上感受重量。他再次把書桌推到門邊嘗試讀書。他又回到控制室。暴風雨幾乎毫無減緩地持續著一片幽暗正從西側開始席捲整座墨西哥灣。高塔上有幾盞燈滅掉了。他坐著看遠方海的顏色逐漸變黑。

他手上握著**剁肉刀**漫步過底下的住宿區。之後他走回艙室煮飯間煎了兩片漢堡肉把肉夾在兩塊麵包中間加上黃芥末醬後坐在桌邊吃還喝了杯牛奶。玻璃杯中的牛奶表面皺褶出無止境的圓圈。他看著躺在盤子旁邊的**剁肉刀**。亨克斯。索林根[147]。你可以把這東西插入某人的頭骨內嗎？當然。有什麼不行？

他努力想有誰知道他要來佛羅里達。萬一整座平台在暴風雨中沉沒了呢？這種海上工作平台是會發生這種事的。到時候又有誰會知道他在上面？他是搭飛機來到彭薩科拉。但之後就沒紀錄了。直升機？海灣威公司嗎？那個公司真的叫海灣威嗎？

平台不會在暴風雨中沉沒。所以他們想要的到底是什麼？到底是誰想要什麼？現在只要有直升機不管是跟誰一起你都會搭上去對嗎？會。再待一天就會。最多撐兩天。

他手裡拿著剁肉刀回到房間把書桌推到門邊在床上伸展開身體閉上雙眼。這想法實在太蠢了，他說。

他醒來時已接近午夜。床正在搖晃所以他以為自己是被床搖醒的。書桌已經移動到房間中央。他不知道燈有沒有可能沒電。不可能。平台上的一切都能自給自足。

他坐起身。他覺得冷並覺得自己或許就是因為冷才醒來。如果平台上還有別人現在應該要來找他才對。怎麼樣的海域能摧毀一座升降式鑽井平台？

他沿走廊前進打開金屬門望向狂風呼嘯的外面。他再次把門關上走回去坐在床上。距離破曉還有很長一段時間。

他們有可能拿著一個廉價的紅外線偵測器沿著走廊走。最後停在這個偵測到裡面一具溫暖身體的房門口。

然後逼你走去沖澡？要你盡可能簡化清理步驟？

逼你脫掉衣服？

他坐著聆聽。看著門縫底下那條細細的光線。

他會敲門嗎？

何必敲門？

147　雙人牌刀具製造公司（Zwilling）是由彼得・亨克斯（Peter Henckels）在德國城市索林根（Solingen）成立。

他會先等裡面的燈關掉嗎？

你可以把食物和水帶進來然後想辦法把門封鎖起來。

再撐兩天？或許吧。

他知道他什麼都不會做。

—

隔天的早晨過了一半時在這個平台工作的隊員回來了。他們穿著襪子走下舷梯前往艙室煮飯間。等他把下層床位整理好時走廊已經空蕩無人。他走去升降室推開門走到甲板上。風還在吹而黑暗的海水仍沉重地湧動著可是暴風雨基本上已經過去了。下方的鑽台底座上到處都是死去海鳥的屍體。

他和那些隊員一起吃午餐。他們是一群很棒的傢伙就算看見他在那裡也不驚訝。他回到自己的房間等潛水船來可是潛水船沒有來。他去了鑽油辦公室可是那裡的鑽油工人完全不知道有打算拆解支架的事。有人把那些死鳥屍體收集起來丟到海裡然後他看著整座平台搖晃著開始作業。巨大黃色的游動滑車在繩索吊具上搖晃等到下午過了一半時鑽井就已恢復正常運作鑽油工作再次啟動且即將延續到夜晚並直到之後的每天每夜。他躺在他的床上聽著鑽油工人透過對講機說話的聲音。還有泥漿錄井工程師的聲音。他留著書桌上的燈沒關。許多男人從他房門外經過不是前往食堂就是從食堂離開。這些說話聲為他帶來慰藉。他彷彿因此屬於某個企業。屬於一個由男人組成的社群。他這一生大多時候都不明白這是什麼感覺。他在睡睡醒醒之間游離。那些說話聲持續了整晚。我們的每分鐘轉速已達到一百。兩台泥漿泵的轉速高達七百。

你想把轉速拉抬到一百二十。要是太快把轉速拉那麼高會開始搖晃最後也只會卡在井壁上。如果是在鑽井底下我才不在乎你搞什麼鬼。

那我們還可以加點什麼？
加點鐵桿吧我猜。
你在嗎？
在啊。
從三檔拉高到四檔。或許五檔。
我想會是八十二。八十二。不過還是繼續鑽啊。
好喔。再加個一根。
已經用掉多少根了？
三十。現在三十一。
大概還剩下五根**鑽桿立柱**。
你在用的是什麼接頭？
九十九。
九十九。泥漿比重呢？
十點五。
需要進行確認。
他睡著又醒來。四點零四分。外面很安靜。從對講機中輕柔傳來一些粗礪的說話聲。我們遇到一些地層結構的改變。我們正遇到一些白雲岩。大概四點零七分。一一九七。跟石灰岩組成很接近。總之差別不大。大改就是顏色有點改變。結晶質比石灰岩多一些。不過如果撿起一塊從中間看過去。就會發現一半是白雲岩一半是石灰岩。我一開始還以為是頁岩。
似乎鑽得比較順利了啊。石片比較大。你可以看見鑽頭咬住的地方留下**齒痕**。我跟你保證鑽頭現在胃口很好。

五點時他起床前往食堂吃了一盤冰淇淋跟兩個坐在那裡喝咖啡的油井工人聊天。你們的傢伙咧？他們說。

明天會來。希望如此啦。

他們點點頭。不過無論你在這裡待多久他們都會付你錢。對嗎？

對。

幹得好啊。

他回到床位在甜美的黑暗中躺下。暴風雨已經遠去。在平台深處搏動的發動機讓碗緩慢移動過桌面。在他們底下的一英里深處**鑽頭**在難以想像的地底黑暗中轉動著。

鑽頭工說他的鑽頭不動了。

看來是不能再講大話了。我們或許得換鑽頭。

呼叫泥漿錄井工程師。

這是泥漿錄井工程師。

呼叫鑽油平台。你在哪？

我們回到方鑽桿立柱這邊了。我馬上去外頭的平台上。

他躺在床上身上蓋著一條粗糙的毯子。那些都是來自另一個世界的消息。

不同的岩層組成。頁岩層，或許吧。我重新**歸零**了沖數計數器。那是密德威頁岩。塞爾瑪白堊岩。

上一次的探測深度是多少？

六七七一。一度。

下一個方鑽桿要下到多深？

七四三三。

還要下去一個還是兩個？還是三個？

還要三個。

他再次醒來時已經幾乎是早晨。對講機安靜無聲。然後鑽油工作開始。實在天殺的不是鑽得很順利啊。每小時四十、五十英尺？我們先循環個十五分鐘。關掉鑽頭觀察一下。確保沒東西流進來之類的。要是沒事我們就繼續讓我們這個笨重的傢伙上工呀。

他打起瞌睡。

起重機操作員？外頭的海況如何？

五或六級風吧。

底下沒有淤泥，泥漿錄井工程師說。

來打洞吧。

——

他走進酒吧時珍妮絲抬頭舉起一根手指揮舞畫圓示意他到酒吧尾端。他跟著她走過去後把袋子放在地上。

怎麼了？

你聽了不會高興的。

發生什麼事？

有人闖進你的房間。

比利．雷呢？

不知道。我在這一帶到處都找過了。

威斯特恩別開眼神。

我很抱歉，鮑比。那孩子還是有可能出現的。

你有看見那些人嗎？

沒有。哈洛德看見門稍微開了一點縫所以敲了敲門。我去看時感覺像是有人翻過你的東西。我們到處去找那孩子。我每天晚上都會在附近喊比利．雷、比利．雷。我知道大家都覺得我瘋了。我真的很抱歉，鮑比。

嗯。我先上去看看。

來這裡的是之前那些傢伙，是吧？

是吧。我想應該是。

她仔細端詳他的表情。他拿起他的袋子。我其實無法很確定。我不知道他們想要什麼。我甚至不知道他們是誰。

你要走了，是吧？

我不知道，珍妮絲。真的不知道。

——

他在街上邊走邊用湯匙輕敲比利．雷的碗。像個流浪行乞人。他再也沒見到那隻貓。

兩天後他來到酒吧時有兩個男人坐在吧檯對面牆邊的桌旁等待著。他們身穿白襯衫打黑色針織領帶襯衫的袖子捲到手肘。他們似乎是在喝水。他們同時看到他後轉頭望向彼此。威斯特恩走向吧台跟珍妮絲要了一罐啤酒後越過酒吧到他們坐的地方踢開一張椅子把啤酒放在桌上。早安，他說。

你想換個地方嗎？

換個地方做什麼？

我們只是想問你幾件事。你需要看證件嗎？

不用。你們要嗎？

我們只是來執行公務，**威斯特恩先生**。

好吧。

你**不**知道我們是誰。

我**不**在乎你們是誰。

為什麼呢？

好人、壞人都沒差。反正你們都是同一批人。

是這樣嗎？

就是這樣。

我覺得該換個地方。

我不會跟你們去任何地方。我想你們很清楚。

你是某種狂熱份子嗎？**威斯特恩先生**？

對。我想這麼說沒錯。我真的相信我是能夠掌控自我人生的主人。我懷疑你們這樣的傢伙不會認同這種看法。

沒什麼認同不認同的問題。我們只是想針對這個我們被指派的案子問你幾個問題。我們想知道你能不能看幾張照片。

威斯特恩小口啜飲啤酒。我的朋友嗎？

我們基本上抱持懷疑態度。可是不能確定。

而在我看照片時你們會觀察看照片的我。

這樣可以嗎？

當然。

第一個男人從大衣口袋中取出一個棕色信封退下上面綁的橡皮筋然後把信封放在桌上從中倒出一疊照片遞給威斯特恩。

你就只是要我看這些照片。

如果你願意的話。

威斯特恩開始快速翻看那疊照片。這些照片是列印出來的。而且用的全部是同樣的底紙和塗裱層。他也看了那些照片的背面。每張照片都在左上角標記了四位數字。他緩慢而仔細地查看每張照片。其中有許多白人年輕男性而且大多穿著西裝。大部分似乎都是歐洲人。其中幾個人有戴帽子。

需要用特定的順序看嗎？

不用。

下一張出現的是他父親。他捏著側邊把那張照片挑出來。我猜我們都知道這是哪位。

我們是知道。

你們認得其中多少人？

不方便說。

我也是。

你不打算看剩下的照片了吧。

只是鬧你們的啦。

因為我們隨時可以傳喚你。

可以但是**不**會。

原因是？

我們都是大人了啊華特。我**不**知道你們這齣到底是在搞什麼，可是我確實知道你們**不**想鬧上報紙。

我的名字不是華特。

抱歉我本來是要說弗萊德。

我的名字也不是弗萊德。照片看得如何。

他把剩下的照片看完。有另一張照片中的臉感覺很熟悉可是他想**不**起對方的名字。他把那張照片放在桌上。那傢伙好眼熟。他也在實驗室工作。是個年輕的小伙子。我**不**知道他的名字。就算之前知道也忘了。

不過就這樣了。

對。

威斯特恩把所有照片整齊地疊放在桌上然後當成撲克牌一樣分成兩堆後在桌面鋪展成扇形接著洗牌後遞放到桌子另一頭。

你是個撲克牌玩家？**威斯特恩先生**？

曾經是。現在不是了。

為什麼呢？

我遇見了一些頂尖牌手。

好理由。

那傢伙是誰？

什麼傢伙？

那個失蹤的傢伙。四二二六。

男人把整疊照片翻過來一張張確認終於找到那個號碼。失蹤的傢伙啊，他說。

對啊。

你怎麼會剛好記得那個號碼。

我能記得都**不**是剛好。

我們**不**知道他是不是重要人物。

對啦，然然。如果他是重要人物你們會告訴我嗎？

不會。

說的也是。

好吧。謝謝你撥空與我們談話**威斯特恩先生**。

不客氣。我還會見到你們嗎？

大概不會了。

你們知道這些人是誰嗎？

我們未獲許可談這個話題。

他把那疊照片整齊疊好收進信封從桌上拿起橡皮筋後將信封套好再用信封輕敲桌面望向威斯特恩。你相信外星人嗎？**威斯特恩先生**？他說。

外星人。

對。

好怪的問題。今天這個早上是不信的。

那個男人微笑站起身後另一個男人也跟著站起來。他這段時間都沒開口。

謝謝你。**威斯特恩先生**。

威斯特恩點點頭。不用客氣，地獄歡迎你們。

——

克萊恩的辦公室在二樓於是威斯特恩爬上樓梯敲門。鵝卵石紋玻璃上用金色和黑色貼出了他的名字。他等了一下後再次敲門。他嘗試推門發現門沒鎖於是推開。靠外側的辦公室空蕩無人但克萊恩坐在後面一個玻璃隔間辦公室內的桌前講電話。他對威斯特恩點點頭並把一隻手掌朝上做出像是往內舀水的動作要他進來。威斯特恩關上門。房間角落的籠子裡有隻鸚鵡。地板上有許多報紙。鸚鵡蹲坐著打量他然後抬起一隻腳抓了抓後腦勺。克萊恩掛掉電話站起來。是威斯特恩吧，他說。

是的。

請進。

他穿越辦公室走去跟他握手。克萊恩指向椅子。請坐。請坐。

威斯特恩把椅子往後拉坐下。他對著那隻鳥點點頭。這傢伙會說話嗎？

據我所知牠現在又聾又啞。

現在。

這隻鳥是我從爺爺手中繼承下來的。我家以前有個巡迴馬戲團。這隻鳥負責其中一項表演。我爺爺過世後這隻鸚鵡就**沒**再講過話。像是跟著爺爺的人生一起停止的時鐘。

真實故事？

對。

這隻鸚鵡會做什麼？在馬戲團表演時。

騎腳踏車。在一條細鋼索上騎。

現在還會騎嗎？

我**沒**要求過。不過理論上那種技能只要學會就忘不了。

牠好像**不**喜歡我。

牠誰都**不**喜歡。

我該問你怎麼收費。

每小時四十塊。包括電話諮詢。

現在開始計時了嗎？

還沒。我得先知道你的目的。

你有遇過**瘋子**嗎？

有啊。你是其中之一嗎？

應該**不**是。你都怎麼應付他們？遇到瘋子時？

就是敷衍他們然後收他們的錢。

你開玩笑的吧。

對。

你在電話上說你不辦離婚。你還不處理什麼案子？

克萊恩稍微把椅子轉開再轉回來。看來要處理的會是件怪事，是吧？我們現在不就是往這個方向前進嗎？

我不知道。

何不直接攤開來講呢？盡可能簡潔明瞭吧。

好。

威斯特恩從飛機的事講起最後結束在鑽油平台以及兩個在七海酒吧穿著襯衫但沒穿外套的男人。克萊恩左手的五隻指尖貼著右手的五隻指尖坐著聽。很仔細地聽。威斯特恩講完後他們坐著不動。

就這樣，威斯特恩說。

這就是你的工作？你是打撈潛水員？

對。

還是個逃離大學體系的難民。

我想是吧。

你有在看心理醫生嗎？

沒有。你覺得我該看嗎？

算是個例行問題。主修心理學？

物理學。

膠子是什麼？

是夸克交互作用中的交換粒子。

好。

所以你知道答案。

其實我不知道。我只是覺得那名字很奇怪。你知道我在進入這一行之前是做什麼的嗎？

不知道。我想你不是個警察吧。

不。我是個算命師。

真的？

我說的都是真的。

是在那個馬戲團裡嗎？

對。那是家族事業。各式各樣的人都有。巴伐利亞移民啊。德裔美國人啊。有些可能還是舊世界才有的那些吉普賽人，我不確定。他們定居在加拿大。我其實是在蒙特婁出生。之後這些年偶爾還會有孩子跑來說他們想加入馬戲團而我會說最好是不要。快滾。

你痛恨這個事業。

我愛死了。你是在逃亡嗎？

我不知道。我不覺得。目前還沒。

你有什麼沒告訴我？

很多啊。你想知道什麼？

發生了什麼事？

發生了什麼事嗎？

我想是的。

要是我寧可不談呢？

那就是寧可不談囉。

我有個死去的妹妹。

你跟她很親近。

對。

多久之前的事？

十年前。

但你不想談這件事。

不想。

好吧。

現在開始按時計費了嗎？

快要了。

你都會這樣面試你的客戶嗎？

你是指哪樣？

不知道。我想是一種討論私事的方式吧。

不太算。

那為什麼要這樣問我？

你有點有趣。

但我有些不願袒露的部分。

克萊恩看了一下他的錶。或許我們該開始計時了。一旦需要付錢之後人們常會自我吐露到令人驚訝的程度。

好吧。你真的能幫人算命？

對。

你有這種天賦？

我不知道算不算天賦。大多只是常識而已。就是一些觀察。洞察力之類的。

我沒告訴你的事情是什麼？

我不知道。你有什麼事從沒告訴過別人？

可能有很多。

除了會讓你感到羞恥的事之外。

還是有很多。

我想或許有些事情我們只放在心裡但原因就連我們自己也不太清楚。

我十三歲時在森林裡發現了一架飛機殘骸。

好。所以你沒跟任何人說過。

沒有。

飛機上有人嗎？

有。有駕駛。

他死了。

對。

你當時只有一個人。

對。啊，我有帶我的狗。

為什麼你沒有告訴任何人？

我不知道。我很害怕。

你之前沒見過死人。

沒有。

他死多久了？

我不知道。幾天吧。或許一週。當時很冷。是冬天。地上有雪。他整個人癱在駕駛艙。飛機撞到樹上後卡住了。

有人在找那架飛機嗎？

有。那是在田納西東部的國家森林裡。因為有下雪所以不容易看見。

他們後來又過多久找到飛機？

大概一週吧。我想大概是一週後。他們才終於找到。

這是個奇特的故事。

我想是吧。

還有什麼特別之處吧。

我猜奇怪的地方在於我認得那架飛機。我知道那是什麼飛機。

你認得那架飛機。

對。我從沒做過那架飛機的模型可是認得那架飛機。

你有在做飛機模型。

對。那是架相當奇特的飛機。名字是無環流星。骨董級的密閉座艙競技飛機。

那台飛機在那麼偏遠的地方做什麼。

他正要去田納西的塔拉霍馬跟別人會合。

你怎麼找到我的名字的？

什麼？

你怎麼找到我的名字的？

從電話簿裡找的。

為什麼挑我？

為什麼不？

你只是閉上眼亂指然後張開發現挑到我吧。

我想你應該是猶太人。

這樣啊。

對。

名字拼音不像也這樣猜啊。

對。你是猶太人嗎？

是。你知道私家偵探中有多少猶太人嗎？

不知道。

只有我。

不可能。

確實不可能。但也差不多了。

為什麼會這樣？

我想是因為不夠氣派吧。

但你不覺得。

顯然是這樣。你認為你可能有危險嗎？

不知道。就算可能有危險我也不知道自己會怎麼做。

話說那架水下飛機。你有再回去找吧。

對。我幾乎確定浮球不見了。我不知道。但也有可能是漏看了。海相不是很好。

你當時真的認為鑽油平台上還有別人？

對。但現在不是很確定。

話說雪地中的那架競技飛機。你也有再回去看吧。

對。

隔天嗎？

兩天後。

你有帶你的狗去嗎？

沒有。

為什麼不帶？

因為那架飛機好像讓牠很緊張。

你覺得牠知道飛機裡有死人嗎？

我想牠知道。對。

牠怎麼會知道？

我不知道。

你拿了東西。

我拿了東西？

從飛機上。

對。

好。

我從機體上割了一片麻布下來。上頭有一個的號碼22。我割下一個大方塊。像面旗子。

確實是一架很奇特的飛機。

對。很漂亮。速度很快。上面配備的普拉特&惠特尼的十四汽缸星型引擎可以輸出一千馬力。那是一九三七年。福特當時的汽車可輸出八十五馬力。而且那還是頂級的V8系列引擎喔。比較普遍的版本輸出的是六十馬力。你真的會很想跟設計者聊一聊。

飛機的設計者。

對。這些傢伙根本就是二十世紀的達文西。不然就是火星人。

所以看見這架飛機躺在樹林裡時你是怎麼想的？

我覺得那是我見過最奇怪的事了。

我得說撞見裡頭有屍體的飛機確實是很少見的體驗。可是對你來說似乎是司空見慣。

司空見慣。

我是指就數據上來說。比一般公民可能經歷的多幾百萬倍。

我應該要有些迷信的想法嗎？

深海潛水。賽車。這是怎樣。熱愛追求危險？

我不知道。

你要我為你做什麼？

讓我知道我該做什麼才能繼續活著。

你問一個從電話簿裡找到的傢伙。

對。

我想我可以說的是大致上來說只要你愈認真看待這一切就愈有機會活下來。

好吧。

你有帶槍嗎？

沒有。我有一把。你覺得我該帶嗎？

數據上來說帶槍只會縮短你的壽命而非延長。令人不自在的真相是如果有人想殺你那你沒什麼辦法扭轉情勢。唯一安全的方式就是消失。而且即便如此也不能保證萬無一失。

我有考慮過。那感覺是最後手段。

確實是。除了走上絕路之外的最後手段。

惡人雖無人追趕也逃跑[148]。你叫鮑比，對吧？

對。

你到底做了什麼？

真希望我知道。你有很多客戶擔心性命受威脅嗎？

是有一些。

哪種類型的客戶？

女性類型的客戶。大部分是。

有丈夫的女性。

或是男朋友。

148 出自《聖經》箴言28:1。

你有失去過客戶嗎？

有。一個。

發生了什麼事？

他們讓他出獄了。也沒通知任何人。她兩小時不到就死了。你妹妹應該是個美人。

對。你怎麼知道？

因為跟其他悲劇相比美人更有辦法召喚出哀慟。失去一個極度漂亮的美人足以讓一個國家下跪臣服。沒有其他事物做得到。

海倫。

或是瑪莉蓮。

嗯，我不想談她。

我知道。

我們這是講到哪裡了。

就算你沒有想逃到其他國家換個新身分確實可以解決眼下的部分問題。可是你大概得搬家。畢竟你不知道他們想從你身上得到什麼也很難知道他們會花多少心力去找你。

但如果他們想找你就會找到。

喔沒錯。

我想美利堅合眾國政府一直都會刺殺本國公民只是特定政治團體抱持的偏執妄想。

我可以同意這個說法。除非你是其中一個被選中刺殺的對象。

我的問題在於沒有足夠資訊。

你的問題在於沒有任何資訊。如果無法掌握比你目前給出的更多資訊我不會展開調查。就算展開調查也無法保證能查出任何東西。沒人能告訴你如何對付一個一無所知的敵人。最好的建議可能是計畫逃亡。那是面對所有困境時都相當有效的策略，無論是在國內或國外。

對。我有個朋友也曾說過：我寧可優雅逃跑也不要難看抵抗。我們現在是在討論創造新身分的選項。對吧？

對。如果你要我為你牽線我這邊可以不收費。你會拿到一本護照、一張駕照，還有一張社會安全卡。而且人物背景故事完整，這是他們業界的說法。總共會花費一千八百美金。就這個案例來說已經不算很貴。

你做過這種事嗎？

沒有。

我可以選自己的名字嗎？

不行。你不能選。電話要響了。

什麼？

電話要響了。

電話響起。

我猜這只是個拙劣的小把戲。

對啦。

一千八。

對。很貴。但品質是最好的。你可以幾乎不費吹灰之力地變成另一個人。然後就能拍拍屁股走人。只要**別**在任何地方留下指紋就行。

你不打算接電話嗎？

不打算。

克萊恩起身站在窗邊往外望。競技飛機，他說。

對。

你知道一些這世上沒有其他人知道的事。

對。我想是這樣沒錯。

克萊恩點點頭。他可以越過許多屋頂看到河。在建築之間可以看見許多倉庫、碼頭和一些船隻的局部。他轉身望向威斯特恩。垂直穩定器上的數字是什麼？

那架無環流星上嗎？

對。

你有在飛行？

以前有。

是NS 262 Y。

這些人認為你知道一些其實你不知道的事。

這就是你的看法？

還能有其他看法嗎？

他和紅仔坐在酒吧後方一張小桌旁。紅仔啜飲了一小口啤酒後把瓶子放在桌面上他的鑰匙旁邊。他母親說要報警。可是如果警察找到就有義務把那個臭傢伙丟進監獄。

因為什麼罪名？

該死，鮑比。你覺得他們必須很費心才能找到罪名嗎？

是啦。你說得有道理。你為什麼不去找？

我害怕可能發現的結果。

發現他死在某個地方嗎。

不是。是發現他在某個地方活得好好的。其實就在拉法葉啦。顯然他就住在一台房式拖車裡距離鎮中心大概八或十英里的地方吧。

就這點線索。

那是座小鎮。一定有人認識他。

最好是這樣。好啦。

好啦？真的？

對啊。

你真是個不錯的渾球啊。那個老太太說要一張像電影裡那種他拿著報紙拍的照片可是我跟她說我沒有照相機呀。是真的沒有呀。我跟她說我會請他在一張紙上簽名。或許就簽在報紙上吧。這樣也行得通不是嗎？

要是我發現他死了怎麼辦？

不知道。我才不會在電話上跟那個女人說她的寶貝兒子死了呀。絕對不會。

嗯。把鑰匙帶上吧。

兩天後他開車經過拉法葉東邊的沼澤地車子開在一條只比履帶痕跡寬一點的小徑上穿越黑色泥土地——

榭樹類樹木組成的**溫帶林地**和凝滯的河水中有彷彿水深及膝的柏樹站在泛綠的泥水中——他來到一個岔路口後讓引擎怠速運轉後坐在車裡。來到岔路口時選擇就是了。他選了右邊的路。沒有理由。他繼續開，在濕軟的道路上東倒西歪地前進車輪還不時打滑。黑色爛泥中有一個個坑洞。看起來灰撲撲的鸊鷉站在突出沼澤的圓木上。還有烏龜。

又開了兩英里路後來到這條路的尾端那裡的空地上有台房式拖車歪歪斜斜地停在泥地上。房車的車輪半埋在底下而且輪胎正在腐爛。另外還有一台小卡車。他關掉引擎坐在車上。然後下車關上門對房子大聲呼喊。

有些鳥飛起來。他緊貼著那台小卡車的擋泥板站好認真觀察眼前的光景。有張繩索編的吊床掛在兩棵樹之間中間有人掉下去的地方有些斷掉的繩索垂落著。另外還有一捲捲起來的塑膠水管。一個鍍鋅的浴缸。一張四隻腳往外伸開的鱷魚皮釘在樹上。過了一陣子後他又喊了一次。

門猛然打開撞在拖車的車體上然後一個看起來精神狂亂的大鬍子男人**雙腳張張**地站在門口還把一把獵槍平舉在腰部前方。是誰啊？他聲音粗啞地說。

老天，威斯特恩說。**別**開槍。

威斯特恩？

對啦。

什麼鬼啊。你是從哪冒出來的？

我是來雪中送炭的。

有帶威士忌嗎？

有。

給我進來啊你這狗娘養的。你他媽的就跟天使一樣棒啊。我的好酒咧？

住。

威斯特恩打開他的卡車門從座位後方拿出那瓶烈酒。他假裝差點把酒瓶掉到地上又用誇張的動作接

別鬧了啊，威斯特恩。給我進來。

你都好嗎？

人生爛事不值一提。進來。

他在拖車前方房間內一張長滿黴菌的彈簧椅沙發坐下。這地方聞起來基本上全是敗朽的氣味。他環顧四周。天啊，他說。

博爾曼把獵槍立在角落在他對面一張破敗躺椅坐下把腳翹在一張塑膠腳凳上拿起酒瓶扭掉瓶蓋後把蓋子甩到房間另一頭。他喝了一大口後瞇起一隻眼睛使勁伸直手臂把酒瓶遞給威斯特恩。哇呼，他說。

我想你應該沒有玻璃杯吧。

玻璃杯在廚房。

威斯特恩準備起身。

我不認為你會想走去後面。

他再次坐下。

那光景可不好看。水槽堆滿碗盤而且如果想小便得去外面。

好。

我以前會直接把碗盤放在後院。反正總會有些什麼自己來把盤子清乾淨。然後那所謂的「有些什麼」開始把碗盤帶走。可能是頭熊吧，我不知道。

威斯特恩喝了口酒後把瓶子遞回去給他。博爾曼喝了一口。棕色的烈酒液在瓶子內翻騰。等他把瓶子放下時已經少了三分之一的酒而他的雙眼也已泛起水光。他擦擦嘴伸手把瓶子遞出去。見鬼了，威斯特

恩。這還不是我喝過最差的酒啦。來。

我先喝這樣。

你打算讓我像個普通酒鬼一樣獨自喝酒啊？

你就是個普通酒鬼。

你到底來這裡幹什麼？

你的家人在到處打聽你。紅仔不知道要怎麼跟他們說。也不知道你到底是死是活。比如說啦。

但他不肯自己來，是吧？

他說上次去找你是去加州的某個地方但你害他喝個爛醉還跟人打架最後入獄等他六天後終於回家後少了兩顆牙又染上淋病。

你見到他時幫我轉告，他就是個該死的大娘砲。

我一定轉告。

你知道他跟我說過什麼嗎？

不知道。他跟你說過什麼？

他說他在印度看到一個男人用他的屌喝了一杯牛奶。你相信嗎？

老天。

博爾曼喝酒。威斯特恩指向牆上。那是什麼？他說。

那是什麼？

在牆上那邊。那是什麼？

我不知道。看起來像是我吐在上面的東西乾掉了吧。這酒你確定不再來一輪？

不，謝了。這地方看起來糟透了。

我家女僕今天放假嘛。等等。**別**動。

什麼？

別動。

天啊，博爾曼。把那該死的東西放下。

博爾曼把酒瓶夾在兩膝之間從躺椅深處不知哪裡抓出一把手槍後瞄準威斯特恩的頭。

天可憐見啊，博爾曼。

別動。

拖車內的爆裂聲震耳欲聾。威斯特恩撲到地上。他用雙手抱住頭。他一直在耳鳴頭也撞到桌子。他用手摸了摸想看看有沒有流血。

你這瘋狂的渾蛋。到底見鬼的有什麼毛病？

騙到你了吧狗娘養的。見鬼了，威斯特恩。起來啦。

你瘋了嗎？

只是打害蟲而已。

威斯特恩起身望向身後的牆。拖車牆面上布滿一簇簇細小彈孔而且各處孔洞旁都有小小的棕色汙跡或斑點。他看著博爾曼。博爾曼正在壓下華瑟P 38手槍的擊錘。蟑螂啊，他說。這是戰爭，鮑比。我不留活口當戰俘的喔。天殺的站起來。見鬼了。你又**沒**受傷。

我的耳朵裡像是天殺的有人在**打小鼓**。

是嗎？我想我是習慣啦。

你**沒**有習慣。你是聾了。

真希望你有幫我帶一些SR 4756火藥粉和雷管來。我這裡有個李氏彈藥裝填組不知道放在哪裡。你可以用河沙來重新裝填。再用蠟封住啊。等那些狗娘養的發現我沒彈藥之後就會奪下這個地方。到時我可就得小心狼真的來啦。

你說等他們發現你沒彈藥之後。

對啊。

博爾曼？

我只剩一盒。而且是殺害蟲的。

博爾曼？

怎樣？

他們會來把你帶走。你明白嗎？

你覺得我大勢已去。

不然還能怎麼想？

你是個聰明的傢伙，威斯特恩。你真的覺得他們不是無論如何會來嗎？你說我們無法看透未來？我們不需要。未來就在這裡。我還有五盒一百八十入的步槍長鼻彈殼或許還有八盒獵槍彈殼。屋子底下有一桶五十五加侖的水和足以應付一場像樣圍攻的物資。乾燥水果。軍用C口糧。幾箱的MRE野戰口糧。這裡的地板有扇活門。我在拖車底下埋了個大桶子。功能有點像獵鴨子的隱蔽棚屋。周圍還堆滿石頭。是可以窺看周遭動靜的關鍵位置。

他喝酒。他看著威斯特恩。光榮地衝出決一死戰啊，鮑比。退無可退的選擇。也只能這樣。

威斯特恩已經從地板上起身並正用一根手指往耳朵裡面挖。你真是天殺的腦子壞掉。

博爾曼微笑。他喝酒。他突然傾身向前再次拿起手槍揮舞。別動，他說。

威斯特恩立刻撲上沙發趴下還用雙手蓋住耳朵。一陣子後他抬頭發現博爾曼正倒在躺椅上無聲地笑，肩膀不停抖動。

你真是個變態的渾蛋。你知道嗎？

喔天啊，博爾曼說，他笑到氣喘吁吁。

我問你件事。

好啊。

上次你見到人是什麼時候。

定義「人」。

就人啊。任何人類。

定義「人類」。

我是認真的。

我也是啊。

你在這裡多久了。

我不知道。六、八個月吧。

真的嗎？那你剛剛說的那些呢？

我剛剛說的哪些怎樣？

那些槍啊坑啊跟其他有的沒的。

沒啦。只是鬧你的，鮑比。嗯。至少一部分是。

外面那台小卡車是你的嗎？

對啊。

看起來已經見鬼的很久沒動過了。

沼澤對機械可不仁慈。

我不認為沼澤對你仁慈。

我過得還不差呀。

看起來很差。

這樣啊。

博爾曼我不認為你有搞懂。你沒有做出理智的判斷。這樣不能說是沒事。你根本見鬼的不能說沒事。

博爾曼想了一下接著往後斜斜坐在躺椅上望著天花板。他望著那些遭到殺害的美洲蟑螂乾屍。他喝了一口威士忌。為什麼我們不能只是坐在這裡喝點威士忌然後放鬆一下呢。閒扯些垃圾話就好了嘛。

你還有錢嗎？

博爾曼伸直一條腿好把手伸進口袋。有一點，鮑比。你需要買什麼嗎？

見鬼了，理查。我什麼都不需要。我只是想知道你是否沒事。

我沒事。

你要怎麼出門買日用品？

有個老傻瓜住在這條路過去兩英里的地方。他有車。我們會進城，然後等他喝個爛醉之後我再把他這老屁鬼載回來。

他又把威士忌遞給威斯特恩但威斯特恩搖搖頭。

見鬼了，鮑比。喝一點吧。你得放鬆點呀。一切都會沒事的。

威斯特恩接過瓶子喝了一口後遞回去。你確定你沒在這裡徹底變成白痴嗎？

我什麼都沒辦法確定。你能嗎？

大概不行。

你想知道我上次見到人是什麼時候。那我也可以問你上次沒見到任何人是什麼時候。你上次獨處又是什麼時候。就這樣看著天色變暗呀。看著天色變亮呀。想想你的人生呀。想你去過了哪些地方之後又要往哪裡去呀。又或者這一切的發生到底有沒有理由。

有理由嗎？

我認為若有理由那會是件需要再去探究的事。我的想法是所有人大概都是在決定要做什麼之後才編出理由。又或者是在不打算要做什麼之後。

他看著威斯特恩。

繼續說啊，威斯特恩說。

啊，博爾曼說。他把某個看不見的東西從肩膀上甩到身後然後舉起酒瓶喝酒。他坐著。你上次去諾克斯維爾是什麼時候。

不久之前。

諾克斯維爾，博爾曼說。真的是紅仔要你來這裡的？

對啊。

真是個好傢伙。我們老交情了。

那你要跟我回老家嗎？

博爾曼仔細看威士忌酒瓶上的標籤。沒這個打算，他說。

好吧。

我告訴你誰真的有來這裡找我。

誰。

油老大。

油老大？

就是油老大。

什麼時候。

一陣子之前的事了。我們有一起去鎮上買醉。

油老大死了，理查。

博爾曼坐著沒動。他彎身把酒瓶放到地上轉頭望向小小髒髒的窗外。該死，他說。

我很遺憾。

真是爛透了。

我知道。

發生了什麼事？

潛水意外。在委內瑞拉。

多久前的事？

幾個月前吧。

博爾曼搖搖頭。真是爛透了。

對啊。

該死我真不喜歡這樣。

他往前彎身把威士忌遞過去。威斯特恩猶豫了一下但博爾曼似乎鐵了心不把手收回去。他接過來喝了一口後遞回去。那狗娘養的是個好傢伙，博爾曼說。

對。

博爾曼用掌根壓住雙眼。你認識的人當中算不上渾蛋的人有多少？

不知道。有幾個吧。
是嗎？油老大大概是我唯一能想到的一個。就是順道一提。
嗯，這裡還有你我兩位。
博爾曼喝了口酒把酒瓶放在膝蓋上抓著瓶頸。見鬼了，威斯特恩。你甚至連個渾蛋都稱不上。
我還沒進展到那裡啊。
沒有。
只是個常見品種的垃圾。
我不知道。
總之還算不上狗娘養的。
不是。
也不是個討厭鬼。
博爾曼微笑。不是。你不是個討厭鬼。
不如來個什麼什麼鬼的描述吧。
我不知道。鬼之前得有個形容詞。
像是變態鬼。
對啊。像是變態鬼。可憐鬼、蠢鬼。
你覺得我是個蠢鬼？
我不知道你是哪種鬼。
但確實是某種鬼。
對啊。

你是變態鬼嗎？

有可能。是吧。

你最糟可以有多糟？

博爾曼想了一下。狗屎一樣的垃圾吧。那種無可救藥的屎。

完全看不起這世界。

完全。

待人處事從不道歉。

不會為了看不起這個世界道歉。

你是個狗娘養的傢伙嗎？

我嗎？百分之百。

毫無疑問啊。

毫無疑問喔。鍍金等級還附保證書。

所以才會跑來這裡嗎？

你的意思是神是因為我是個狗娘養的傢伙才把我送來沼澤這裡荒廢人生嗎？

對啊。

有可能吧。

你信神嗎？

見鬼，鮑比。誰知道啊。

如果有人罵另一個人就只是個鬼是不是代表他們已經放棄形容詞了？

「就只是個」也是一種形容詞。

高個子約翰也是狗娘養的嗎？
不是。他太可悲了。
他是變態鬼嗎？
這樣說好了。如果你在字典裡找變態鬼就會找到他的照片。該死油老大的事真讓我心煩。
要進城嗎？一起去吃點東西？
或許吧。沒什麼不好。
他把最後一點威士忌喝完伸手從躺椅下抽出一雙紅藍配色的保齡球鞋鞋跟後方有個數字9。
那是什麼？
鞋。
你只有這雙嗎？
可以嗎？
可以吧。你的普通鞋子呢？
有雙靴子。很不錯的Tony Lama牌靴子。我只能猜測那雙靴子大概在某個地方的保齡球館吧。
我不知道你打保齡球。
我也不知道。準備走了嗎？
他們走到外面站著望向博爾曼的小卡車。以一個剛剛幾乎喝完一夸　威士忌的人來說博爾曼幾乎沒有精神委靡的問題。
油泵壞了但我還是一直發動最後從化油器逆火結果發動齒輪有一半都壞了。
不會飛輪也壞了吧。
沒有，感謝老天。我把啟動馬達拔下來。就放在那邊的地上。

我們可以帶進城裡重新組裝起來。不會花太多錢。
最好是。那你要怎麼處理這些輪胎呀？
威斯特恩看著那些輪胎。也是啦，他說。
管他去死，鮑比。就讓這狗娘養的待在這裡吧。我總有一天會把這傢伙搞到可以開。
好吧。準備走了嗎？
最好是。你可能是想把我騙去賣。
會帶你回來啦。見鬼了，博爾曼。我才不在乎你躺在這裡等死。
講話紳士一點嘛。好啦。讓我鎖個門。
鎖門？
對啊。
好吧。
博爾曼環顧四周。世界上最後一隻象牙喙啄木鳥就死在這附近某處。大概三十年前吧。我還是會聽聽看有沒有牠們的叫聲。很沒道理吧？明明牠們已經永遠消失了。
我不知道你有在賞鳥。
我沒有。我觀賞的是永遠。
永遠是很長一段時間。
還用你說嗎。我會做奇怪的夢，老兄。我有時會夢到動物牠們會像法官一樣穿著長袍然後努力想決定該拿我這臭傢伙怎麼辦。在夢中我不知道我到底幹了什麼好事。只知道我確實幹了。你或許是對的。我可能需要離開這裡。
他們去了第四街的咖啡館吃了丁骨牛排還有烤馬鈴薯和熱的脆皮蘋果派搭配香草冰淇淋。博爾曼走向櫃台拿著兩根雪茄回來坐下把其中一根遞給威斯特恩。威斯特恩微笑著搖搖頭。

去你的，博爾曼。是要幫我們這些俗人多留點是吧。你是怎樣？現在成為某種美學家嗎？

你想說的是禁慾主義者[149]吧。

隨便啦。

我從沒抽過雪茄。你想到的是高個子約翰吧。

是啦。我有時候會把你們搞混。他會把雪茄尾端咬下吐掉然後點燃雪茄把火柴揮熄再把這好傢伙放在菸灰缸上。然後他往後靠，吐出煙。我真討厭這座天殺的小鎮。

那去別的地方。

最好是。好像我可以回那該死的麥克明維爾一樣。

去別的地方啊。世界這麼大。

對啦。世界這麼大但你還是走到掉下去。我在某個地方讀過如果在木星或其他地方擁有一台夠強力望遠鏡就可以看見自己的後腦勺。真的嗎？

我不知道。可能吧。那裡重力很強所以可能把光線彎曲到那個程度。理論上我覺得有可能是真的。但當然你也會因此無法舉起望遠鏡因為重量會有五百磅。你也沒辦法站好或呼吸或做任何其他事。大概只要一往下看眼球就會直接從眼窩掉出來像兩顆雞蛋一樣在地面碎掉。

你很喜歡這些有的沒的鬼話，是吧？

威斯特恩聳聳肩。很有趣啊。我以前可擅長了。

是嗎？我以前是個很不賴的球員。表現中等啊。去過小聯盟。就一年。我知道我永遠不可能參加選秀

149 美學家是aesthetic，禁慾主義者是Ascetic。

所以就算了。你知道油老大以前吹單簧管嗎？

我還真知道。

真是有夠詭異。

真是料不到。

所有人都是天殺的謎。你知道嗎？

威斯特恩小口啜飲咖啡。這或許是我唯一知道的事。

你還玩音樂嗎？

沒有。

我本來以為你會繼續。

玩音樂？

對啊。

因為？

就是這麼以為。

你覺得那不是男人該做的事。

你知道我沒那麼想。我有天晚上看到你在威賽得旅店表演。

威斯特恩微笑。我可不記得有給你留下這麼大的創傷。

或許也沒有啦。可是我記得你在很多人都可能無法振作的情況下重新站起來了呀。

只是愚勇而已。

總之，大多時候你就是個該死的謎團。

我是。

是啦。你這傢伙。

薛登就是這樣說的。

好吧。說不定薛登能搞清楚。

而你搞不清楚。

見鬼了，鮑比。我提供的娛樂比你們十個人加起來還要多。像你這麼古板的傢伙我真不明白怎麼可能認識這些瘋狂的渾蛋就算只認識其中的一半我都很驚訝。要啤酒嗎？

好啊。

你得抽這支雪茄。

拿過來吧。

博爾曼把雪茄遞給他然後舉起一隻手叫女服務生過來。

不是教育背景的關係。薛登也受過很好的教育。是天殺的好，真要講的話。可是你有一些事情對他或我來說都不像是真的。對紅仔來說也是。

例如呢。

可能就是人們會在背後說你的一些事情但他們不會當面對你說。

是壞話嗎？

不是。就是一些覺得你應該就是這樣的猜測。你覺得有可能從自己身上得知有關自己的一切嗎？

不。我不這麼想。

女服務生把啤酒拿來。威斯特恩從菸灰缸上拿起紙板火柴點燃雪茄。他揮動火柴熄掉火。你不覺得有人會在高個子約翰背後議論他嗎？

不太有。我想大多時候他們總是迫不及待地把這些流言告訴他。

給我個例子吧。

什麼例子。

誰說過我什麼啊。不用在乎我的感受。

見鬼了，鮑比。我該死的才不在乎你的感受。

我們是怎麼聊起這個話題的？

不知道。

是因為你覺得我們不會再見面了嗎？

我沒這麼想。好吧。來講一個。他們說你會走出淋浴間才尿尿。

這有那麼糟嗎？

我沒說很糟。

這是誰說的？

我說的。

你為什麼不打電話給你媽？

我沒有電話。

後面的廁所旁有台付費電話。

我之後會打給她，鮑比。

我倒希望我能打給我媽。

我是末路派[150]，鮑比。我一直是。說不定以前我只是不知道。

你覺得未來有什麼？

博爾曼搖搖頭。

嗯？

你最近有好好環顧四周嗎？小伙子？你覺得什麼快到了？耶誕節？你甚至已經雇用不到葬禮主持人了。再過不用多久他們就會想出直接把你死後溶解的方式。你的大腦會直接停止運作只剩一雙鞋子和一些髒衣服堆在人行道上。

你讓我吃驚。這是你人生走到末路時的遺言嗎？

或許吧。但也可能不是。老得太快又太晚變聰明。很多事沒遇到不會懂。你有一次跟我說或許道路的盡頭跟道路本身毫無關係。說不定盡頭甚至不知道曾有路的存在。準備走了嗎？

威斯特恩喝光啤酒把正在燃燒的雪茄放在菸灰缸上。他拿起找回的零錢留下小費後站起來。

他們走出店外站在人行道邊。你走吧，博爾曼說。我沒要回去呀。

要我晚一點回來接你嗎？

不了。這樣就行。我要去見我的喪夫女啊。

是認真的關係嗎？

不太算。她是那種你可能會覺得有點老的那種女人。可是她令人愉快。隨時都能老派地大幹一場。

她幾歲？

七十三。

該死，博爾曼。

博爾曼咧齒一笑。只是鬧你的啦，鮑比。我不知道她幾歲。四十吧，我猜。**紅頭髮**。個性比蛇**還狠毒**呀。

150「middle-of-the-roader」是指走中間路線的人，這裡的「end of the roader」是諧擬這個常用的詞彙。

他用上下排牙齒夾住雪茄沿著街道往遠方望去。伸手搔抓他的鬍鬚。我很感謝你來這裡呀，鮑比。跟那個狗屌傢伙說我還活著而且還是很瘋。

問你件事。

問吧。

要是你遇到麻煩時手上只有兩個二十五美分硬幣。你會打電話給我還是薛登？

是啦。你說得有道理。

你要怎麼回拖車？

她有車。

那之後呢？

之後就沒事啦。

你打算怎麼買日用品？

她會幫我準備一些東西。

我可以給你一點錢。

你確定？

確定啊。

好吧。真不好意思。

威斯特恩出抽兩百元鈔票遞給他。

謝啦鮑比。

你之後有什麼打算？

不知道。就等吧。

等什麼？

不知道。

什麼時候會知道？

該知道就會知道了。

你知道嗎，我**不**覺得我可以過你這種生活。

是啦。嗯，等你非這麼做不可就知道了。

薛登說他大概一年前有在紐奧良看見你身邊有個很高大的女孩。那是她嗎？

不是。那是潔姬。

她怎麼了？

天氣變熱我只好放棄她。畢竟她的屁股有一整根斧頭柄那麼寬。而且只要她心情不對勁了就會變成一隻吸了**天使塵**的**鬥牛犬**。

所以她是哪裡吸引你。

她是個有趣的女人。而且在我認識的女人當中擁有頂尖口交技巧這點實在也**沒**什麼壞處。不過她是真的有趣。你總是**無**法預測她會做出什麼事呀。我喜歡女人這樣。她有天晚上在波本街的電話亭幫我吹老二。就是那種腰部以上全是玻璃的那種亭子知道嗎？我得假裝正在講電話。人們就在旁邊走來走去。然後我想這到底是在搞什麼鬼啊。所以我打電話給約翰·薛登說有人正在電話亭幫我吹老二。

你是不會把我介紹給對方認識了吧。

介紹給我那位喪夫女嗎？不會。

她七十三歲了？

沒啦。我覺得她甚至還**沒**四十歲。我只是想混淆你的視聽。你把我跟傑瑞·莫晨特搞混啦。如果對方沒在拿社會安全退休保險金他甚至提不起興致。有一次我跟他一起住在拿破崙旅店時就撞見某人的奶奶跟他一起窩在床上。她想把被子拉起來蓋住可是他卻全拉到地上然後站在旁邊嘻皮笑臉呀。她看起來天殺的像是被泥沼保存了幾千年的木乃伊。她用雙手遮住臉。就好像這樣做能有什麼幫助。我甚至不想去想像她經歷了哪些他所偏好的性羞辱呀。當然啦我愈是努力不去想就愈是想。你自己保重，鮑比。

你也是。

他看著他沿街離去。穿著他的保齡球鞋大步邁進。整個人又髒又不正經又姿態輕快。等他走到轉角時威斯特恩以為他會回頭揮手之類的但他沒有。他轉向一條名為「Rue Principale Quest」[151]的街道後消失。威斯特恩走回他的卡車上車掉頭往紐奧良的方向行駛。

151　在拉法葉這裡並沒有「Rue Principale Quest」這樣一條街，可是有「Main Street West」，而這條街的法文是「Rue Principale Ouest」，所以或許是改寫自此。

七

她的書還翻開放在毯子上就睡著了可是她一定是有在半夜醒來把檯燈關掉。等她再次醒來時窗外的天色正顯出淡白色而小子正坐在她的書桌前看書。她坐起身把頭髮往後撥。你在讀什麼？她說。

新數據。把你的袍子穿好好嗎？天啊。

她把袍子拉緊。

很高興你醒來了。發生了一些事。我們接收到一個訊號。四號頻道。我們剛收到這個。背後有些奇怪的歷史。

什麼東西？

小子往房內指了一下。她轉頭望過去。屋簷下站著兩個戴著防水帽的男人。他們之間的地板上有個裝有黃銅邊條的蒸氣船行李箱。

他們是誰？

挺有趣的。我們不知道我們眼前看到的是多久遠以前的物品。那其實放在船艙內的深處天曉得曾經去過什麼地方。好了兩位。

他們準備把行李箱的綁帶解開。還有那些沉重的黃銅扣。黃銅扣上的所有部件都布滿厚厚的銅鏽。這個大行李箱是側邊著地所以也是橫向打開，像一本書。有個矮小的男人走出來伸展身體然後搖動身體把一隻手放在後頸將頭緩緩地往一邊推過去接著是另一邊。他後退採取拳擊手姿態迅速丟出一連串刺拳。然後他往前踩一步站好，嘴巴木然地不停發出咂咂聲。就好像在嚼口香糖。

行李箱內襯是種類似渦紋花呢的材質住在裡面那個人身上的小套裝看起來也是同樣布料，包括外套和長褲，還有配成一整套的背心和帽子。他綁著一條黃色領巾並配戴一根銀色錶鏈而且鏈子上掛著許多小獎章——聖牌、學校獎牌，還有**銀圓版本**的米拉格羅斯護身符[152]。另外有塊上面有牛奶公司名字的小徽章牌。她把身上的袍子綁緊傾身往前想把他看得更清楚。他看起來是個假人。木頭製的。嘴巴開合時會喀喀作響而雙眼像玻璃一樣發亮。他蹲下再次舉起雙拳然後往後站露出那木然的微笑。

我們**沒**有程式，小子說。他的外套後方有一些插孔。一個存取面板。但**不**知道少了什麼。我想你可能會想瞧一瞧。他有一種像是手工製作的質感。

你要我做什麼？

不知道。問他一些問題吧。我會坐在這裡做點筆記。

哪種問題？

問他的名字。

那個人偶身體靠著打開的行李箱並把一隻腳踩在另一隻腳前面。他看起來很自大而且散發出輕微的危險氣息。

你叫什麼名字？她說。

普登坦。再問一次只會得到一樣的答案。

你叫什麼名字？

普登坦。再問一次……

好了，小子說。我想我們已經知道了。

他的錶鏈上掛的那些是什麼？

世界的樵夫。聖母無染原罪。斐陶斐榮譽學會鑰匙勳章。八成都是從當鋪搞來的。

他一直盯著我看。

他一直盯著你看？沒錯。

他是個假人。

我知道。他看起來很眼熟。

她爬下床後盤腿坐在地上。或許還是不要太靠近比較好，小子說。

我覺得他不喜歡我。

所以呢？我以為你打算問他一些問題。

你從哪裡來？她說。

假人歪頭。他看著小子。這個火辣婊子是誰？

小子用鰭遮住嘴小聲說。這可能是一個私人顧問程式。意見很多啦。但不代表有腦子。

去死，假人說。

他很沒禮貌。

你有話為何不直接對著我說啊？金髮妹。

世界的樵夫是誰？

誰知道？小子說。跟樹有關吧。

那是個兄弟互助會，假人說。你看起來跟腦麻患者一樣蠢。

他的頭上有螺絲。看起來像是用螺絲拼湊固定起來的。或許經歷過什麼意外之類的。

可能曾被某個頑皮小鬼逮到。

152 米拉格羅斯護身符（Milagros）是在墨西哥、美國南部，或拉丁美洲一些地方人們會使用的一種民間信仰護身符。

說不定是跟人打架。

答對囉，假人說。他上下晃動身體迂迴前進揮出一個上鉤拳後又回到咀嚼的動作。咂啦、咂啦、咂啦。

他看起來是在等什麼。

等你啊，笨奶妹。

他的帽子會掉下來嗎？

不知道。很可能是釘住的。我覺得你不該靠太近。

我沒打算。

賭你不敢，假人說。

你很常旅行嗎？

當然。

都去什麼樣的地方？

當然。

說不定他撞到頭了，小子說。

行李箱裡還有什麼？

我不知道。可能是顆鋰電池吧。或變壓器。甚至可能是比較小巧精細的東西像是安定器驅動的發電機。

你在行李箱裡做什麼？她問。

我做什麼？我天殺的什麼也不做。你以為我會做什麼？就是到世界各地自慰沒什麼其他可說。畢竟能有什麼時間出來？

你覺得他的解剖學結構正確嗎？

當然，假人說。樺木睪丸和發條屌。

她看著小子。我**不**知道拿他怎麼辦。

或許我們該把這些錄下來。

你對他一**無**所知？

除了不知道他是誰從哪裡來或他打算做什麼之外我想我們大致上掌握了所有資訊。行李箱上有**水漬**代表經歷過一場海上的災難迷航。**不**確定那顆胡桃木製的頭是否有在旅程中慘遭沒頂。可能有一或兩條電路遭到損害吧。問他些別的事。

敢問就來啊，假人說。

他有一種南方口音。你幾歲？

不知。文件在運送途中遺失。

你會講任何其他語言嗎？

當然。**雙荷蘭語**和**洋涇拉丁**。我會彈**十二弦**薩泰里琴和病理里拉琴而且還能用四個八度放屁。那你呢？**杜威抽屜大人**[153]？

你懂數學嗎？

我可以不重複地往前數也可以不重新開始地往後數。找個時間試試。

你能解決問題嗎？

當然可以。你呢？**蜜桃絨毛寶**？

153 這裡的Deweydrawers可能是用杜威圖書分類法改寫而來，並藉此諷刺對方是書呆子。

她轉向小子。行李箱上寫什麼？

什麼上面寫什麼？

行李箱上有張貼紙。

對啦。上面寫西聯電報的後裔。

後裔？

財產。西聯電報的財產[154]。

那兩個穿防水衣的小伙子站在旁邊等。他們的海靴周遭各累積了一灘水。

你是怎麼獲得那套西裝的？她說。

這是我的西裝。你問我是怎麼獲得是什麼鬼意思？我一開始就穿著。

算了，小子說。他把筆記本闔上。管他去死。根本贏不了他們啊。把這個怪裡怪氣的東西裝回去。

他們往前踏一步後稍微傾斜行李箱其中一個人抱起假人。

克蘭德爾？她說。

他們停止動作。他們看向她然後又看向小子。

把那個東西裝回去。

克蘭德爾？是你嗎？

這女人是怎麼回事？

克蘭德爾，是我啊。我是小艾莉。我長大了。

而鮑伯還是你該死可惡的叔叔呢。讓我離開這裡。耶穌基督啊。

我很抱歉，克蘭德爾。別走。拜託。

那兩個裝卸工等著。他們看著小子。

這套西裝是我奶奶做的。是用樓上浴室的舊窗簾做的。她甚至連帽子也做了。

拜託來個人告訴我這個傻婊子到底在胡說什麼好嗎？

拜託**別**走。

旅行過七座該死的海就為了這個？耶穌基督啊。

好了，小子說。他媽的。好好執行程式。我**不**是說過了嗎？就叫你好好執行程式？有這麼天殺的難嗎？去死吧。把他給我搬出去。

154 小子把財產（Property）看成後裔（Progeny）。

他在自己常去的酒吧遇到那個高個子他身體往後癱倒在椅子上交叉的雙腿往前伸得好長。那頂帽子歪歪地蓋住他的一隻眼睛。嘴裡則用牙齒咬著一根麥克紐杜菲利浦王子雪茄。他幾乎沒有抬眼看他。

坐下吧，他說。別說俏皮話啊。我心情很差。

又這樣？

我猜你已經感受這股趨勢囉。別回答啊。

靴子不錯。

約翰仔細觀察那雙靴子。外表會騙人。這雙其實不合腳但穿久才知道。是斯卡平和佛特．沃斯之子他們家的鞋子。他們有我的腳型資料。你喝什麼？

不喝，謝謝你。

來杯咖啡。

不用。

隨你吧。

沒問題。你住哪裡？

你可以在伯克和海爾[155]旅店找到我。那間旅店適合一文不明的紳士。

我一、兩天前見到一位老朋友他有問起你。

薛登把用牙齒咬住的雪茄取下仔細檢視。年紀不可能太大不然應該已經進墳墓了。

博爾曼。

我以為他是已經進墳墓的老朋友呢。他還跟賈桂琳女士在一起嗎？

不。他為了一個新女伴甩了她還把對方稱為他的喪夫女。

哎呀。她要取代這位置可不容易。更別說追上前任的穿衣風格。上次我看見賈桂琳女士時她已經把所有衣物移出屋外披上防水布。就放在簷廊下。整件事會讓你回想起一堆寧可沒見過的畫面。她那圓凸凸的臀部在沿街走遠時不停搖晃像是帶著一袋貓往河邊去。那畫面真是讓人不忍回想。她的身體在像是帳篷一樣的睡衣底下扭舞。彷彿正在努力找路回到布幕後方的演員。不但氣喘吁吁。找到時還哭天搶地。那種大無畏的精神真會讓你停止呼吸。坐下吧，閣下，看在老天的份上。

威斯特恩坐下。這就是你為何心神恍惚嗎？

不是。塔爾莎離開我了。

我很遺憾。

拔營潛逃。溜之大吉。真的很難一直討女人開心啊，閣下。她們真是愈來愈難伺候。你本來以為已經像個真男人一樣好好在床上幹過她們了但那也只是開始而已。老天。男人總是在不停自掘墳墓。到了某個年紀你會幻想自己的層次早已超越這些鳥事但又有些時候覺得沒有。你在尋找的到底是什麼？不是優雅或救贖如果想像是愛那更是言語難以描述的鬧劇。古人宣稱真理可以在葡萄[156]中找到。天曉得我還真找過了。我想男人一旦厭倦了女人的屄就表示厭倦了人生但我想這些婊子很可能已讓我淪落至此。天啊但我們真蠢。而且還是為了這種像是跟早晨牛奶一起送過來贈品。克勞利就會這樣說。天啊。我為什麼要問你這種事？

我不知道。

薛登抽了口雪茄。他搖搖頭。女人其實也沒那麼性感。是好看啦但好看得很奇怪。門牙長得像侏儸紀貓。男人不該無視這種奇怪的地方。

---

155 柏克與海爾（Burke and Hare）也是一八二八年發生在蘇格蘭愛丁堡的一件著名謀殺案。

156 應該是指葡萄酒。

更新世。

什麼？

更新世才對。更新世貓。

對啦，哎呀。給我找個能押頭韻的名字吧。

他用手指撐著玻璃杯底緩慢旋轉。**冰塊**始終指向正北。愈甜美的事物愈致命，閣下。喔，你確實偶爾能找到一個顯露本色的女人。就某種程度而言甚至令人耳目一新。這樣的婊子全副武裝，跟你公平對戰一切公開透明。她們會把男人的陰囊乾燥後用電線掛在床尾踏腳板上。但其他這些女人啊。那些嬌羞的微笑還有低垂的眼神。天啊。真是饒了我吧。

我們向來殷勤的紳士是怎麼啦，約翰？這畫面太陰森了吧。

我跟你說了。我現在心情不好。當然我心底清楚憂傷能帶來的智慧比快樂多。所以或許你能明白為何我討厭別人說我憤世嫉俗。

說說看。

跟實際情況不符嘛。最常跟憤世嫉俗連結在一起的形容詞是什麼？

我不知道。小氣？

對。但不是啊。我根本就不憤世嫉俗也天殺的確定我付出感情時一點也不小氣。哎呀，去他的。總之，你可以挖苦地抱怨所謂公平性愛但仍心懷怨恨地愛慕對方。我甚至願意宣稱如果你從沒深刻考慮過殺掉一個女人大概就沒有真的愛過。你等等晚上要做什麼？

我不知道。為什麼問？

我想或許我們可以一起支解一對甲殼類生物。搭配冰涼的蒙哈榭白酒下肚。還同時暢談人生百態。

就這麼辦。

我想還是先不要好了。

我有一些新的塑膠貨幣可以買單喔。

你真好。可是我累了你情緒也情緒不佳。

悉聽尊便，閣下。不過一頓好餐點確實能對一個人的心情起奇效。

我很驚訝你能這樣自由行動。你不是應該要時不時向假釋官報到嗎？

我有在處理。

茱蒂還在幫你的忙嗎？

沒有。我不得不和她終止合作。

不得不和她終止合作？

對。

你開除她了？

對。

可是她提供的是免費辯護服務。

老天在上啊，閣下。難道這就代表絕對不能解雇她嗎？我都已經不得不親自出手解決問題了。

什麼意思？你要為自己辯護？

我想可以這麼說吧。我正在花錢買通法官。有趣的是他們還讓我分期付款呢。當然啦，承蒙代收回扣者的幫忙。法官大人會先從他手上拿到預付款。我喜歡這種簡潔明瞭的作法。我始終不明白為何正義不該有價。或許是該加入一個合理的信貸計畫才對。正義到底有什麼特別？

你現在就很憤世嫉俗。

一丁點都沒有喔。

你覺得我很天真。

我**沒**有覺得你很天真。你本來就很天真。並不是我對這件事的理解讓情況變成如此。你何**不**來杯咖啡？

好吧。

薛登點了一杯咖啡以及再一杯琴通寧。男服務生點點頭後離開。

你覺得她逃之夭夭後不可能回來了？

塔爾莎啊。

對。

可能利大於弊吧。Quién sabe[157]。我曾和一個女孩求婚。在一間餐廳裡。

然後呢？

然後她拿起皮包離開。

就這樣？

就這樣。

真是個奇怪的故事。

我也覺得。那樣的一個夜晚會讓你**失去結構**[158]。

失去結構？

對。

你是認真的嗎？

你說求婚嗎？

對。

是認真的。當然。
你認識她多久？
我不知道。兩、三天吧。
你是在開玩笑吧。
哎呀不知道啦，閣下。可能一年吧。
你當時覺得她會答應？
是啊。聽起來更蠢了吧。
我認識她嗎？
不認識。那是在加州的事。你當時在歐洲。
我想你是突然發現她擁有一種你之前從沒想過存在的智慧。
真殘忍，閣下。但確實有一定程度的道理。我意識到她雖然覺得跟我相處愉快但還有其他人生規畫。
你還有聽說她的後續發展嗎？
有。她是約翰．霍普金斯醫院的心臟外科醫生。
你說真的？
百分之百實話。
真有趣。
男服務生把他們的飲料拿來。來吧，約翰說。敬酒祝你健康。

157 西班牙文：誰知道呢？
158 失去結構是一個不存在的動詞，以un + structure的組合來翻譯。

也敬你。

我們並沒有穿越每個日子前進，閣下。是那些日子穿越我們。直到棘輪裝置最終殘酷地遭到扭轉關上。

我不確定我明白差別在哪。

時間的逝去就證明了你的逝去。而最後就是一無所有。我想令人安慰的是明白一個人無法永遠死著因為沒有可以讓人一直死著的永遠存在。好吧。我看見你的表情了。我知道你覺得我困陷在某種認知泥沼裡也確定你會認為相信世界在我消失後跟著消失是一種極端的唯我論。但我沒有其他理解的方式。

我只是不確定這種觀點可以改變什麼。

我知道。可是我跟下一個上場的小子一樣可以聽見命運的骰子喀噠響。所以到了最後沒有任何可以認識的事物也沒有去認識的人。

到了最後是這樣。沒錯。

我們已經抓不住溜走的你了嗎？約翰？

薛登微笑。他啜飲他的酒。我不認為。就算這世上所有新聞都是謊言也不代表有某種違反事實的真相足以讓新聞成為謊言。

我想我會同意。不過這種說法確實散發一種厭世氛圍。很希臘人的思想吧，我猜。

我想是吧。當然可能源自更樸實的背景啦。

像是我們的苔溪社區囉。

之類的。你有想過這就像是在多年後遇見一個認識很久的人嗎？就像重新認識對方一次。你相信如果不認識他們的過往歷史會讓他們成為跟之前很不一樣的人。

對。

那跟你第一次遇見他們有什麼不同？

不是這樣的。我們討論的是他們現在的樣子。只是他們有一段我們不知道的過往。

我不明白。

就不談這個了。再來杯咖啡如何？

我得走了。

那就帶著我的祝福離開吧，Viejo[159]。真是個古怪的地方啊，我說這世界。一陣子前我人在諾克斯維爾當時有個酒鬼被巴士撞到。有人把他抬到人行道上後他就躺在那裡但人們幾乎只是站在一旁圍觀。就在蓋伊街上。S＆W餐廳前面。有人去打電話了。我彎腰問他還好嗎。拜託天殺的他一定不好啦。畢竟他剛剛才被一台巴士輾過。他張開眼睛往上望向我說：我的命數已盡。老天啊。我的命數已盡？救護車來把他帶走我在報紙上仔細找了好幾天卻找不到任何跟這起事件有關的消息。

或許他是被派來帶消息給你的。

或許吧。人生短暫。及時行樂。

又或許就是小心巴士吧。

薛登小口喝酒然後把杯子放回桌上。巴士啊，他說。

我得走了。

朋友總是要你小心。要你保重。但有可能你愈是這麼做就愈是暴露在危險中。或許你只是需要把自己交託給你的天使。我甚至可能開始禱告，閣下。我不確定要對誰禱告。但這麼做有可能稍微減輕我在肩膀上感受到的重擔，你覺得呢？

做你想做的就好。

---

159 西班牙文：老友。

他喝光剩下的咖啡後站起來。街燈已經開始打在波本街上。之前下過雨所以月光如同白金排水孔蓋鋪在潮濕的街上。保重，約翰。

你也是，閣下。啊我剛剛才建議別這麼說是吧？

——

他睡不著。他開始整天在法國區到處漫遊那時是搶匪接管街道之前所以還能這樣悠晃的最後幾年。他不知道拿她的那些信怎麼辦。他沒去找克萊恩處理隨身證件的事。他不太相信那樣做有幫助。盧在酒吧留言給他但他沒有回去工作。珍妮絲看著他來來去去。紅仔在阿根廷。他去了里奧加耶戈斯。那個大風會吹翻草坪家具還有死貓掛在電燈纜線上的地方。他在酒吧見到瓦洛夫斯基一、兩次。某天早上在法國區邊緣的一間咖啡館見到一個他好像認識的人。

韋伯，他說。是你嗎？

韋伯轉過來望向他。

我是鮑比．威斯特恩。

見鬼了，鮑比。我認得你。你都好嗎？

還不錯。

現在在做什麼啊？

沒做什麼。你呢？

跟你差不多。

還在做卡車跟車的工作嗎？

沒。一年前辭了。腳搞爛啦。有一次沒在人行道邊踩好結果扭到之類的。後來狀態就一直很不對勁。最後還是辭職了。不過還算公平合理。我有從市政府那裡拿到一點錢。

是很不錯的工作。

就像我們之前老是說的一樣。一週一百美金還能吃到飽呢。

威斯特恩點了咖啡後櫃檯的人轉身去做。

你身上不會剛好有菸吧鮑比？

沒有。我不抽菸。

沒關係。

我幫你買一包吧。

見鬼了，鮑比。沒關係的。

你抽什麼？

駱駝牌。無濾嘴。

威斯特恩走到櫃檯尾端的香菸販賣機投入三個二十五美分硬幣後拉動把手。一包香菸跟找回的零錢一起滑進底下托盤。他拿了份報紙走回去把香菸放在櫃檯上。韋伯點點頭拿起那包菸。謝啦，鮑比。你心地真好。

不客氣。

我一直努力想戒掉這些東西。但不確定能做得到。你沒抽過菸？

沒喔。

我確實戒酒了啦。就是直接不喝了。但我想這東西裡頭一定有海洛因。

喝酒有造成問題嗎？

我不知道。但我猜我得說確實有。我會在陌生的地方醒來。有一次我在別人停在路邊的車裡醒來，我心想，哎呀，要是醒來時發現自己已經死了怎麼辦？我有點因此醒悟。我是說，如果酒醉時死掉你覺得會在見到耶穌前酒醒嗎？

好問題。我不知道。

我想過那個畫面。就是站在耶穌面前卻醉醺醺的樣子。不知道耶穌會說什麼。真是見鬼了，你怎麼想？

我猜我不覺得靈魂會喝醉。

韋伯想了一下。哎呀，他說。你的靈魂或許真的不會醉。

他點燃香菸又用吐出的煙吹熄火柴。威斯特恩把報紙攤開看了一眼。他望向韋伯。你有過別人在追你的感覺嗎？

韋伯把火柴丟進菸灰缸。火柴冒出輕緩的煙。我不知道，他說。我結過一次婚。那算嗎？

我想不算。

為什麼問？你覺得有人在追你嗎？

我不知道。我可能只是想知道大多數人有沒有這種感覺。

毫無來由的嗎？

對啊。

韋伯抽了一口菸。他就跟大多數人一樣喜歡有人問他意見。我有個叔叔之前是大家都認證的狠腳色。連人家燒燙的爐子都偷那種。除非話題跟竊盜罪有關不然他連話都不肯跟你說。總之，他們總是有人追著他屁股後面跑可是我看不出他有多困擾。

他有坐過牢嗎？

當然有。不過我也看不出他有為此感到困擾。我這輩子進過監獄一次。就一次。酒醉加上擾亂治安。

我要告訴你呀，鮑比，我可不想再坐一次牢。

他最後怎麼了？

結果擊垮他的是糖分。還為此沒了條腿。最後淪落到德州的休斯頓當警衛。那份工作做了大概三週後幾個墨西哥人從天窗闖進來朝他的雙眼中間開槍。我不知道這說明了什麼。

說明人生很奇怪。

完全沒錯。可是我要說某些人的人生還是比其他人更奇怪。

或許只是說明你必須為你的行為付出代價。

我相信這句話沒問題。絕對是。

不過我認為有些人付出的代價遠比他們虧欠的還多。

你是在說你自己呀？鮑比。

不知道。可是我想知道是誰負責記錄這筆帳。

阿門。

威斯特恩把他的咖啡喝完。很高興見到你，韋伯。你多保重。

你也是，鮑比。

他走到外面的街上。他好希望自己剛剛有給他一些錢但不知道怎麼給。

週五時他走進銀行在大理石櫃檯上填寫了一張兩百美金的支票遞給窗口。出納員把支票放進機器凹槽中後按下幾個數字。接著靜靜坐了一下子。然後他望向威斯特恩。

我很抱歉，他說。這個帳戶被凍結了。

凍結？

對。

哪種凍結？

被國稅局查封。

什麼時候？

他再次望向眼前的機器。三月三日。我很抱歉。

他把支票放在錢箱上方推回來。威斯特恩看著那些數字。

我再也沒辦法把錢提領出來。

恐怕是不行。我很抱歉。

他越過大廳準備往銀行外的街上走。但走到門口時停住腳步。然後他轉身回來。

他簽了保險箱的登記表後和警衛官一起走進地下儲藏間。警衛官接過威斯特恩的鑰匙但走到標記有相對應數字的保險箱前時有條膠帶斜貼在上面膠帶上還寫了一些文字和數字。他回頭面向威斯特恩。我很抱歉，他說。你箱子裡的東西已遭到國稅局查封。

這種事很常發生嗎？

不是很常。

他們這麼做不需要法院命令嗎？

我想是不需要，先生。

他們總得拿到些什麼才能這樣做吧。

據我所知不用。如果你想要的話可以跟銀行的某位長官談談看。

沒關係。

他重新回到聖菲利浦街後去了酒吧坐下喝可樂。酒吧幾乎沒人。羅希看著他。

我喜歡看你思考，她說。

威斯特恩微笑著搖搖頭。在這裡可看不到。

她把玻璃杯在酒吧後方的架子上疊起來。別讓那些狗雜種欺負你。

我可能得搬去科斯比。

嗯。他們不會去科斯比。

沒錯。他們不會去科斯比。絕對沒錯。

就連聯邦調查局都不會追去科斯比。

國際刑警組織不會去田納西州的科斯比。蘇聯的內務人民委員部也不會去。

這麼好的事你可別忘啦。

他一邊微笑一邊用手扶住吧台將自己推下高腳椅然後舉起一隻手走出去。他沿著德卡圖街走然後伸手招了一台計程車。他坐在酒吧裡時腦中閃過一個更可怕的想法。

他還走在小通道時就已經看見他的儲物間門上有把閃亮的大掛鎖。查克一邊剔牙一邊從辦公室走出來。進來吧，他說。

他在辦公桌前坐下看著威斯特恩。我有試圖打電話找你。可是一直接不通。

對啦。我搬家了。

我實在無能為力。

我知道。你這裡幾點關門？

查克用手指輕點辦公室桌面。你有看那張通知嗎？他說。

沒有。

可能該看一下。上面提到遭到美國政府扣押之類的。是該看一下。

好吧。就當作我看過了吧。

那台車是美國政府的財產了，鮑比。如果嘗試盜用你這臭傢伙就要進監獄啦。這就是為什麼那台車還在這裡。我不知道他們跟你之間出了什麼問題可是我跟他們交手過。他們根本不在乎那台車。他們想搞的是你。你或許得想想這件事。

威斯特恩看向門外。查克的身體在辦公椅上輕輕往旁邊旋轉。然後他又轉回來。你欠他們多少？

我什麼都沒欠他們。

嗯。總之。我跟這些狗娘養的近身搏擊過。如果只是未繳款項或甚至尚未提出一些文件那他們其實沒辦法把你怎麼樣。可是如果你犯下重罪又被他們掌握到痛處。你這臭傢伙就要入獄啦。

我相信你說的沒錯。

那台車價值多少？

不知道。一萬五吧。

直接離開吧，鮑比。那已經不再是一台車。而是一大塊要引誘你上鉤的起司。你以為那台車為什麼還在這裡？直接離開把車丟在這裡吧。

直接離開把車丟在這裡。

你會感謝我的。如果有其他更容易逮到你的方法他們一定早就出手了。

威斯特恩站在門口望向將他的車鎖在裡頭的一整排建築。如果我請律師呢？

想要的話當然可以請。但還是沒辦法把車拿回來。

總之是完蛋了。

對。

威斯特恩點點頭。

你完全不會想跟這些人對話的，鮑比。

是啦。嗯。現在說這有點遲了。

只要你在他們的檔案裡就沒有脫身的一天。

永遠。

永遠。

而我現在已經在他們的檔案裡。

你覺得呢？

好吧。

你多保重啊鮑比。

他回到酒吧後走進自己的房間坐在小床上盯著地板。他思考著自己的愚蠢。他在銀行裡有大概八千多美金但口袋裡只有三十美金。你什麼時候才要認真看待這個問題？你什麼時候才要採取行動拯救你自己？

隔天早上他沖了個澡吃了早餐然後前往上城。國稅局辦公室位於郵局。他爬上樓梯站在接待員的桌子前過了好一陣子她才抬頭問他需要什麼。他跟她說他的銀行帳戶遭到查封所以想找人討論這件事。

你的名字是？

羅伯特．威斯特恩。

她起身走進另一間辦公室。幾分鐘後她又走回來。請坐下，她說。很快會有人來處理你的問題。

他等了幾乎一小時。終於他被叫去後方的一間辦公室。那是個可以俯瞰停車場的小房間。這位調查員穿著一套淺棕色的夏季西裝。請坐，他說。

他正在翻閱威斯特恩的檔案。但沒有看著威斯特恩。我們現在認為你的問題在於，威斯特恩先生，他說，你似乎已經有好幾年沒有受人雇用。

我是一個打撈潛水員。在那之前我是市政府雇員。

再之前呢。

我在讀書。這有問題嗎？

沒有。問題在於你沒有向國稅局揭露你的收入。

我**沒**有任何收入。

你應該明白如果你對聯邦調查員提供虛假的資訊就算只是口頭陳述也可能被控以刑事罪名。而且是重罪。

所以呢？

所以我們必須回到第二個問題。你最近顯然常在旅行而且在離開期間駕駛昂貴的**賽車**還住在很好的飯店裡。

並**不**是全部都很好。

調查員望向窗外底下的**停車場**。他轉頭看向威斯特恩。所以，你是怎麼籌措到這一切的資金呢？

我奶奶留了些錢給我。但金額沒有大到必須繳納遺產稅。

你有任何支持這項說法的文件嗎？

沒有。

沒有。那你是怎麼支付這些款項的？

用現金。

用現金。

對。

調查員把身體靠向椅背並仔細打量著威斯特恩。嗯，他說。這下可是遇上麻煩了，**不**是嗎？

難道**不**是你需要證明我有獲得那筆錢嗎？

不。**沒**有這個需要。

沒有這個需要。

沒有。

我的銀行戶頭要怎麼樣才能解除扣押？還有我的車。

沒辦法。你正在接受逃稅調查。既然你似乎在國際間來去自如我們也已經採取了註銷你護照的預防性措施。

你註銷了我的護照？

對。

我在海外工作。我需要護照才能工作。

你需要護照才能潛逃。

威斯特恩往後靠向椅背端詳他。你把我想像成什麼樣的人？

我們很清楚你是什麼樣的人，**威斯特恩先生**。我們**不**知道的是你在策畫些什麼。但我們會搞清楚的。

我們總能搞清楚。

威斯特恩看著他桌上的名牌。

這是你嗎？羅伯特·辛普森？

對。

羅伯特的小名是鮑伯但我猜**沒**人這樣叫你？

大家都叫我羅伯特。

我朋友會叫我的小名鮑比。

這位調查員微微點了一下頭。他們就這樣坐著。過了一下子後調查員說：我不是你的朋友，**威斯特恩先生**。

我知道。你是我的員工。

調查員幾乎像是被逗樂了。

你對我一無所知。

真的嗎？調查員說。他伸手把桌上的檔案夾稍微轉了個方向然後把雙手交疊在大腿上。我想你會對我們了解的程度感到驚訝。

威斯特恩仔細端詳他。我不是在接受逃稅調查。

不是嗎？

不是。

那你認為你是在接受什麼樣的調查。

我不知道。

威斯特恩從椅子上站起來。我也不確定你是否真的清楚。感謝你撥出時間見我。

他穿越法國區走回去。他走到土魯茲街尾並站在那裡俯瞰河水。清爽的微風襲來。空氣中有油味。他雙手交疊坐在一張長凳上但心裡什麼都沒想。有人在觀察他。怎麼知道的呢？你就是會感覺到。那是什麼樣的感覺？就是有人在觀察你的感覺。他轉過頭去看。對方是個坐在走道對面長凳上的年輕女子。她露出微笑。然後別開眼神。甩動了一下她的頭髮。把臉迎向從河上吹來的風。他們覺得他們看見了什麼？她的背脊挺直。雙腿併攏。有著一頭金髮而且長得很漂亮。年紀很輕。如果有人對你說你是為了一個女人放棄人生你會怎麼說？放棄得好啊。

正因為他是如此全心投入導致有時覺得心中那份哀慟的細緻甜美邊緣正在變得模糊。每個回憶都只是前一段回憶的延續直到……什麼呢？直到回憶的主人和悲傷都一起毫無區別地遭到浪擲直到這不幸的凝結催化劑最終被埋進土裡而雨水滋潤一顆顆石頭為全新的悲劇做好準備。

他在她死後的隔年春天回到海星聖母療養院而那裡的人都好奇地看著他。他們對他理解得太少不知能怎麼理解他。或許他是來為自己辦入院手續？在登記表上他必須寫下他來探望的病患姓名。他抬眼望向護士。

海倫在嗎？

你是指海倫．凡德沃。

我想是吧，對。一個年紀比較大的婦女。

你之前來拜訪的就是她嗎？

對。沒錯。

他彎腰把她的名字寫在登記欄裡。有個女人過來帶他走過走廊。

她穿著印花罩衫坐在窗邊的一張椅子上。她對他微笑而當他跟她介紹自己時那抹微笑沒有改變。她伸手握住他的手而且不願再放手。他拉了另一張椅子過來坐下。我知道你是誰，她說。我剛剛一下子就看到在門口的你。我一直都很把她放在心上。我有好幾次坐在這裡努力想著要如何用某種方式碰觸她。我不知道我希望她能做些什麼。可是現在你來了。

她怎麼知道要派我過來？

我不知道。我總是在想一定有些什麼在跟她說話但從沒問過她。我不覺得那是我該問的事。但總之沒差。你知道你給終能信賴她。

他們去自助餐廳喝咖啡搭配派餅。他們坐在窗戶旁的桌邊。外頭有幾個人在走動。那是那年氣溫剛轉暖的頭幾天。樹木還是光禿禿的。她的肌膚乾燥如紙。眼珠顏色如此淺淡。她坐在他的左邊用左手吃派。右手還握著他的手。她的前臂鬆垂細瘦又泛著青藍色。

你不該餵牠們但當然我們還是會餵。其中有一隻煤黑色的我特別喜歡。那個小傢伙有天咬了我一口。就是在指尖上輕啃了一下。我沒跟任何人說。我跟艾莉西亞說是因為想要她幫我照看牠並告訴我牠過得好不好。我沒對牠生氣。可是她始終沒能找到牠。我以前下來這裡時都會看牠有沒有下來可是再也沒看過牠了。我想牠可能是被貓逮到了。

你說松鼠。

松鼠。對。你應該不介意是吧？

不介意。那樣很好。我現在大概已經不會去為了人們在意或不在意什麼而操煩了。艾莉西亞總是很擅長這點。她總會一直握著我的手。

她擅長很多事。

我很高興她能離開但不知道我會這麼想她。我應該要料到才對。她又回來之後，我心想，這次她可能沒辦法離開了並為這個想法感到內疚。我猜我有一種罪惡感。

你有罪惡感？

你知道我的意思。因為我很高興她在這裡。我知道我不該為這種事高興。

為什麼你覺得她沒辦法離開了？

我就是知道。

她告訴你的？

算是吧。

她很可能搞錯了。

老婦人轉頭對他微笑然後再次望向窗外。我第一次見到她是在一個早上當時她在交誼廳。她獨自一人坐著所以我過去坐在她旁邊想跟她說話但她很年輕我不知道該說什麼所以問她報紙看完了嗎。她的大腿上放著報紙而我想認識她嘛。所以我問她要不要做填字遊戲她說她已經做完了。哎呀最好是。看報紙摺起來的樣子就知道沒有。一看就知道。我姑且微笑了一下但沒說什麼。不過之後當然發現她的確做完了。只是在腦中做的。你問她上面的每個問題她都知道。不管是編號還是其他什麼都知道。她會說那就是七號的直行題幹之類的或者直接告訴你是什麼詞。她知道每個答案因為她都做過了。這對她來說就像日常生活一樣容易。

威斯特恩望向自助餐廳的另一邊。空蕩蕩的桌子。安靜的午後。少少幾位喝茶的人和他們負責照顧的對象。

她在這裡有其他特別的朋友嗎？

我不是個特別的朋友。她其實也不算有什麼特別的朋友。對她來說所有人都一樣。就算他們表現刻薄她也是他們的朋友。

她把他們牽在一起的手放到桌上看著。她望向威斯特恩。

我猜你已經知道路易死了。

不，我不知道。我很遺憾。

他以前會大發雷霆。還會跳起來把假髮丟到房間另一頭。有一次他丟的時候假髮掉到詹姆斯腳邊。詹姆斯正在讀雜誌當時假髮算是滑到他腳下他立刻跳起來用力踩那頂假髮。他不知道那是什麼。又或者他只是在假裝不知道。艾莉西亞也很喜歡他。

喜歡詹姆斯。

喜歡詹姆斯。沒錯。他很擔心那顆炸彈的事。我猜我不該提起才對。

沒關係。

他以前會問起這件事。然後會坐在那裡往本子裡寫筆記。這些她都很清楚，這是當然。他會想出各種攻擊那顆炸彈的方法而她會向他說明為什麼那個方法不管用然後他會沉潛一陣子後再帶著新點子回來。他想出一種可以確保所有人安全的那種大磁鐵。你有看到那邊那個女人嗎？

威斯特恩望向房間另一頭。

就是穿著藍色洋裝那位。

有。

你覺得她看起來像我嗎？

威斯特恩思考了一下這個問題。不像，他說。我不覺得。

哎呀那可真讓人鬆一口氣。

你不喜歡她。

嗯，我只是覺得她人不太好。

原來如此。

有人以為她是我的姊妹。

這裡有姊妹一起進來的嗎？

我住在這裡的這段期間沒有。說不定是政策規定不行，我不知道。你覺得你父親有神經失常嗎？

神經失常？

你知道我的意思。畢竟他想做炸彈把所有人炸爛。

嗯。我猜這是個合理的提問。

他看著那個身穿藍色洋裝的女人。她長得跟海倫非常像。我不知道，他說。

他看著走道對面的長板凳。女孩不見了。時間是中午。沒過多久他就會聽見從教堂傳來的鐘聲。那年她的生日沒過多久她就自行辦理出院回到奶奶家並停止服用所有藥物於是而他們不到一週的時間全回來了。包括沙利竇邁小子和圍著路殺披肩的老太太和不洗澡的果爾根和侏儒和一個白人黑臉歌舞秀。這些傢伙全聚集在她的床腳邊。她一打開**桌上檯燈**就看到他們因為燈光太亮而開始眨眼。

鐘聲響起。他起身沿著聖彼得街走向咖啡館將一個二十五分硬幣投入付費電話撥通克萊恩的電話號碼。

我是鮑比・威斯特恩。

你在哪裡?

在法國區的一台付費電話旁。

我們別在電話上談。要見面嗎?

你有時間嗎?

有。你在哪裡?七海酒吧附近嗎?

我可以過去。

何**不**讓我大概三十分鐘後過去接你。

好啊。謝啦。

他掛掉電話走回德卡圖街再走上聖菲利浦街並沿聖菲利浦街往酒吧走。

克萊恩的車子面對著錯誤的方向停在人行道邊歪著身子往門口望。威斯特恩走出來上車後車子開走。

喜歡義大利菜嗎?

我喜歡義大利菜。

你知道莫斯卡餐廳嗎?

當然。不過我得跟你說我破產了。

別操心了。我會讓你欠著。

好吧

他開始說起別的事但克萊恩微笑著舉起一隻手阻止他。他們沉默地往前開上航空公路把車停進餐廳後方的**停車場**後下車。克萊恩關上門越過車頂上方望向威斯特恩。我每隔一段時間就會掃瞄一下。姑且檢查檢查。真的很麻煩但沒辦法。

有找到什麼過嗎？

喔當然有。

你的辦公室呢？

一樣。其中大多只是企業監控。不過技術每年都在提升。每次掃瞄的發現都會讓你不可思議。基本上就是個遊戲。只不過當然有時會有人受傷。

他們穿越**停車場**。那這裡情況如何？

完全沒問題。莫斯卡是個避風港。他們必須這樣。

餐廳的侍者總管對克萊恩點點頭。裡頭客滿了。他們在靠近門口的一張小桌子坐下後克萊恩翻開酒單開始仔細看。你知道這地方嗎？

我想沒有你熟。

所有東西都很好吃。

你要吃什麼？

可能吃蛤蠣義大利麵搭配細扁麵條。

你通常都吃這個嗎？

不是。

克萊恩仔細閱讀**酒單**。不過我仍是個習慣的動物。以我這行業來說大概不太好。

威斯特恩微笑。他們在找你的把柄嗎？

他們主要是想要我手上的資料。我也在找他們的資料。來一瓶聖埃米利翁如何？

聽起來不錯。

他把酒單闔上。把眼鏡折疊起來收好。

我來告訴你現在技術變多好。幾年前中央調查局在蘇聯大使館的打字機上裝了竊聽器並用電腦處理錄下來的內容。他們的程式破解了所有打鍵盤的聲響。包括每顆鍵按下去的距離與時長。還有打字頻率及鍵頂平面角度所造成的微細改變及音質變化。總之就是所有可能用來進行語法分析、計算以及確認各種可能性的元素。而空白鍵代表的當然就是字與字之間的空白。他們的程式最後大致估計出可能的俄文書寫內容。然後由懂俄文的解碼人員讀過後送去給譯者再拿回一份整理好的英文版本。

你怎麼會聽說這些？

有個兄弟就在這行業工作。你要吃什麼？

威斯特恩把菜單闔上。跟你一樣。

好選擇。

我說我沒錢是認真的。

我知道。沒關係。

男服務生過來替他們的玻璃杯倒水。他對克萊恩點點頭後望向威斯特恩。這位先生要來點喝的嗎？

不用謝了。

他們點餐。男服務生感謝他們後取走菜單。

他們知道你是誰，威斯特恩說，但**沒**有說出口。

因為他們**不**知道你是誰。

這是他們的一般程序嗎？

我想他們只是有禮貌而已。

這個地方背後有什麼組織嗎？

沒有。大概吧。基本上他們只管自己的顧客。

卡洛斯．馬塞羅[160]會來這裡嗎？

卡洛斯．馬塞羅是這地方的老闆。不然就是這棟建築的擁有人。不過這是洛杉磯和普洛威頓斯之間最棒的義大利餐廳。我記得你說你有家人在普洛威頓斯。

沒錯。

他幾週前才和雷蒙德．帕特里亞爾卡[161]一起來這裡。

你說馬塞羅。

對。

你知道帕特里亞爾卡是誰嗎？

不。我得問問看才知道。猜他們在談什麼實在很有趣。

一定是。這些人是你的客戶嗎？

不是。他們有自己處理這種事的人。

當然。

你發生了什麼事？

你為什麼會覺得是發生了什麼事？

就是大膽猜測一下囉。

國稅局凍結了我的帳戶。

什麼時候的事？
幾天前。
克萊恩搖搖頭。
我能怎麼處理嗎？
沒辦法。
完全沒辦法？
沒辦法。
他們就可以這樣直接拿走。
你可以聘請律師。但不會有幫助。帳戶裡有多少錢？
大概八千美金。
你真是令我驚訝。
沒想到我那麼笨吧。
對。
我也**沒**想到。
你還有什麼財產？
有台車。
他們也找到了。

160 卡洛斯・馬塞羅（Carlos Marcello, 1910-1993），紐奧良犯罪家族的義大利裔犯罪領導者。
161 雷蒙德・帕特里亞爾卡（Raymond Patriarca, 1908-1984），以羅德島州為基地的義大利裔幫派成員。

對。

還有呢？

沒其他財產了。之前有一隻貓。如果貓可以算財產的話。

他們把貓也帶走了？

他們把我的房門開著沒關。我還在努力想找到我的貓。

你現在有欠稅。

他們說我有。

理由是？

顯然是基於我的生活風格。我奶奶留了一些錢給我。我和我妹平分。我就是用那些錢去賽車。

你不覺得他們會知道這種事很奇怪嗎？怎麼可能知道你去歐洲賽車。

我猜我已經搞不清楚什麼算是奇怪了。他們也註銷了我的護照。

他們註銷了你的護照？

對。

克萊恩盯著他在桌布上攤開的一隻手掌。

情況不妙，是吧？威斯特恩說。

嗯，這代表他們認為你會在有必要時逃出國。

男服務生把酒送上拔掉瓶塞放在桌上然後把一點酒倒進克萊恩的杯子裡。克萊恩轉了轉杯子嗅聞淺嘗一口點點頭接著男服務生把兩人的杯子倒好把酒瓶放在桌上。克萊恩把杯子朝向威斯特恩傾斜。他似乎想不出可以敬酒的主題。

你讓他幫你倒酒。

對。他很了解我。你有跟他們說錢是哪來的嗎？

有。

你還跟他們說了什麼？

我想這個問題的意思是：我對神祈禱你沒再跟他們說其他事了。

差不多是這個意思。不過你之前有繳所得稅。

對。

問題是這樣。如果你從頭到尾都不理會他們就只是輕罪。可是如果你有申報也確實有繳納稅款卻沒提起你從奶奶那邊繼承的遺產金額——舉例來說啦——那就不只是輕罪。那會是報稅不實而且是重罪。這會讓你在可預見的未來在聯邦監獄裡蹲上很長一段時間。

我想我之前有聽過這個說法。要是沒繳任何稅還沒事。但要是繳了一部分的稅反而會坐牢。

大概是這種情況。

他們為什麼還沒逮捕我？

他們會的。只是還在想辦法。在聯邦調查員心目中有案底的人一定會再犯案。

他們覺得我還幹了什麼？

我得說你應該比我清楚。

凍結我的資產不是反而會讓我提高警覺嗎？

為了讓國務院註銷你的護照他們得對你採取行動。而他們也確實出手了。

我開始沒胃口了。

我們可以談點別的。

好啊。

那台車很貴嗎？

是台瑪莎拉蒂。不是新車。七三年出產的Bora。

我其實不太懂車。

價值大概跟一台全新的凱迪拉克差不多。或許貴一點。

抱歉。

我真的是在跑路了，是吧？無論我有沒有自覺。

我無法回答這種問題，鮑比。但你可能得試著採取一些保護自己的措施。

你不覺得現在太遲了？

我不知道。我只知道今天開始總不會比明天遲。

你會怎麼做？

你知道問了也是白問。換作我是你一定會在某處教書或製造炸彈又或者幹一些你們這種人在幹的事。

是啦。你有過什麼經歷？除了馬戲團之外。

就只有馬戲團。我甚至連重點中學都沒讀完。

真的嗎？

真的。結過一次婚。沒小孩。和平離婚。我人生中沒有任何悲劇能以超越我掌控的態勢形塑我這一生的樣貌與走向。我喜歡我在做的事。但要做別的工作也可以。我是個很受眷顧的人。就算是人生中發生過許多糟糕事我也不確定我希望改變那些過去。食物送來了。

他們幾乎是在沉默中用餐。克萊恩就像德布西一樣認真對待他的食物。等他吃完後他往椅背靠喝完杯子裡的最後一點葡萄酒坐在椅子上用手指轉動杯梗並仔細檢視。然後他把杯子放在桌布上。真是見鬼的好酒，他說。

威斯特恩微笑。沒錯，他說。謝謝你。

克萊恩把餐巾捏成一球後放在旁邊。我在家會煮飯，他說。但有些東西的味道就是不對勁。我想是高湯的緣故。他們在高湯方面很講究。

高湯？

對。除非你有個老舊油膩的高湯鍋讓你基本上可以把所有恐怖的東西丟進去——腐爛的蕪菁，或是死貓，之類的——然後任由湯鍋悶煮大概一個月——不然你就是處於百分之百的劣勢。想看看甜點菜單嗎？

不了，謝啦。

好。他再次拿起酒杯左右旋轉。一小滴酒匯聚在酒杯底部。他傾斜酒杯好讓那滴酒流到杯緣。酒的顏色鮮紅如血。他舉起杯子讓那滴酒落到舌頭上再把杯子放回去。你打算怎麼辦啊？他說。

其實**沒**什麼選擇。回去工作吧。先想辦法存到一點錢。

你上次工作是什麼時候？

從佛羅里達回來後就**沒**在工作了。

最近有跟他們聯絡嗎？

泰勒那邊嗎？

對。

我還是有一份工作的，如果你要問的是這個。

我要問的不是這個。

你覺得他們有可能扣押我的工資。

喔我覺得不只是可能而已。

而這情況會持續到？

永遠。

威斯特恩把最後一點酒喝完。我走投無路了，是吧？

要來點咖啡嗎？

好吧。

男服務生出現了。幾分鐘後他拿了咖啡來。克萊恩喝著他的黑咖啡。你手邊還有任何資產嗎？

沒有。

你妹妹是怎麼處理她的那份錢？

買了把小提琴。

小提琴？

對。

你給了她多少？

大概五十多萬美金吧。

見鬼了。她當時幾歲？

十六。

可以把那種錢直接給一個十六歲的人嗎？

我不知道。可能每個州都有相關法律規定吧。就像結婚一樣。我是用現金給的。

那把小提琴多少錢？

很貴。不是史特拉迪瓦里琴但也是差不多的等級。

現在在哪裡？

不知道。

可是那把琴可以解決你眼下大半的現金問題。

我知道。

還有什麼。

什麼還有什麼。

你人生中最近還有發生什麼**無**法解釋的事。

我有個朋友在委內瑞拉執行一個商業潛水工作時過世。

對。你有跟我說。公司本來應該要深入調查。

泰勒的公司。

泰勒的公司。對。但你**沒**聽說任何消息。

沒有。

還有什麼。

兩年前他們闖入我在田納西住的地方拿走我父親的文件資料我妹妹的文件資料還有我們家族可以追溯到幾乎一百年前的所有信件。另外還拿走了家庭相簿。他們拿走了屋裡的所有槍還有其他一些東西目的顯然是要讓情況看起來像普通的搶劫但那根本**不**是搶劫。

他們這麼幹了。

對。

總是有群人在針對你，**不**是嗎？

我**不**知道。

而你卻**沒**想到要清空你的支票帳戶。

威斯特恩**沒**回答。

克萊恩舉起兩隻手指表示準備付帳。你還沒好好把這件事想清楚，對吧？

我猜是沒有。

我知道你在想什麼。

我在想什麼？

你認為你比他們聰明。

所以呢？

這種心態不會有幫助。他們的聰明程度恰到好處而且剛好符合他們的工作需求。正所謂金髮女孩[162]行動。

對。他們的狀態恰到好處。而你沒有。

還有什麼。你對他們還有什麼了解。

他們總是能不屈不撓。相當驚人。而且相信所有人都有罪。真的是想都不用想就直接認定。總之從不追求無罪的結果。無罪的想法向來不會出現在他們腦中。整個無罪的概念對他們來說就是很滑稽。

男服務生把他們的帳單拿來。克萊恩用現金付帳。準備要走了嗎？

他們走出餐廳穿越停車場。我沒辦法建議你怎麼做，鮑比。可是我感覺你只是在等待某些事發生。這個做法的問題在於等那些事情真的發生時就算你想做些什麼也已經太遲了。如果你需要那個新身分的服務再讓我知道。

謝謝。我很感謝。

沒事。

你覺得我沒有對你完全坦承。

我不知道。

我不知道還能告訴你什麼。

沒關係。

她有一封信我始終沒打開。

為什麼不開？

就是沒開。

聽起來太悲傷了。

威斯特恩沒有回答。

讓我再試著回答一次。是因為一旦打開你就會知道所有一切。但只要你還沒讀到最後一封信故事就還沒完結。

之類的吧。

那封信可能會告訴你小提琴在哪裡。

或許。她也有一些錢。只是這對我來說實在太難了。

嗯。她的東西總會被處理的。

威斯特恩點點頭。

天氣陰涼。天空多雲。雨隨時可能落下來。他們走到車子旁邊時克萊恩站在車旁靠著車頂。他看著威斯特恩。

聰明人做蠢事的原因通常可能有兩個。貪婪及恐懼。他們不是想要一些他們不該有的就是做了本來不該做的事。無論是兩者中的哪一個他們通常會堅定地相信一些支持他們心理狀態的信念但這些信念其實跟

162　金髮女孩原則（Goldilocks principle）出自童話《三隻小熊》，指的是一種維持恰到好處狀態的原則。

現實相衝突。對他們來說相信什麼比知道什麼更重要。你覺得這些話聽起來有道理嗎？

有。

你想要相信的是什麼？

我不知道。

你還有在認真聽嗎？

沒事。然後呢。

就這樣了。

你還是覺得我有事沒告訴你。

我沒在擔心這個。

你的意思是我遲早會找到方法說出來吧。

人們會在巴士上把不跟配偶說的話告訴陌生人。

聽起來挺淒涼的，不是嗎？

他沒有回答。他們上車。克萊恩發動引擎。我甚至不確定你有搞懂，他說。

搞懂什麼？

你其實已經被逮捕了。

我被逮捕了。

對。你沒有被指控任何罪名。只是被逮捕了。

他搬到聖路易斯灣南部沙丘上的一座小棚屋裡。到了晚上他會沿著海岸走望向灰濛濛的海水一群群鵜鶘辛勤地沿著海岸飛來成雙成對地在近海的洶湧浪濤上方飛翔。幾乎像是不可能存在的鳥。到了晚上他可以看見燈光沿堤道亮起。這些燈光分布於天際線而前方有船緩慢經過又或者能看到遠方鑽油平台的燈光。棚屋裡有來自儲水槽的冷水但沒有電力。他用一個鑄鐵製的小鐵路爐燒漂流木。由於沒有錢為瓦斯爐買瓶裝瓦斯所以也會使用柴爐煮食。比如米飯和魚。還有乾燥杏仁。天氣冷涼而他坐在海灘上迎著海灣吹來的刺骨寒風把身體包在一條軍毯裡讀物理學。還有老詩歌。他嘗試寫信給她。

他在黃昏時沿著潮汐線走的地方能看見太陽的最後一抹紅在西邊天際線上緩慢燃燒著餘火導致潮水灘池像一潭潭的血。他停下腳步回頭望向自己的光腳腳印。那些腳印一個個被填滿海水。在這最後的天光中礁石看起來都在移動等到夕陽餘暉逐漸褪去黑暗就像鑄造廠在夜晚時那樣突然降下大門。

天色破曉時他穿越沙丘健行穿越沙路走上高速公路並一邊在柏油路邊蹣跚前行一邊找尋死去的動物。他用單刃刀片剝下動物的皮把還沒撐開的皮毛拿去道路兩英里外的一間小雜貨店賣。這裡通常有浣熊也有麝鼠。曾有一次或兩次還撿到貂。另外有河鼠的尾巴可以換賞金。他用錢買了茶和罐裝奶水。還有食用油。另外還有辣醬和罐頭水果。如果有隔夜在路上出現的死兔子他也會帶回去後煮熟吃掉。

他用一個洗碗盆洗衣後晾在門廊欄杆上。有時衣服會被吹到沙丘底下。他會在陽光普照的日子裸體在沙灘上走。獨自一人、沉默不語。迷失。入夜之後的他會在海灘上生火再裹著毯子坐在一旁。月亮在海灣上升起後月光的路徑在水面上又是凹陷又是傾斜。鳥在黑暗中飛落到沙灘上。他不知道牠們是哪種鳥。他想到那位乘客但始終沒再去那片群島。火光在風中傾斜而海水在燃燒的木柴間嘶嘶作響。他看著那些木頭燒成焦炭。餘燼發光又黯去又開始發光餘火則在沙灘上彷彿蹣跚遠行般沒入黑暗。他知道他該想想自己要如何走下去。

他在棚屋裡找到一根老舊的棍子和轉盤於是削尖一些生鏽的六號鉤子後把一些麝鼠碎肉當作魚餌鉤上去再加上半盎司重的鉛墜遠遠投入浪花中。

陰冷的天氣。下雨。老舊棚屋的屋頂嚴重漏水於是他在地上到處擺滿桶子和鍋子。有天晚上閃電把他驚醒。駭人的炫目光芒閃入窗玻璃然後是砰的一聲如同獵槍響。他小心翼翼地坐起來。爐裡的火已經熄滅所以室內很冷。他安靜地在黑暗中坐著等待窗戶再次亮起。有個人坐在角落的椅子上。

他拿起油燈的玻璃燈罩從抽屜取出一根木製火柴沿桌邊擦亮點燃燈芯再把燈罩放回去用黃銅小轉輪調弱火焰。接著他舉起燈再次看過去。

他跟她描述的差不多。沒有髮絲的頭上有著被許多傷疤侵蝕的痕跡或許都是隨著他難以想像的創生經歷而來。那雙腳上穿著像是槳的滑稽鞋子。那對如同海豹的鰭攤開在兩邊的椅子扶手上。

你一個人嗎？威斯特恩說。

老天啊，勞倫斯。對啊。我一個人。不能待太久。我算是逃學啦，其實。

不是有人派來這裡見我的。

不是。就突然一個直覺嘛。我在看行事曆時那個日期突然吸引了我的注意力。

那個日期已經過去了。

這倒是真的。

你為什麼在這裡？

就是想看看你過得好不好。

你怎麼知道要到哪裡找我？

小子翻了個白眼。耶穌基督啊，他說。你要問的就是這個？

我不知道。

我們之前可有點淵源呢。無論怎麼說都有。就是我與汝之間。

只是傳聞而已。我怎麼知道可以相信什麼？

你**別**無選擇。你只能相信事實。除非你更寧願相信**不**是事實的說法。我以為我們已經跨越那個階段了。

我可沒跨越什麼。

好吧，哎呀。這點我恐怕是幫**不**上忙。總之我剛好到附近。你跟我預期的樣子有點不同。

怎樣不同？

我**不**知道。有點落魄吧。你來這裡待多久了？

一陣子了。

是嗎？這住所可算不上頂級奢華啊。

他環顧四周。用一隻鰭遮住打呵欠的嘴。真是漫長的一天。應付這些**搗亂的傢伙**實在不容易。根本癡態失常。哎呀，最好別打開那個潘朵拉的魚罐子。

那是一罐蟲。

也一樣別開。總之，我想我們對小妹都有一些責任。有些人的責任當然比其他人更大。不過還是很難只把她當成某種實驗來看待。你怎想的啊？

你怎麼想呢？

在壓力之下還是保持冷靜。我欣賞。所以我們是怎麼聊到這裡的？喔老天哪喔喜歡哪。

閃電再次打亮室內。耶穌基督啊，小子說。這地方一天到晚這樣來暴風雨的嗎？我只是以為你會想問幾個問題。你隨時可以問喔。我這是私下出訪。

你為什麼覺得我會信任你？

真希望你能聽聽自己在說什麼鬼。

威斯特恩沒回答。小子坐在那裡仔細觀察自己不存在的指甲。好啦，哎呀。這下他心裡受傷了。他自以為他很聰明啦。你覺得你很聰明吧？小矮個克茲[163]。

沒有。我以前是這麼覺得。但不這麼想了。

很好。你變得聰明了呢。我們或許還是能聊一聊喔。

你怎麼會覺得我想聊天？

少講廢話。就像我說的，我們時間不多。話說你到底怎麼會淪落到這種地方？

這是我朋友的棚屋。

朋友。你這裡沒有電？

沒有。

廁所？

沒有。

閃電再次亮起。小子在椅子上微微側身坐著。好吧，他說。還不算最糟的狀況啦。光是你還活著就已經讓有些人很驚訝了。

是啊。我也很驚訝。有時候。

我猜就算你已經下場但或許還是有能耐坐在附近看看這場比賽的結果吧。

我想我很清楚會有什麼結果。

是啦。只是個純粹的分析命題吧我猜。不需要擁有對現實的認識，只需要定義。你這裡可以看到海景吧？

很遠。

小子起身伸展身體。這地方在我看來會讓你各種憂鬱吧。我們何不去沙灘上散散步呢?去伸伸腿。你可能還會因此感覺可以稍微放下心上重擔。

去沙灘上散步。

對啊。帶上你的夾克。天色快暗了。

他們在沙灘上走路,可是小子看起來心事重重。他身體稍微往前彎而兩隻鰭交握在背後。閃電在海上如同雜亂金屬絲線的閃電短暫地矗立現身然後再次在世界逐漸變暗的邊緣現身。你真是個天殺的謎團,小子說。怎樣啊,你完全沒問題想問嗎?我以為向妹妹的幻覺詢問妹妹的神智狀態會很好玩呢。

你真的了解她嗎?

為什麼不?我是從她心靈分裂出來的一部分不是嗎?

我不知道。你是我心靈的一部分嗎?

不知道。這些天殺的謎團真是難搞啊可不是嗎?

她說你總是把所有事情搞錯。

主要只是想轉移她的注意力。沒魚蝦也好嘛何樂而不為囉。

我不確定我相信你。

孩子。這說法真逗趣。

為什麼?

為什麼?因為你在談的是沒有的事這就是為什麼。

163 克茲(Kurtz)這個姓氏常見於德語和意第緒語中,意思是身高很矮的人。

我以為你是來回答我的問題。

好。當然。為什麼不呢？

我們要去哪裡？

要去沙灘上散步。呼吸新鮮空氣。

他深深嗅聞。

我想我之前見過你一次。

是嗎？

在通往運河街的巴士上。

哎呀，你會發現很多人長得像我。

他們在沙地上跋涉。從近海慢慢滾來的捲浪在黑暗中顯得蒼白。風暴正在靠近而閃電再次亮起。像是著火的熱燙鍊條碎裂跌入海裡。小子往前稍微彎腰，心不在焉。在強光中威斯特恩可以看見他那顆小小的**蛋形**頭顱並透過蒼白肌膚看見骨頭板塊的交界。那對耳朵看起來像是被嚼過。

所以你的問題在哪？

好。你幾歲？

小子停住腳步站定。然後他繼續走，搖搖頭。

好吧。不然這個好了：你怎麼找到我的？

你竟然問我這種問題。

所以怎麼找到的？

我到處問人。

你到處問人。

對啊。我在道上混了好些年。不可能有其他更好的方法了。

你見識過最古怪的事情是什麼？在你的旅程中。

小子搖搖頭。這不是我們在這裡要討論的事。無論如何，你都不會相信我。世間有許多備受摧殘之人。還有許多撲火者[164]。可是無法永遠緊抓不放。這世上有人認為揭露黑暗的真正本質是個好主意。包括黑暗群集之處及其藏身處。你可以看見那些人打著燈籠在外面晃蕩。眼前這場面到底是怎麼回事？

一道細微的雷響席捲過黑色天空。

暴風雨要來了，小子說。我們得繼續前進了。

我本來希望能看見你的一些小夥。

是啦，哎呀。可能沒辦法。你是怎麼被吵醒的？

我不知道。閃電吧。

你確定你不是在作夢嗎？

現在不確定。

讓我換個方式問一次好了：你確定你不是在作夢嗎？

威斯特恩放慢腳步。小子繼續往前艱難前行。他一直在作夢。在某個最終審判時刻有人喊了一個孩子的名字那孩子沒回答而天國之船繼續燃燒且艱難地駛入永恆獨留下她在逐漸暗去的岸邊陷入永恆的迷惘。

他加快腳步跟上。

可以問你一個問題嗎？

那就是一個問題。你有其他問題嗎？

164　撲火者（sparclingers）這個原文字詞並不存在，以spark + linger進行推測翻譯。

你離開這裡後要去哪？

別的地方。

別的地方。

就是這樣。聽著。我這是自費來的。我覺得你沒搞懂。此刻我們在這裡。眼前一個人影都沒有。你自己好好想想。

我不知道你要什麼。

我要什麼？老天啊。我跟你說過了。今天我放假。你以為我會在這裡待多久？你甚至不懂基於你的信念採取行動。

什麼信念？

你看吧。

小子繼續大步向前走。真是老天啊，他說。沒料到會找到這樣一個天殺的笨瓜。你正和一個你認定是由死去妹妹的一部分精神化身出來的實體一起沿著海灘走路而你想聊的只有該死的天氣。

我可從沒提起天氣。

就是之類的啦隨便啦。他伸手指向不停洶湧拍打岸邊的黑黝黝海水。要是海底的地面消失所有天殺的海水被抽乾流到地球深處難以猜量[165]的洞穴世界呢？那裡又寬廣又黑暗。你可以走到底下四處晃蕩。只有一大坨黏糊糊的大雜燴在爛泥裡掙扎揮動著身體。鯨魚啊還有烏賊啊之類的。還有你那些有著八十英尺長觸角和扁平獨眼的克拉肯海怪。然後是一股強烈惡臭襲來接著什麼都消失了。哎呀呀。大家都去哪裡啦？

我真的不知道要問你什麼。

你當然不知道。你就是個該死的弱智。

他掏出錶努力想在黑暗中辨認出現在幾點。他在等待閃電。這點子真是天殺的愚蠢。

要是你和你的那些小夥伴直接放過她會發生什麼事？
嘿。這就是個問題嘛。有點蠢笨的問題但管他去死。我想她還是一樣會死透透啦只是——我自賣自誇啦——會死得更快。你不會相信我們得想出多少該死的肖托夸表演活動。而且還天殺的沒換得多少感謝。我想她有大半時候都認為我去那裡只是要來借用她腦中的知識見解。哎呀去他的。說不定我就是。大半時候是這樣。來自某個此前無人知曉的偏遠內陸的某個邪惡小混混把數據傳送回一號基地好為即將到來的大事件做足準備。
有大事件要來了嗎？
你覺得呢？
可能吧。
對啦。可能吧。就像太陽今早可能會升起一樣。老天啊。我現在大可躺在家裡的床上你知道吧。
一號基地是什麼？
別管了。我不打算向你深入解釋這些組織結構的事。反正就算知道了你也不懂應付。我已經能看出你就是愛管閒事而且自以為可以把自守的和複製的加上所有當你開始研究四維晶格時你會開始搞的所有那些**非換相的**有的沒的數據傳送出去然後我們就又回到那些令人鬱悶的胡說八道也就是什麼是真實什麼又不是以及誰有資格去定義。其中有些部分就定義而言本身就是一種自我紀錄而整個整件事總是無時無刻全年無休以必須承擔所有過錯的方式在運作。所以我們何不直接進行下一個話題吧。
好。

165 難以猜量（unguessed）是不存在的字詞，以 un + guess 進行推測翻譯。

老天。你還真好說話。總之，那只是一種說法。一號基地也可以只是第十二街和百老匯街口地鐵站的一間**付費公廁**。誰在乎是什麼鬼啊？

有電話響起。

很好，小子說。被鈴聲拯救啦。他在身上翻飛的衣物中摸索出一台電話然後把電話壓在耳朵上。對啦，他說。好。基督和他天殺的信徒啊今天是有滿月還是怎樣？全部這些傻瓜怪人有的沒的都哪裡來的啊？對啦最好是。他說的話我一丁點狂想屁[166]都**不**放在心上。跟那個**衰鬼**說我在放假等風向變了就回去。

他為了聽得更清楚而停下來。風把他的衣服纏繞在他身上。威斯特恩等著。

好吧。好啦。他認為整件事**不**可能付之一炬？很好。我們很歡迎他發表那些焚成灰燼的意見。沒錯。我們全部都下載了。而且都已經確認又再確認過了。不。我們現在正在面對一場即將到來的大雷雨。在戶外的海灘這裡。我會把座標傳送給你但是我看**不**清楚我的錶。這裡就跟乳牛肚子裡一樣黑。對啦。那傢伙的妹妹。她幾年前有提議。不。他天殺的完全**沒**概念。好。通話結束。對啦對啦一定一定。他們就是愛吵鬧又成天目瞪口呆的一群渾蛋你可以跟他們說這是我的意思啦。

他掛掉電話後把電話塞進衣服再次沿著海灘走並搖搖頭。想遠離這些鳥事休息一下都沒辦法。哎呀管他的。還有一名乘客。出發去哪裡？你自己本人就被看見帶著帆布**腐肉袋**[167]和一個三明治登上了最後的班機。還是那是之後的事？

可能我有點太著急了。不過人們在得知未來後卻難以獲得好處還是很怪。他們**沒**有好好看那張票嗎？太令人想知道了。那些陰影其實是岸邊的鳥在這種爛屎天氣中沿岸往南飛。牠們到底見鬼的以為要去哪？

如果我問你一個怪問題呢？

老天，小子說。那就太逗趣了。大雷雨將來之際他在半夜的海灘上跟死去妹妹的心靈化身一起漫步而他還想知道能不能問一個怪問題。你根本就是個天殺的滑稽小丑，是吧？當然可以。問吧。還真等不及了。

你對我了解多少？

哇該死。我**不**知道會是**這麼**怪的問題。你為何要在意這個？而且為什麼現在話題變成你？

不如就講一、兩件你知道的事吧？

那好。第一：他的身高是一百七十八公分。第二：他的體重是六十九公斤。

你確定嗎？我以前體重更重。

你以前吃比較多。

他們繼續往前跋涉。風勢愈來愈強。小子側身用肩膀迎向被風吹來的水沫。沙子在黑暗中沿著海灘翻騰攪動。

我猜我是看不到你的任何一場盛大演出了。

看不到嗎？那現在這是什麼？

這實在不能說特別有趣。我們可以停一下嗎？

當然。

小子轉身面向他。

你想要我相信，威斯特恩說，你之所以出現是為了透過某種方式幫助她。

透過某種方式幫助她？她都死了。

我是說她還活著的時候。

---

166 這裡的原文寫道「dont give a solitary rhapsodic fart」應該是改寫自「don’t give a single rat’s ass」。

167 這裡的腐肉袋（Carrion）原本要講的應該是隨身行李（carry-on）。

老天。我哪知道？你看到一個身影從螢幕邊緣逐漸消失就拿起電話而已。你怎麼知道從歐洲蕨叢中傳來的煤山雀叫聲其實不是來自地獄的哀號？世界是個騙人的地方。很多你看見的事物其實已經不存在。只不過是眼中留下的殘影。簡單來說。

所以她明白了什麼？

她明白人到了最後也無法真正明白什麼。你無法掌握這個世界。你只能畫出一個圖像。無論是洞穴牆壁上的公牛圖像或是偏微分方程式都是一樣的。老天啊。有陣天殺的強風吹來。我們可以繼續走嗎？好。如果你必須接受測驗那會是哪種測驗？

你是說像明尼蘇達多項那種看你有沒有發——瘋——的那種測驗嗎？他搖動雙鰭並亂轉他的頭。會是那種類型嗎？

沒有所謂的測驗所以也沒有什麼會是的類型。

她有名字嗎？作為一個計畫項目？

沒有。我們始終無法找到存取她的地方。我們只是努力想讓她活著。她不會顯示出個人資料。她的二極體會亮出「拒絕進入」的字樣當然你可以再次努力可是差不多就是那樣了。那個基模中就是有塊空白。就像光譜儀看到的異常。你可以整理出一個新的模板但也沒辦法再做些什麼。情況不順利？是啦，沒錯。最開始的那些試驗總是很容易失敗諸如此類的。你會做出一些修正。然後再次運作程式。其中也混雜著一些令人不愉快的真相。但活著就是活著。你有一半的基因跟哈密瓜一樣。

那你呢？

那我怎麼樣？

你有一半的基因跟哈密瓜一樣嗎？

沒有。我就是個天殺的哈密瓜。我們可以稍微往前走一點嗎？

為什麼她**無**法符合任何模板？

因為沒有任何模板符合她。

對，可是為什麼。

小子再次停下腳步。聽著，他說。我們不會深入探討技術問題。我知道你把這件事看成某種**空化生層面**[168]無法符合的問題之類的可是我們大部分人不這樣看。他們只覺得這跟信仰有關。

信仰？

對啊。就跟沒有信仰的人一樣。無論你對世界本質的疑慮規模有多大都必須創造出另一個你才能創造出另一個世界。甚至有可能每個人一開始都相當獨特只是大多數人後來都擺脫了那個階段。走吧。我感覺到一滴雨。

可是他們**為什麼**都擺脫了那個階段？

天啊還真是基督騎腳踏車啊，小可愛鮑比。我見鬼的怎麼會知道？我們**不**創造人，我們只創造模板。靠的就是檔案資料，如此而已。

你的意思是她和其他人之間唯一的差異就是你**沒**有一個符合她的模板？

不，這是**你**說的。

威斯特恩望向黑暗的海水。他可以在嘴唇上嘗到鹽的味道。

那是某種電子模板。

不是。是液壓模板。老天啊。

能夠畫出心理地景的地圖。

---

168 此處新造字原文為：spatiochemicalbiological。

還有膽囊別忘記。

膽囊？

就是說笑而已。天啊連聖母瑪利亞都要哭了。

抱歉。

對啦，最好是。

你覺得我是個呆子。

你就是個呆子。我怎麼想根本沒差。我們可以再往前走嗎？不然就要淋濕了。來自狹灣的夜晚微風本來就會這樣怒號嗎？

他們繼續往前跋涉，小子身上的衣袍翻飛。得不到你想要的很常見。但反正得到的你也往往不想要所以基本上大概就是扯平。總之，你並不是真心想跟我談。你只是想要有人跟你說不是你的錯。

就是我的錯。

讓我試著換一個方式說好了。你只是想要有人跟你說不是你的錯。

或許我不知道你想要的是什麼。

是啦。好吧，我的錯。只是從沒想到你這麼遲鈍。

他們在沙子中奮力前行。心裡似乎已經有了某個明確目的地。威斯特恩再次停下腳步然後又匆匆趕上小子。

你是密使嗎？

哪裡來的密使？

我不知道。

你一定知道。不然就不會問這個問題了。哎呀，或許我並不是我們都已經認識而且喜愛的那個小伙子。我是希望之兆以及夢想的肛門栓劑。又或許我是邪惡雙生子。你還能跟誰談起她呢？

我的奶奶。我的皇家舅舅。

是嗎？那還真有幫助。在杜鵑窩裡配備著尿布布和圍兜兜的皇家舅舅呢。還說我是特工？誰不是呢？你不用什麼都同意但接到任務就是去執行而已。老天，真是冷死了。以這個時節來說真是個見鬼的鋒面。

你覺得前面可能會有某種避難所嗎？

沒有你可以去的。總之，你的問題在於你並不真心相信她死了。

我不相信她死了？

我不覺得你有。

你覺得我相信有死後的世界？

我哪知道？

第一波細細的雨沫落下。

我們別再磨蹭了拜託可以嗎？你怎麼一直沒再養貓？

我只是不想再失去。我已經什麼都失去了。

為什麼沒被風吹滅的總是不該繼續燃燒的燈火啊？總之，你還是得走下去。

我知道。

你到底怎麼想的？愈快了結愈好？

有時候。

一道刺耳的閃電照亮了他們眼前的空蕩沙灘。大雨開始猛烈落下。

誰知道呢？小子說。或許你和你小妹沒—過—多—久就能甜蜜相會。老天。看看這什麼鬼。都是痛苦與墮落。還記得她背著我偷偷亂搞的那些時候啊。有時她會直接把燈滅掉去睡覺。話才講一半。無論如何她都是個狠角色。就像《聖經》裡的瑪麗亞和約瑟，你能明白嗎？我們可以加快速度嗎？你難道不喜歡新鮮空氣的味道嗎？就像一杯天殺的鋅奶昔。你不太說話是吧？我聽說在這樣的雷暴雨過後會有一大批熟度剛好的煮魚被沖上岸。你覺得可能是真的嗎？

威斯特恩慢下腳步。他用手掌把臉上的水拍掉。在一陣陣狂風中小子的身影變得模糊。前進時身上風情古怪的衣著翻飛著。

他身上又濕又冷。終於他停下腳步。你對失去親人的這種哀慟情緒懂多少？他大喊。你什麼都不懂。沒有其他更慘的損失。你明白嗎？世界就是灰燼。灰燼。竟然讓她受苦？哪怕是一丁點汙辱？那怕是最微不足道的羞辱？你明白嗎？讓她獨自死去？她？沒有其他更慘的損失。你明白嗎？沒有其他更慘的損失了。沒有。

他把膝蓋跪到潮濕的沙子中。鹹鹹的雨從海上吹來。他緊抓住他的腦殼對著那個在陣陣強風中逐漸遠去的小小蹣跚背景大喊。閃電在暗黑色水面上方還有在沙灘上方亮起而槲樹和海燕麥和一排排橡樹組成的樹牆在大雨中顯得暗淡。可是那些妖靈鎮尼[169]都消失了。

他在凌晨醒來時風暴已然過去。他在床上躺了很久。看著灰白光線逐漸充滿室內。他起身走到窗邊往外看。天色灰白。他的濕衣服堆在地板上於是他撿起來掛到廚房椅子上。之後他又走上沙灘可是雨已經把一切刷洗殆盡。他在一根漂流木上坐下把臉埋入雙手中。

你不知道你面對的是什麼。

宿命般的話語。

她撫摸他的臉頰。我不需要知道。

你不知道會怎麼結束。

我不在乎會怎麼結束。我只在乎現在。

隔年春天開始有鳥從海灣對面抵達這片沙灘。包括一些疲倦的雀。綠鵑。王霸鶲和松雀。牠們累到無法移動。你可以把牠們從沙地上撿起來握著感覺牠們在你掌心顫抖。牠們小小的心臟跳動牠們的雙眼緊閉。他整晚拿著手電筒在沙灘上走就為了趕走那些掠食者等接近破曉時就跟牠們一起睡在沙子裡。誰都別想打擾這些過境的乘客。

169 這裡的妖靈鎮尼（djinn）是伊斯蘭教對超自然存在的一種泛稱。

他回到城裡打電話給克萊恩。

你回來了。

算是吧。

跟我見面喝一杯嗎？

當然好。

圖雅格餐酒館？

幾點？

六點。

到時候見。

他們在餐酒館的一張木桌邊坐下點了琴通寧。克萊恩對著兩邊鏡片各快速呵一口氣好讓鏡片起霧再用手帕擦拭。他把眼鏡戴上看著威斯特恩。

你在看什麼？威斯特恩說。

你知道有種系統可以用跟掃描指紋的精確度去電子掃描你的眼球嗎？你還沒反應過來就掃好囉。

我該為此感到放心嗎？

克萊恩望向外面的街道。身分就是一切。

好吧。

你可能以為那些指紋和數字能給你明確的身分。可是很快就不會有比沒有身分更明確的身分。其實所有人都已遭到逮捕。又或者很快就會。他們不需要限制你的行動。他們只需要知道你在哪裡。

在我聽來是這是有被害妄想傾向吧。

確實是被害妄想。

男服務生把他們的酒送來。克萊恩舉起玻璃杯。乾杯，他說。

敬這些開心的日子。還有什麼其他好消息嗎？

你不該喪志。獲取情報和生存到頭來是同一件事。一切進展得比你想的還快。

還有呢？

很難說。電子貨幣吧。這趨勢只可能發展得更快。

好。

之後不會有實體的錢。只有交易。而且每筆交易都會有紀錄。永遠如此。

你不覺得人們會反對嗎？

他們會習慣的。政府會解釋這樣做有助於打擊犯罪。還能打擊毒品。就是那種威脅匯率穩定性的大規模國際套利活動。你可以想像他們會提出什麼好處。

可是你購買或販賣的一切都會留下紀錄。

對。

包括一條口香糖。

對。政府還沒想清楚的是這種作法會導致私人貨幣出現。而取締這些貨幣代表必須廢止憲法中的某些條文。

嗯，同樣的，我很確定你知道這段對話聽起來有什麼傾向。

當然。我們談回你身上吧。

好啊。

你覺得他們已經取得你父親在普林斯頓的那些報告了嗎？

大概是吧。

你已經看開了。

我不知道他們在打什麼主意也永遠無法搞清楚。現在我也不在乎。我只希望他們別煩我。

不可能。你們處得不好吧。我說你和你父親。

我對我父親沒什麼意見。我對炸彈也沒意見。反正總是有炸彈出現。現在也有。只是暫時隱瞞蹤跡而已。可是不會永遠如此。我父親獨自死在墨西哥。我得接受這件事。我得接受很多事。我有在他死前幾個月去見他。他過得不好。我無法為他做些什麼。可是這不是我無所作為的理由。

他是個多棒的物理學家？

他很聰明。可是聰明並不夠。你還得有膽識去拆解現有結構。他做了一些錯誤的選擇。他很多朋友都有拿到諾貝爾獎但他不可能。

這件事很重要嗎？

在物理學界很重要。

你妹妹是個多棒的數學家？

我們每隔一段時間就會回頭討論這個問題。但沒有答案。數學不是物理學。各種不同的物理科學之間可以彼此權衡重要性。也可以跟我們假設的世界彼此權衡。數學卻沒辦法跟任何事物進行權衡比較。

她有多聰明？

誰知道呢？她看待所有事物的方式都不同。她可以解決一個問題但大半時候都無法向你解釋她是怎麼做到的。她很難搞懂你到底搞不懂什麼。就是那麼聰明。

他看著克萊恩。我想大概八歲左右她就開始像其他早熟的孩子一樣。就是什麼都會質疑。總是在課堂上揮手尋求注意。然後她發生了一些事。後來就變得很安靜。異常有禮貌。她似乎明白必須在對待他人時採取謹慎態度。

他坐在椅子上盯著他的玻璃杯。用手指沿杯壁往下滑。我們將自己的一生奉獻給希臘幾何學。可是她沒有。她不畫圖。甚至幾乎不進行計算。

他抬頭望向克萊恩。我無法回答你的這些問題。她心地善良。我想她人生中很早就意識到必須善待他人。

她為什麼自殺？

威斯特恩別開眼神。隔壁桌有個女人正盯著他看。身體稍微向這邊傾斜。完全沒管跟她同桌的兩名男子。他看向克萊恩。

然後你就會閉嘴了吧。

我想是吧。

因為她想這樣做。她不喜歡這世界的一切。她大概打從十四歲起就跟我說她應該會自殺。我們針對這個話題有過很多漫長對話。內容聽起來一定很怪。她總是能講贏我。她比我聰明。聰明很多。

我很遺憾，克萊恩說。

威斯特恩沒回答。那個女人坐在椅子上盯著他看。街上的燈開始一盞盞亮起。

我們愛著彼此。一開始很純真。至少對我來說是如此。但我陷得太深。我總是這樣。然後我回答你：沒有。

我沒有問什麼。

你一定想問。

克萊恩用手背把從他酒杯杯壁凝結後流到桌上的水掃掉。把杯子重新放回去。你父親知道她腦筋很好嗎？

當然。

克萊恩點點頭。他轉頭望向那個女人。她身旁的兩個男人已經停止說話。克萊恩微笑。想一起聊嗎？他說。

她用一隻手遮住嘴巴。喔，她說。我很抱歉。

威斯特恩望向克萊恩。克萊恩把杯子裡的酒喝光。準備走了嗎？他說。

應該吧。

克萊恩把一張五元鈔票放在桌上。他打算說些什麼，是吧？

對。

不好意思，那個男人說。

克萊恩微笑起身。威斯特恩以為那個男人會站起來但結果沒有。他在他們經過時小心翼翼地端詳他們。

你把車停在哪裡？

就沿著這條街過去。要載你一程嗎？

不。不用。要是那傢伙起身你會怎麼做。

他**沒**起來啊。

要是他有呢？

那是個假設性問題。沒有意義。

有意思。你能從這件事獲得什麼好處？

這件事？

拿我和我的煩惱取樂。

我真該寄帳單給你。

可能吧。

或許讓我感興趣的並不完全是你這個人。

是嗎？

又或許我只是覺得只要等你發大財就可能雇用我。

別太期待了。

是說雇用我嗎？

不是。是說發大財。

他們穿越傑克遜廣場。街上的馬車和驢子緊站在一起。這是廣場上多風的一天。有個紙杯跟著他們沿街前進。

你**不**覺得你快崩潰了嗎？

不覺得。或許吧。有時候。

你打算怎麼做？

不知道。

要是我的話**不**會去酒吧瞎混。

我不會。**別**擔心。

他們已經走到克萊恩的車子旁。威斯特恩沿著德卡圖街望過去。或許我可以展開到處犯罪的人生。

你說過了。

無論怎麼想像未來的人生都不可能猜對。是吧？

我**不**知道。可能沒辦法吧。

我不只是**不**知道該做什麼。我甚至**不**知道不該做什麼。

你確定不需要我送你一程嗎？

威斯特恩越過車頂看著他。我得去做點什麼。我想這點我還是懂的。

克萊恩沒回答。

我不只一次想如果她沒有思覺失調那就是我們其他人有。又或者我們一定有什麼毛病。

有些病是會改善的。但我想這種病的機會不大。

我知道。

大家都希望自己受到的苦能獲得補償。但很少得到。

真是個歡樂的結論。

真是個歡樂的結論。

他沿街走著然後越過鐵軌。傍晚的泛紅餘暉反射在建物的玻璃上。非常高的天上有一小群顫動著翅膀的鵝。在稀薄的空氣中涉過最後的天光。追隨著下方河流的走向。他站在亂石堆成的堤岸上。堤岸是石頭和破碎的鋪路石料構成。下方是緩慢盤繞流過的河水。在接下來的夜晚他想著那些男人會在山丘上集合。用來自祖輩的功績及盟約及詩歌餵養小小的火堆。還有那些他們無法讀懂的文件在一種寒冷中掠奪他們的靈魂。

八

整座城市又冷又灰。人行道邊是一堆堆如同稻束的灰色積雪。大學的註冊日來了又走。她已經好幾天沒出門。然後是好幾週沒出門。她哥哥為她送來一台電視於使她坐著端詳那台裝在箱子裡的電視。那台電視整天就是放著。終於她決定打開箱子。她穿上衣袍打開門把電視抱在懷裡經過走廊然後用手背敲了敲最後一扇門。格里姆利太太，她喊。然後等待。終於那個老太太拉開一道門縫往外看。

讓我進去。這東西很重。

是什麼？

一台彩色電視機。讓我進去。

老太太把門拉開。彩色電視機？她說。

對。她擠進去。你要放哪裡？

哎唷喂呀，孩子。電視哪來的？

我想是你贏到的。你要放哪裡？我快拿不動了。

臥房裡。我的天主啊。彩色電視機？讓我仔細瞧瞧。真不敢相信。這是幹了什麼？送錯人家了嗎？

之類的吧。放哪？

就這裡，親愛的。就這裡。她拍拍五斗櫃上方並把上頭所有東西推到一旁。你真是個天使。

她把那東西抬到五斗櫃上再退開。葛里姆利太太已經把綁起來的電線解開此刻正拿著電線趴在地上。

她把**絲襪頭**捲到家常連身裙襬的下方膝蓋後方可以看見凸凸的藍色靜脈。彩色電視，她大喊。你還真不知道每天會遇上什麼驚喜。她氣喘吁吁地退出來並伸出一隻手要人幫忙。好吧，她說。把那東西打開。來。讓我來。這種事讓人得喝一杯。

我得走了。

別走啊，親愛的。我們來看強尼．卡森[170]的節目。我有一瓶葡萄酒。

我得走了。你好好享受吧。

老太太跟著她走到門邊，拉了一下她衣袍的袖子。**別**走，她說。就待一下。

她站在浴室洗手台前仔細研究鏡中的自己。那樣子憔悴又憂煩。她的鎖骨幾乎凸的像要刺穿皮膚。她把藥瓶排列在水槽邊。樂平片。阿米替林。她轉開蓋子把所有藥倒進一個空水杯再把空瓶和瓶蓋丟進垃圾桶。然後她把另一個玻璃杯裝滿水看著兩個並排放好的杯子。她在那裡站了一陣子。她把衣袍脫下丟到地上走進臥室在小書桌前坐下把一張摺好的紙從白色信封中取出展開坐著讀。她把信紙折回去再把紙和信封推到書桌的另一邊坐著望向小窗外因為冬季而顯得蒼涼的樹木。這些樹木危機四伏地立足在這座城市中。終於她把椅子往後推然後起身走進浴室把藥倒進馬桶沖掉再把另一杯水喝掉上床睡覺。

三天後小子回來了。

你錯過了我的生日，她說。

是啊。太可惜了。你最近有照鏡子嗎？

沒有。

你看起來糟透了。

讚喔。

我看你和小可愛鮑比應該是分手了。

我們從**沒**分過什麼東西。

他來回踱步。這世界的運作方式還真怪。你怎麼可能幾乎什麼都擁有卻只缺你真正想要的。

不干你的事。

當然也只能揣測啦。在那個性交牛王國[171]或大家口中那個不知道什麼鬼地方的耶誕節我們實在不確定事情可能會變成什麼模樣。

不干你的事。

你剛剛說過了。

那些親愛的嵌合獸呢？看來他們還沒化為實體。還沒開始創造新的詞語啊。我該往衣櫃裡找嗎？

你知道你體重多重嗎？

不知道。你知道嗎？

知道啊。基準範圍內。你昨天的體重是四十五公斤。

他沉默下來端詳她。然後又開始來回踱步。他把其中一邊的鰭往上揮。**別**說話。我**不**想聽。

我什麼都**沒**打算說。

你這不是說了。你上次吃飯是什麼時候？

我**不**知道。**沒**記下來。

你幹了什麼好事？拋棄你那些沉浸在自虐的世界中的心理醫生嗎？

她聳聳肩。

---

170 強尼・卡森（Johnny Carson, 1925-2005），美國著名主持人，曾主持知名深夜脫口秀節目《今夜秀》（Tonight Show）。

171 這裡的性交牛（coital cattle）很可能是指的是曾經統御中部美洲的一位神明魁札爾科亞特爾（Quetzalcoatl），又有一譯名為羽蛇神。

對啦。最好是。

反正你從沒喜歡過他們。

不知道欸。他們感覺很無害。除了可能亂摸你之外。我始終不確定大家該從這些過程中獲得什麼。不確定他們在眼前看見的是什麼。一個有點叛逆的年輕女孩吧。**夜晚亂咬**而且會緊張咳嗽。不過挺可愛的。說不定能搞上床。最後一位如果我沒記錯的話牙齒很可怕。

你沒記錯。他是這樣。

對啊，總之。我們對你獨自一人進行的一切幾乎都很擔心。那是我們的工作。重點在於你決定聽誰的話。我們可不會到處去跟別人說他們不存在。這些傢伙就各方面來說還真相當**心胸開闊**啊。我看不出他們那些做法有什麼結構可言。他們或許沒辦法明白大部分壞消息的根源都是人們不吃蔬菜。既然提到這個我們在討論什麼樣的鄉下女孩會不吃玉米糊？這是什麼時候開始的？

我就一直都不喜歡玉米糊。

你傷了你奶奶的心。

所以我傷了我奶奶的心是因為我不肯吃玉米糊。

對。

太荒唐了。

還有堅持把晚餐稱為午餐還把宵夜稱為晚餐。你和你哥都是。你在笑什麼？

沒什麼。只是有時我會想如果不是非得親自經歷這段人生的話我一定會覺得這種人生很搞笑。

搞笑。

對啊。

小子沉默了一下，他一隻鰭包裹住下巴。她在**值夜班**[172]時跪在邏各斯[173]本身的腳邊，他說。她懇求獲得光明或黑暗而不是這無止境的虛無。

我不在乎你讀我的日記你知道嗎。我的信也是。而且我從來沒有以第三人稱寫過我自己。

是啦好啦。我們是朋友啊。我們可以糾正彼此的文法。

我要睡了。

你打算刷牙還有禱告嗎？

今晚沒有。

我正在籌畫一些新演出。我會在這裡進行甄選但知道你有多愛驚喜。應該幾週內就可以有一些確定的節目了。

還真是迫不及待。

他再次來回踱步。這般消瘦實在不是你最好看的樣子，你知道吧。而且這種邋遢程度我還真不確定我們有沒有見過。

我要去睡了。

你說過了。我擔心你已經打算逃之夭夭。

逃去哪？

不知。我們可以為你做什麼？

你又沒問過。你從不聽我說。

172 這裡的值夜班（Nightshift）有可能原本要講的是夜間睡衣（nightshirt）。

173 邏各斯（Logos）是「邏輯」（logic）的字源，在古希臘文中有word的意思，在哲學中有「支配萬物的原理」之意，在基督教神學中可代稱耶穌基督。

你不知道桌上可能會出現什麼驚喜啊。比如珍稀的禮物。遠古鳥兒身上的泛金羽毛。從早已絕種的野獸體內取出的結石或用不知名金屬刻出的小人像。

我不會抱太大期望。

對啦。

只是些虛幻世界的虛幻文物。

對啦，哎呀。想想還是不錯的嘛。你不覺得嗎？

不覺得。晚安。

—

她搭火車到奧黑爾機場在晚間八點二十分搭上飛機飛往達拉斯然後住進機場旅館。隔天早上她搭機前往土桑兩小時候在一間名為「彼岸」的酒吧獲得一份工作。她在梅布爾街上的一棟房子後方租了個房間然後開著租車往北離開城市到山裡健行。這個涼爽的天氣陽光普照。躺在頁岩上的她望著瓷器般天空裡的兩隻烏鴉。飛到一半時在山側上方幾千英尺處彼此輕觸。隨著上升氣流傾斜翻轉。雲朵的陰影緩慢掃過底下沙漠般的地表。她把靴子的鞋跟扔進鬆散的碎石堆中在冬陽中躺下。等她往上看時烏鴉已經不見了。她伸開雙臂。風吹過岩石間稀疏的草。靜默。

小子大概在一週後抵達。他在她凌晨兩點下班時在家等她。他甚至沒有抬眼看她。只是坐在房間角落破舊的皮椅中讀著她的筆記本。我猜，他說，你一直以來的計畫應該就是盡快來到這裡好跟吉米．安德森討論拓撲學。

你怎麼知道他的名字？

就在支票上。薪資等級呢實在讓人說不出什麼好話。
我們會有小費。那是一間酒吧。
「彼岸」。
對。
完美。只要不是「回不來的彼岸」我就接受。
不是。嗯。應該不是。
這裡是數學家一起打發時間的地方嗎？
對。邱奇[174]下週會來。
上學的事呢？
決定不去了。
你休長假啊。
你就這麼想吧。
小子正在翻閱**螺旋裝訂**的**帳本**。就數字而言這裡頭實在沒多少。這些詩是怎麼回事？
我一直都有寫詩。
這樣啊。我不認為你是為了詩跑來這裡，公爵夫人。
我不記得有聽過你對我的職涯選擇發表立場。這代表我們要開始對戰了嗎？
或許喔。不過真正會讓人對戰的是你就像之前一樣丟下別人。你不該任由你的朋友陷在水深火熱之中。
你不是我的朋友。

174 阿隆佐・邱奇（Alonzo Church, 1903-1995），美國數學家。

我真喜歡你這樣傷害我。我以為我們已經渡過這個階段了。

渡過什麼？而且為什麼你不讓我看你的筆記本？

當然一部分是戒斷藥物的關係。還拋棄了她的那些醫生。這就是剛經歷過精神治療狂喜[175]的人會有的典型失落與絕望感。你上次吃東西是什麼時候。

我吃過了。

是嗎？你上次睡覺是什麼時候？

我不知道。大概星期四吧。

那是多久之前？

今天星期五。

是嗎？所以過了幾天？

她走到房間另一頭坐在床上開始脫鞋子。你不知道從星期四到星期五有幾天？是嗎？

人本來就不用什麼都知道。

你還不知道什麼？

你還不知道什麼？小子模仿她說話。他的口氣跟她一樣神祕兮兮。我想你以為你已經發現了什麼。但有可能只是我在花言巧語地瞞騙你。又或者只要人生一開始不是用手指算數就已經屈居某種劣勢。有想過這種可能性嗎？

沒有。沒想過。抱歉。

算了。我們有進度要推進。我們從你那裡取得的一些東西需要核對一下。我這裡有一些筆記。

你從我這裡取得的東西。

對啊。

他從衣服深處撈出一些紙張。把一隻鰭用舌頭沾濕後開始整理。我們已經開始看到這些變化。我們檢查了一切而既然不是尖筆的問題那就一定是圖表的問題。是吧？這是怎麼回事？好吧。可能是傳輸的問題。你移除掉套印部分。不。是極性反轉。有股熟悉感但我們**不**認為那是問題的原因。而你以為是圖表的部分有可能隔離開一個維度導致仔細檢視會發現一個晶格而你無論怎麼轉動都會是正面朝上因此調動出一些特定的邊界條件問題於是你有個不祥預感也就是整個系統很可能錯位或正在漂移至於在此定義你的平均偏差者但暫且不揭露其名。它有整齊的廊道還有**分支廊道**長話短說我們等它到來時就會知道但這樣夠好嗎？

什麼時候什麼到來？

軌跡之日[176]。

軌跡之日。

對啊。

你來這裡就是為了這個？

這樣可以嗎？

如果他們可以逮到你就會把你放進瘋人院。你明白嗎？是嗎？彼此彼此囉。

所以你的那些小朋友有跟你一起來嗎？

---

175 精神治療狂喜（shrinkrapt）原文是不存在的字詞，以shrink + rapt來翻譯。

176 這裡的軌跡之日（The day of the locus.）原本要講的可能是蝗蟲之日（The Day of the Locust.），而蝗蟲之日通常代表的是毀滅之日。

你不用擔心他們。我講到哪裡了？

就算我知道也不會告訴你。

不重要。現在是新的一年。是該好好幹活的時候了。你有什麼新年新希望嗎？

沒有。

你新年前一天晚上在做什麼？

我們去吃晚餐。

我們？

我哥哥和我。

有跳舞嗎？

沒跳舞。

說不定他已經戒掉了。那散發香味的髮絲和耳邊的吐息啊。小伙子不硬也難[177]。這是我創造的新說法。

你真噁心。

不過我想這是你在**體重系統方面**[178]掉到四十五公斤以前的事。骨頭像是快要凸出皮膚呢。實在算不上情色的標誌。就算謠傳飢餓可以磨練感官。或許你還是該回去搞那些計算。

我無時無刻都在工作。我只是沒有很常把工作內容寫下來。

所以你都在做什麼？只是懶散地閒晃，沉思各種問題？

對啦。閒晃與沉思。這就是我的風格啦。

然後幻想著即將可能成真的方程式。為什麼你不寫下來？

你真想討論這個話題？

當然啊。

好吧。我不只是**不**需要把東西寫下來而已。不僅僅是如此。任何事物只要寫下來就會固定下來。只能承擔下一切有形實體都有的限制。然後坍縮成一個與其所創造的領域疏離的現實。它變成一個記號。一個**路標**。你藉此停下來確認自己的方位，但需要付出代價。代價就是永遠無法知道它在你任其自由發展後會走到哪裡。你總會在每個推論中尋找弱點。但有時又隱約感覺自己該克制。就是該拿出耐心。該有多一點信心。你很想看看那個推論本身會從一片混沌中拖出些什麼。我**不**知道大家都是怎麼算數學的。我**不**知道有所謂的方法。任何抽象概念都在對抗自身的實現。因為概念本身就蘊含著懷疑主義，**不**會只是埋頭往前衝。而這些疑慮就源自概念本身存在的世界。那不是一個你真正有辦法接觸的領地。所以你在你進行掙扎的世界中抱持保留態度呈現出的結果很可能其實和這些新興結構萌生的路徑迥然相異。這些概念自身的內在疑慮是用來判斷前進方向的機制而你的疑慮更像是阻礙前進的煞車。當然概念本身終將會有結束的一天。一旦一個數學推論被正式確立為理論或許會因此煥發出一定程度的光彩可是在很少數的例外情況下你將再也無法享受這個推論其實內含著反映現實核心的深刻見解的那個幻覺。導致那個推論變得只像一個工具。

老天啊。

對啦，嗯。

你把你的那些算術演練講得像是它們擁有自己的心靈。

我知道。

177 這裡的原文「Hard on a lad.」可以是「對小伙子來說太難了」，但同時也有暗示勃起的意思。

178 這裡的原文（avoirdupoiswise）是少用字「avoirdupois」和「wise」的結合。

你是這樣想的嗎？

不。只是很難不這麼想。

你為什麼不回學校上課？

我跟你說過了。我沒有時間。我有太多事要做。我已經申請了去法國的獎學金。正在等消息。

哎呀呀。真的？

我不知道會發生什麼事。我不確定想要。知道。如果可以計畫我的人生我根本不會想活著。其實無論如何我大概都不想活著。我知道故事中的角色可以是真實或想像的不過在他們死後都沒差了。就算想像的生命經歷的是想像的死亡最終反正就是死了。你以為你可以為過往創造歷史。透過現存的文物。比如一綑信件。比如梳妝台抽屜裡的一個小袋子。但那不是故事的核心。問題在於推動故事的力量無法在故事結束後倖存。隨著室內燈光暗去人聲消退你明白世界和其中的一切很快將不復存在。你相信一切會再次開始。你指著其他的生命。可是他們的世界始終不是你的世界。

他經過拿破崙旅店時高個子約翰和布萊特正在人行道上的其中一張桌子邊用寬口高腳玻璃杯喝金普森琴酒。神的血啊，高個子說。如同幽靈。

Juan Largo[179]。Como estás？

Mejor que nunca[180]。請坐。你要喝什麼？所有高球調酒都算我帳上。那隻長頸鹿對酒保說。

威斯特恩把一張曲木細工打造的小椅子拉開。布萊特。你最近好嗎？

都好。

在讀法學院？

錄取了。

哪裡？

埃墨里大學。

好學校。

我想沒錯。

很貴的學校。

對。

你有錢啦。

沒錯。我們以為你已經被死亡水手帶去海底了呢。

還沒。

---

179 西班牙語「Juan Largo」的意思是高個子約翰（Long John）。

180 這段西班牙語的問答是：「你好嗎？」「好得不得了。」

他點了一杯啤酒後翹腳坐在第四張椅子上。你看起來很不錯，約翰。無論氣色啊。體重啊。你是不是跑去哪泡溫泉了？

不太算。其實我遭遇了一場不幸的災難。你眼前的我正在痛苦地康復中。

怎麼了？

在東州醫院勤勤懇懇地待了一陣子。

犯罪精神病房？

苔溪露出微笑。他拆開一根邱吉爾雪茄的包裝認真地準備開始抽。他之前在諾克斯維爾參加了一場派對並根據他一直以來的習慣使用主臥電話打了幾通相當昂貴的**長途**電話。他跟一個在舊金山的女朋友講電話時對話逐漸變得尖酸辛辣導致最後是摔下話筒大步走回**客廳**。咖啡桌上有個玻璃**調酒碗**裡裝滿處方藥。幾乎涵蓋整部藥典的多色藥丸無論出處與目的都各有不同可說反映出當時化學藥物重構人類靈魂的最新藝術。他伸手抓了一大把塞進嘴裡用某人的琴通寧吞下去昂首闊步走出大門。

男服務生拿了威斯特恩的啤酒來。威斯特恩將瓶子斜斜地指向他的朋友們。

我醒來時，約翰說，就躺在一個牙醫的草坪上。森林大道那邊。某個像是警衛的人正在用腳輕推我的腳。我問他想做什麼而他說我不能躺在這裡。可是為什麼呢？我把腦中的疑惑大聲說出來。這裡是一間牙醫辦公室。再過大概兩小時就會有人來這裡處理他們的牙齒。他們不可能接受你躺在這裡。我問能不能稍微往旁邊移動一下就好這樣就不會擋住通道可是他說不行。他說這樣會讓這裡看起來很不專業。我想應該是沒錯啦。

他剪掉雪茄尖端。解釋了他是如何靠著雙手雙腳努力爬上山丘最後甚至抵達桑德斯堡醫院並爬進大廳躺在冰涼磁磚上。

救我，他大喊。

瑪格麗特你有聽見有人在說話嗎？

有人在說話？

救我。

又來了。

她們越過櫃台往下看。

你怎麼回事？

救我。

兩個黑人男子推著輪床過來把他帶去急診室。住院醫生走出來看他。你怎麼回事？他說。

救我。

你想要我們為你做什麼？

薛登想了一下。可以給我那種半克的嗎啡藥片。你知道吧，藍色那種？

住院醫生站著端詳他。終於他從口袋中掏出幾枚二十五美分硬幣遞給其中一位勤務員。他們會把你推到走廊尾端的付費電話旁。我要你打電話找個人來接你。如果沒辦法找到人來接你我就會找人來處理。就是找人來把你帶走。

長官遵命。

勤務員把他推到走廊尾端並在撥了理查·哈汀的電話號碼後把話筒遞給他。電話響了很久。終於佩特接起電話。你在哪裡？她說。

我在桑德斯堡的急診室。他們想把我送進監獄。

好吧。我二十分鐘內到。

他把話筒遞回去。她二十分鐘內到。

她身穿黑色絲質風衣戴著深色眼鏡肩膀上揹著一個黑色手提包急匆匆地走進門。

你怎麼了？可以自己走嗎？

我不知道。把我帶走就是了。這裡的氣氛實在不是很討人喜歡。

他們護送他走到外面的停車場後勤務員把他扶進車後關上門。她坐在駕駛座看著他。你想跟我們回家嗎？

我想去東州。

約翰，你不會想去東州的。你媽媽幾點起床？

我要去東州。

你為什麼想去東州？

他跟她說了他想去東州的原因。她安靜地坐著聽。等他講完後她轉動鑰匙發動引擎。

我們要去哪裡？他問。

東州。

等他們把車子停在警衛室前方時天色已濛濛亮。警衛點頭並輕點了一下帽緣。早安，女士。有什麼需要幫忙嗎？

他想自行辦理入院。

警衛彎腰往約翰坐著的位置望過去而約翰正坐著望向車子前方的引擎蓋。他打量了他一下後點點頭。

你們過去吧，女士。

她為他辦理入院手續填好表格親吻他的臉頰然後他們帶他走過走廊。他換上州立醫院的睡衣後被分配到其中一個小隔間內的鐵床上。再次醒來時其中一位勤務員正在搖他的肩膀。

怎麼了？

約翰，你父親打電話來。

講到這裡時高個子已點燃雪茄並用大拇指及食指夾住雪茄仔細端詳。他望向威斯特恩。正如你所知我父親在我高中時就死了。可是我心想，好吧，還是**有可能**是他吧。他們扶我走過走廊後將話筒遞給我。我接過來時有點遲疑——你應該能想像——然後我說：哈囉？結果是天殺的比爾・希爾斯從加州打來給我。

嗨，他說。你好嗎？

嗨？我好嗎？我緊抓住話筒說：聽我說啊你這肥胖邪惡又道德敗壞的狗娘養的傢伙。你打來這裡找我做什麼？你天殺的有什麼毛病？那個勤務員把話筒從我手上一把搶走後說：欸，你**不**能這樣跟你父親說話。我說真的，閣下。如果我跟一個繼承萬貫家財的女人結婚並搬到南法就永遠不用聽到那個渾蛋的消息了。可是我才剛把自己送進瘋人院入院申請表格上的筆跡都還沒乾他就打電話來了。

你在那裡待了多久？

六週。標準戒毒方案。星期日是訪客日我會在戶外場地等他們拿著午餐籃經過小徑走過來。然後我會姿態張狂地跑過草皮撲向欄杆的尖板條又是嚎叫又是流口水就像一隻得了狂犬病的長臂猿。還會伸出如同爪子的扭曲手掌。神啊他們可真是尖叫逃竄到**不**行。有個女人逃到街上時還差點被巴士撞上。實在令人快活。不過這個活動真能帶來啟示。那些院民的家屬啊。你不明白在那些偏遠地區潛伏的都是些什麼生物，閣下。整個近親雜交的家庭來看他們那支血脈中最引以為傲的展示品。某些小頭畸形的珍異品種啊。或是一隻**尖頭**侏儒。就像出自路易斯・海因[181]攝影作品中的生物。我**不**認為這些人一定有必要用毒氣毒死但節育是完全不能討論的選項嗎？

181 路易斯・海因（Lewis Hine, 1874-1940），美國攝影師，透過拍攝勞動階級試圖改造社會。

你現在是在問我嗎。

算了。老天。我就是那種會被拖到道德委員會修理的人。

威斯特恩啜飲他的啤酒。約翰，他說。你真是個天殺的奇人。

對啦，哎呀。讓我困惑的是面對背景已經如此駭人的對象顯然還有人覺得需要捏造一些惡劣的謠言呢。

還有呢？

其實我還真有幾個消息要告訴你。一個是好消息，一個是壞消息，向來如此。

好消息是什麼？

塔爾莎回來了。

好。壞消息呢？

壞消息就是那個好消息。我其實**不**知該怎麼應付她。我覺得我可能正在展開人生的新航向，閣下。就是路途上的一個轉折。我聞到了好運即將降臨的氣息。只需要一點運氣我就能看見自己安居在一間小巧鄉間別墅中的未來。包括一件晚上穿的天鵝絨**吸菸夾克**以及爐邊的兩隻獒犬。當然還有個很棒的書齋。以及**收藏甚佳**的酒窖。或許迎賓車廊裡還有一台復古的黑色琺瑯米納瓦車。可是我在那個場景裡**沒**看見她。她有趣又性感但絕不是個好搞定的對象而我已經開始厭倦了，閣下，而在我們蹣跚前行的過程中這種厭倦不太可能消失。我實在是**不**知道。我跟這位布萊特說我想做出正確的決定但他笑得幾乎喘不過氣來。可是我是認真的。

她在哪裡？

還在睡覺。

她知道你的感受嗎？或是你已經消失的感受？

我不知道。她是個挺敏銳的女孩。誰知道呢？面對她時總是如履薄冰。當然啦，每次只要女人消失好一陣子後又出現你唯一能確定的就是她過得不太順。這會讓她們變得溫順。至少一陣子。我真是讓自己迷惘啊，閣下，如果借用苔溪的說法是這樣。我不想成為一個厭女者。你在微笑。怎樣？

沒事。繼續說。

她們真難搞。我該汲取你的人生教訓。年輕時就為愛死而無憾。

我可還沒死。

我們別鬥嘴吧。她是個怪女孩。她喜歡這裡是因為有很多好餐廳。可是也因為有很多優良的道具服店。

道具服店。

對。她會帶一些道具服回來而你非穿不可。最近一次我們打扮成兔子。怪的地方在於她會真的很投入。我們會穿著這種兔子裝做愛而且做的時候她會一邊尖叫一邊跺腳。

天啊，約翰。

是吧。男人可以為愛做出的事可多了。不過，就算幾乎是什麼都接受。要讓她抵達高點還是得花上好長時間。像是不停辛苦拯救快溺水的受害者。雖然我常抱怨但有時也能冷靜清晰地看見你所選道路中蘊含的智慧。就算你總是在那不可觸及的黑暗邊緣來回盤旋。那種作法完全超越我的能耐。我在奉獻的命運齒輪上粉身碎骨。遲疑地嗅聞著夜晚的冷涼空氣。不再問更多問題。我是誰我是什麼我在哪裡。月亮是由什麼物質壓製而成。歐洲野人[182]的複數是什麼。我可以在哪裡找到好吃的烤肉。我在你的立場中尋找破綻。我是說除了什麼都旁觀的那類明顯毛病之外。正如吉米．安德森所說唯一比落敗更慘的事就是不參賽。我

182　歐洲野人（woodwose）是歐洲中世紀的文學、藝術及民間傳說中常出現的一種角色，半人半獸且多毛。

得說就算是那些最恐怖的事物至少也有教育意義，但你從女人身上什麼都學不到。為什麼呢？我知道這件事我不孤單。痛苦的目的不就是來教育我們嗎？哎呀隨便去死啦。我只是情緒消沉。到頭來你什麼都能逃離就除了你自己。我倆是不同的生物，閣下。這話我已經說到不能再說。可是我們同樣擁有——除了高智商以及對這世界及其一切的態度籠統的淺淡輕蔑態度——某種輕率而無腦的自負。如果我跟你說我為你的靈魂擔憂你會笑到從椅子上跌下來。可是救贖就跟其他獎賞一樣端看你願不願意冒險。你會為了逃避夢魘而放棄你的夢想可是我不會。我認為那是個糟糕的交易。

威斯特恩啜飲著啤酒。

我們的朋友不說話了，布萊特。你怎麼想？

布萊特搖搖頭。沒想什麼。我太享受這些對話了。請繼續。

薛登抽了一口雪茄，仔細看著那些淺灰色的完美煙灰。如果你覺得有必要我可以把那些話收回。

威斯特恩微笑。不、不。你這些話合情合理。

所以你是認同了。

不。當然沒有。

那就沒有吧。不過在思考你的處境時我不停遭遇新的謎團。

像是？

我不知道。像是為何你最好的朋友是個道德低能兒。舉例來說啦。

說不定他不是我最好的朋友。

不是嗎？這是怎麼回事，閣下。你真讓我吃驚。

我正在擺脫所有煩惱，約翰。我的計畫是輕裝上路。

上路去哪？

不知道。
你嚇到我了。你要出國嗎？
可能吧。
拋下深海潛水？
可能吧。
你做事總是很謹慎。你打算從哪裡弄來資金？冒昧問問。
我正在想辦法。
我猜你那麻煩不斷的業障又帶來全新的惡果啦。
威斯特恩微笑。他把啤酒喝光。
Otra cerveza[183]，閣下。
不謝了約翰。我得走了。
我們要到阿諾餐館吃飯。你該一起來。
下次吧。
你看起來有點心事，老實說。
我沒事。
其實你或許可以考慮去瘋人院待一段時間畢竟俗稱大笑學院嘛。就我來說很有幫助。去休息一下。要是你自行辦理入院——不是被強制入院的話——似乎能享受一些特權。像是可以自行辦理出院。
我會記在心上。

183　西班牙文：再來一杯啤酒。

入院提升了我對生活的熱情，閣下。毫無疑問。讓我驚訝的是那些精神失衡的人享受著豐厚的個人自由而且是在現今凡常世界中愈來愈被限縮的自由。

威斯特恩起身。謝啦約翰。我真的會好好考慮。布萊特。很高興見到你。

見到你我也很高興，鮑比。

薛登看著他的身影沿著波本街離去後消失。他抽了一口雪茄。你怎麼想？布萊特。你覺得他有認真考慮我的建議嗎？

沒有。你覺得呢？

我不知道。但他應該考慮。

他在土桑一間由吉米・安德森的朋友經營的潛水店工作薪水都是私下拿的。他租了一個房間住平常用輕便加熱爐煮飯等離開土桑時他已經有一台二手敞篷小貨車和幾千元。他去紐奧良見了克萊恩。

如果我真的直接消失呢？

我以為我們討論過了。

他們找到我的機會有多大？

克萊恩用手上鉛筆尾端的橡皮擦輕敲自己的牙齒。他看著威斯特恩。那得看他們是誰。我們還是不確定他們的目的。你的車還停在儲物間裡嗎？

沒有。租約到期後他們拖走了。

如果你有偷存一大筆錢就可以跑去偏遠的地方躲起來。但你沒有。

就算有新身分我想也無法使用信用卡吧。或是辦銀行戶頭。

都可以處理。

你有一次跟我說假裝死掉幾乎不可能成功。

我的經驗是這樣。當然你只會聽到失敗者的經驗分享。而他們通常是為了高額理賠金試圖詐騙保險公司所以風險很大。

如果跑去墨西哥城有可能搭機出國嗎？

你的護照還在身邊？

對。

還在效期內？

對。只不過國務院不那麼認為

我想應該沒問題。可是我得告訴你。在國外沒錢沒朋友可不是好玩的。而且你的護照遲早會過期。

這倒是。

總之，如果你認為這只是拖欠稅款的問題那我得說若他們真的只是想跟你要錢大概只會派出幾個傢伙把你倒過來搖搖看會掉出什麼東西而已。五點了。

我知道。我不會耽擱你。

我們何不去喝一杯。

好啊。

他們坐在圖雅格餐酒館的酒吧。威斯特恩在古董木桌上緩慢轉動玻璃杯。克萊恩仔細端詳他。

你只是在到處鬼混而已，威斯特恩。八成沒個像樣的計畫。

我知道。我只是在想我甚至連所謂「國家」是什麼都不知道。

不是個好回答的問題。

基本上似乎只是個概念。

克萊恩聳聳肩。

所以我真的得成為別人，不是嗎？

對。

我得下定決心。

不是很容易。

沒錯。

有些人會永遠抓著殘破的過去不放。

我可能會出乎你的意料。

是有可能。可是我認為在面對危險時評估處境的能力主要由基因決定。如果你本來就有這種能力那還真是經過了漫長等待才出現而如果本來就**沒**有也不太可能立刻獲得。這種情況在運動員身上很常見。還有那些精神變態。還有每一位在母親葬禮上遭到羈押的通緝重罪犯。他們所有人的共通點就是很愛他們的母親。而其他傢伙的共通點則是**不**想進監獄。

你**不**覺得我能成為一個優秀的逃亡者。

不覺得。但正如你所說，你可能會出乎我的意料。

威斯特恩微笑。他拿起他的酒杯。**Salud**。

Salud。

你始終**沒**有讓我失去信心。

原來如此。我見過其他被困境逼到牆角的人後來變得很不一樣。

有些更好有些更差吧我想。

說不定只是變得更睿智。

你還想談什麼其他事？

克萊恩微笑。他搖晃玻璃杯裡的冰塊。你把自己看成一個悲劇人物。

不我**沒**有。差得可遠了。悲劇人物是有能耐的人。

而你不是。

一個有著糟糕能耐的人吧。或許。我知道這聽起來很蠢。但事實就是我辜負了來向我尋求幫助的所有人。或是曾經想和我建立友誼的人。

包括你那位朋友嗎？死在委內瑞拉的那位？

你只是想強調我有多怪。但事實就是如果油老大從來沒認識我現在很可能還活著。

你知道這聽起來像什麼人會說的話。

我知道這聽起來是怎麼回事。你說我該繼續過我的日子。嗯，我什麼都沒進展。

我相信是這樣。真遺憾。

管他去死。**別**理我說的話啊。我只是很消沉而已。我想念我的那些朋友。而且她說的當然沒錯。人們會用盡各種奇怪手段避免即將到來的苦難。世界有太多應該要更願意哭泣的人。

我不確定我明白你的意思。

沒關係。

不。繼續說啊。

威斯特恩喝光酒把玻璃杯放在吧台上對酒保舉起兩根手指後轉向克萊恩。讓我這樣說吧。我唯一需要做的就是把她照顧好。可是她還是死了。關於這點你還有什麼想補充嗎**威斯特恩先生**？沒有了，法官大人。我早該在多年前自殺才對。

為什麼你**沒**有？

因為我是個懦夫。因為我毫無幽默感。

克萊恩望向窗外的街道。也望著冬季城市內的冷硬光線。

人生中還有什麼是你終究沒能抓住的？

我們永遠不會知道，是吧？

你打算怎麼做？

我想我會去愛達荷州。

愛達荷。

我想是吧。

為什麼？

不知道。那裡似乎是逃犯很愛藏匿的地方。

那說不定還是避開那裡比較好。

我決定了再跟你說。

——

這是他在德州米德蘭市郊外的汽車旅館待的第一個晚上。他在午夜過後從高速公路開進這裡。吹進貨車窗戶中的涼爽空氣帶著從油井飄來的原油氣味。遠方煉油廠的光點是沙漠中燃燒的火光形狀如同帆船上高聳的桿架索具。他花了很長時間躺在廉價的床上聆聽柴油卡車從旅館入口一英里外的卡車停靠站開上高速公路時提高檔速的叩叩聲。他睡不著於是過了一陣子後起身套上襯衣牛仔褲和靴子沿著有屋頂的通道走再走上空曠田野。外頭安靜。寒冷。油井管線冒出的火就像是巨大蠟燭城鎮的燈光洗淡了東方星星的顏色。他在那裡站了很久。你認定神不會容許某些事發生，她曾這麼說。可是他其實完全不這麼想。他被汽車旅館照出的陰影傾倒在雜亂的植物殘株上。來往的卡車變少了。無風。靜默。許多地毯色的小毒蛇蜷曲在遠處的黑暗中。世界正在墜入過往的深淵。一切就彷彿從未存在過的逐漸消失。我們幾乎不再盼望如同之前那樣再次認識自己但仍哀悼著那些日子的逝去。他在這幾年很少想到他的父親。此刻卻又想到了他。

•

第二天稍晚他在克羅拉多州南部一條雙線道柏油路上見到一些停在路邊的車子。前方有位州警正把大家攔下來。深紅色的天空上有許多煙正往南方飄去。他把車停好下車。人們站在敞篷小貨車後方的車斗望著火光。他繼續沿著道路走。過了一陣子後感覺到火的熱氣。有火焰燃燒過路面而附近整片鄉間的火正在往很遠的南方燒過去。三隻貓豬從灰燼中小跑步出來跟著他一起走在路上。他單膝跪地將一隻手掌平貼在柏油上。貓豬端詳著他。過了一陣子後他往回走。在停在路邊的小貨車上睡了一夜。

隔天早上他盤腿坐著觀看太陽升起。太陽就像是一團熔鐵模型從火爐中搖曳而出整顆紅紅的在濃煙中晃動。其他大部分的車子和卡車都不見了只剩他坐在那裡喝著一罐番茄汁。一陣子後他發動小貨車打開雨刷清理擋風玻璃上的落灰。

他可以在路上開車時感覺到從燃燒土地吹過來的熱氣。接著來到一段瀝青中帶有著輪胎痕的柏油路。他經過一隻死在路邊的母鹿把小貨車開到路邊停下。然後拿刀下車回頭走到那隻動物身旁站定朝牠焦黑的背部割下一刀並切下里脊肉的部分。以前的老獵人會說那是背帶肉。他坐在車斗末端用免下車餐廳給的鹽包和胡椒包吃那塊肉。那塊肉還是溫熱的。不但中間又軟又紅外頭還是輕微的煙燻狀態。他切片後用刀子和紙盤子吃然後還試著四周一片灰燼的鄉間地帶。有些猛禽在上方逡巡。鳶和鷹。牠們歪著頭仔細搜索底下的地面。

他往北開。小小的鵟鷹排列在高高的電線上。牠們一隻隻起飛繞圈然後回到他身後的電線上。到了晚上他坐在卡車車頂上吃完剩下的里脊肉仔細端詳周遭的鄉間。他把大衣領子立起來看著風把草吹得像是遭到打劫一般凌亂。草叢間會突然出現一些凹槽然後又消失。就彷彿某種看不見的生物快速往前衝後又趴下不動。他啜飲保溫瓶裡的溫茶把蓋子塞回去後伸直雙腿跳到地上。可是他的腿麻掉了所以落地時整個人摔倒在溝渠裡然後躺在那邊笑。

他在道路近旁下方流動的一條小溪裡洗澡。那裡有條老舊的水泥橋。欄杆之間露出鋼筋。他站在下游碎石灘上的裸體不停顫抖然後用浴巾把自己擦乾。橋下池子的水又冷又清澈。適合淡水魚的水質。他那天晚上又睡在小貨車上之後在奶白色光線中醒來時窗玻璃已灑上一層薄薄的粉雪。他坐在睡袋裡腳上穿著襪

子發動引擎打開雨刷。天光灰白遠方有鳥在天上飛繞著從一英里外的河谷中爬升往上。牠們的叫聲纖細曲折。有台卡車往高速公路上開。還在坡道上發出嗡嗡的低鳴。他往前傾身打開手套箱拿出一包餅乾用牙齒撕開坐著吃餅乾等引擎暖起來。

他越過斯科茨布拉夫的普拉特河把小貨車停在一片寬廣的碎石平地邊走過去站著望向下方的河水。夕照中的低矮山丘是深紫色而普拉特河像一條磨損的銀色繩索往鄉間下游流過縱橫交錯的河灘地在深酒紅的暮色中串起一片片沙質河灘地。他坐在碎石地上用他的小刀將一塊漂流木刻成一艘小船然後放在河上讓船流入黑暗。

他在低斜的冬日陽光下橫越過蒙大拿。眼前是一片片為了耕種翻開的土地。一棟棟高聳的穀倉塔。農民像是做錯事的人一樣低垂著頭越過道路。夜晚在極度筆直的高速公路上他可以看見好幾英里外的卡車燈光。遠處山巒一片陰暗。廣播裡除了靜電噪音外什麼都沒有。

他睡在一間剛好位於愛達荷州界對面的汽車旅館裡。裡頭有張上了亮光漆的木床和許多羊毛毯。房裡很冷於是他把牆上的燃氣暖爐打開。他走進廁所打開燈。一九四〇年代的綠色磁磚。馬桶上方的牆面掛著從**出清廉品店**買的畫框而框裡是印花圖樣。

他醒來時床邊桌上的紅色時鐘顯示的是四點零二分。他躺著聆聽。定期有燈光從遠方的高速公路移動掃過百葉窗片同時也打在松木板牆上。然後又逐漸消退。他起身拉起床上的毯子裹住肩膀穿著襪子走到外面的**停車場**。走進寒冷的他頭頂上有整片廣闊的星空。他沒過幾分鐘就不停顫抖於是意識到自己需要再穿暖一點。他轉身走回房內。

他的整個冬天都待在愛達荷州的一間屬於他父親朋友的農舍裡。那是一間兩層樓的框架式木屋廚房裡有柴爐但沒有電力或自來水。他走過樓上空蕩蕩的房間。散落滿地的是泛黃新聞用紙，還有一些碎玻璃。掛在窗邊的蕾絲窗簾幾乎已經破損殆盡。

他本來就有一些毯子然後又在一只箱子裡找到一些接著他把這些毯子都堆在廚房裡。再過幾天他會開車到鎮上買一件有隔熱功能的冬季大衣和一雙橡膠靴。他把小貨車開到穀倉往車上裝滿乾草捆再把乾草捆拖進屋內沿著廚房牆邊、窗邊，還有其他所有的牆邊擺放。冬天還沒結束前他會把更多乾草捆拖上樓好讓廚房上方的臥室地面也鋪滿乾草捆。

樓下的一個房內有床他把床墊拉下拖進廚房把一個老舊的鷹牌油燈放在地上用他從雜物間找到的煤油罐把燈裝滿點亮再將玻璃燈罩放回去調低燈芯後坐下。

雜物間內有一罈罈水果和番茄和秋葵可是不知道已經放在那邊多久了。一些鐵製的**釘耙齒**裝在木盒中。有一隻老鼠的骸骨躺在不鏽鋼**牛奶桶**的底部。他在柴房找到一枝斧頭但沒辦法磨利所以等他再次從鎮上回來後又多了一把電鋸和兩箱平裝書。那些維多利亞時期的小說他以前沒看以後也不會看可是其中有一本很不錯的詩集一部莎士比亞一本荷馬還有《聖經》。他用爐子生火把水桶提到下面穿過屋子底下涵洞的溪邊然後回到屋內煮咖啡還把一些豆子拿去泡。他把更多柴火放進爐子於是整間廚房沒過多久就暖起來了。

隔天早上起床時許多老鼠正在觀察他。那些白足鼠有著水汪汪的大眼睛。他透過廚房門上的玻璃看到外面正在下雪。

有時他會在晚上被房間上方有什麼在移動的聲響驚醒。有幾次他身上裹著毯子爬上窄木梯用手電筒的光束掃過一房間卻什麼都沒看見。只看到地板的灰塵上留下一些足跡。很可能是浣熊。隔天早上他把一塊塊紙板塞進已經沒有窗玻璃的窗框內。幾天後他又在晚上聽見牠們發出的聲響於是爬上樓站在黑暗的房內仔細聽。窗內滿溢月光。冬季樹木的黑色枝條像鏤空畫一樣印在地上。然後他聽見樓下房間有什麼在移動。他覺得聽見有扇門被關上。他快速下樓可是什麼都沒看見然後他回到自己位於爐邊用乾草捆圍起來的巢穴學習跟這棟房子中那不管是什麼的東西共存而對方也一樣。

冬天快結束時雪在預料之外的時候融化了。他穿著靴子走在滿是**泥濘融雪**的路上。他平常吃的主要是豆子米飯和果乾結果瘦到原本的衣服都快穿不住。他站在屋子下方的老舊木橋上看著水流過那些黑濛濛的水像渡船一樣流過一片片結冰。河裡有**割喉鱒**但他已經失去宰殺活物的心情。有一天他看見一隻鼬拱著背大步跑過一片碎石地。他對那隻鼬吹口哨牠停下來回頭望向他然後又繼續跑。

他曾有一、兩次在泥濘雪地裡看見輪胎的痕跡。車轍裡有白色的碎冰片。橋上的木板條上也曾出現**靴子印**。他從沒見過任何人。從金屬屋頂因為雪融流下的水在樓上臥房地面的彎曲木板中匯聚成一個個小水窪再滴進樓下房間。北方帶來兩英尺高的積雪廚房門外掛的便宜塑膠溫度計上的指針掉到零下二十四度。

為了確保電鋸隨時能啟動他把電鋸跟自己一起收在廚房然後偶爾艱辛地穿越紛飛大雪去找還聳立著的死樹。那些樹幹在一片雪白中是灰白色。他用爐門內的黑色塗料混入烹飪油做成油膏塗抹在雙眼下方。某天他把一隻貓頭鷹從長青樹中嚇飛出來然後看著牠筆直又沉默地穿過樹林飛向遠方直到再也看不見。隔天早上他拿著掃把將小貨車門口的雪清出足以開門的空間上車把鑰匙插上轉動。沒有反應。

幾天後前門傳來敲門聲。他整的人定住不動，仔細聆聽。他把一盞油燈吹熄後退入角落從那裡可以剛好看見廚房門上的玻璃。他等著。有片陰影出現。有個穿著連帽毛皮大衣的人影努力想往屋內看。一對戴著手套的雙手緊貼玻璃。一陣子後人影離開了。

由於在一棟老屋內隱遁著。他一天天變得更古怪。他其實有點想走到門口把那個訪客叫回來可是他**沒**有那個訪客也沒再回來。他上床睡覺卻冒著冷汗醒來。他坐起身。清冽的冬日星光灑在窗戶上黝黑的樹木上覆著雪。他把被子拉到肩膀上方。有些夢讓他無法平靜。比如一個護士正等著要把他的隨身物品拿走。有個醫生正在觀察他。

你想做什麼？

我不知道。我不知道要做什麼。

醫生戴上外科口罩。還戴上一頂白帽子。他的眼鏡鏡片起霧。

你想做什麼？

她看過了嗎？

沒有。

告訴我要做什麼。

必須由你告訴我們。我們無法給你建議。

他的罩袍上有血跡。口罩隨著他的呼吸不停凹陷又突出。

她不用看一下嗎？

我想這得由你決定。當然你要牢記在心：只要見過就沒辦法當作沒見過。

它有腦嗎？

沒有發展得很完全。

有靈魂嗎？

他先是沒了咖啡最後終於所有食物都吃完了。他餓了兩天後終於好好打扮一番上路出發打算前往十一英里外的村莊。天氣很冷。車轍中的雪都結凍了。他走路時用戴手套的雙手蓋住耳朵手肘不停左右搖晃。抵達第一棟屋子前時有兩隻狗從車道跑來對他吠叫可是他一彎腰假裝要撿石頭牠們立刻轉身跑掉。四下無人。有一小縷煙從磚造煙囪中冒出。那是柴煙的氣味。

他沒在街上待很久就注意到人們都在盯著他看。之前他只有在廚房的窗玻璃上隱約看見自己的模樣而此刻他在一間店內的鏡子前停步打量自己。鏡子裡是個留著長髮的狼狽流浪漢臉上還長著泛紅的鬍子。老天啊，他說。

他在回程的路上被黑暗追趕上。他用一台在**舊貨店**找到的小孩玩具卡車拖著買來的日用品但拖車有個輪子已經搖搖晃晃。北邊天際閃耀著一片片華美的氯化綠及紫色光芒。一隻鹿穿過他前方的路面。然後又是一隻。

等他回到家拖著玩具貨車沿車道穿過飄雪走進廚房的門內時已經將近午夜了。他推開門用靴子踢了一下門檻。哈囉屋子，他大喊。

他在藥品百貨行買了一把梳子一把剪刀和一支小小的**手鏡**隔天早上他用螺絲起子把樓上臥房內梳妝台上的鏡面從鏡框上拆卸搬下樓後斜靠在廚房門邊的櫃架上那裡的光線很好於是他就在那裡把鬍子剪掉並用一盆熱水刮鬍子。然後他準備開始剪頭髮。他之前就自己剪過而且成果也不差。他把剪下的毛髮從油氈地毯上掃起放進購物袋塞進柴爐的燃燒室關上爐門。他把更多水拿去加熱後站在他從屋子後方底下找到的一座鍍鋅浴缸中洗頭並用海綿擦澡。那座浴缸已經生鏽漏水於是水漏到油氈地毯上流向牆邊再緩慢消失。他在一個丹寧布抽繩袋裡有乾淨衣物於是擦乾身體穿上那些衣物梳好頭髮看著鏡中的自己。

他帶了兩個捕鼠夾回來於是放上當作誘餌的起司擺好。那些老鼠基本上已經占領了廚房。他把**油燈燈芯**調低到火幾乎要熄滅的程度然後在一片靜默中躺下。第一個捕鼠夾發出喀噠聲。然後是第二個。他調高燈芯起身把那些還溫熱的屍體倒進垃圾桶再次把捕鼠夾設置好躺下。

喀噠。喀噠。

等他走到第二個捕鼠夾旁邊時那隻小小的白足鼠正把兩隻前掌放在夾桿上努力想把夾桿從頭上推開。他拉起夾桿望著那個小東西搖搖晃晃走到地板另一頭然後把兩個捕鼠夾丟進垃圾桶回到床上睡覺。

然後有一天老鼠都消失了。他在黑暗中躺在床上想聽見牠們的動靜。他打開手電筒在房內到處照。什麼都沒有。隔天晚上他聽見乾草中有窸窣聲於是坐起身打開手電筒結果在光束中坐著一隻尾巴尖端是黑色的纖瘦白鼬。牠望向光線來源後消失然後又出現在房間遠端的角落速度快到他以為房內一定有兩隻。然後牠再次消失不過這次沒再出現。一週後那些老鼠都回來了。

他在藥品百貨行買了一些學校的練習簿和小包裝的原子筆於是晚上靠著乾草堆坐下就著油燈光線寫信給她。如何開頭啊。我最親愛的艾莉西亞吧。有一次他寫道：我摯愛的妻子。然後他把紙揉成團起身丟進爐火。

雪都還沒融完就已經有貓頭鷹出現在穀倉內的三角牆內。他站在儲藏間內把光往上打向閣樓。兩張心型的臉龐往下窺探。在光線中像是剖半的蘋果切面。牠們眨眼那兩顆頭左右晃動。幾縷稻草飄落。

幾天晚上後他醒來躺在床上聆聽著那片靜默。他起身點亮油燈拿到前面的房間往頭頂上方舉。一隻蝙蝠正安靜地在不同房間之間飄飛。他走到前門打開門任由門在一片寒冷中開著然後回到床上睡覺隔天蝙蝠就不見了。

他在前方房間的報刊櫃抽屜中翻找。裡頭有只很小的茶杯。一隻女性手套。我不知道要告訴你什麼，他寫道。很多事情都已改變但一切又跟之前一樣。我就跟之前一樣。我永遠都會是這樣。我寫信是因為有些事我覺得你會想知道。我寫信是因為有些事我不想忘記。我生命中除了你之外的人事物都已離我而去。我甚至不明白這代表什麼意思。有時我無法停止哭泣。我很抱歉。我明天會再努力一次。附上我所有的愛。你的哥哥，鮑比。

他在紐奧良時就擺脫了不停跟她說話的習慣因為他發現自己會在餐廳或街上說個不停。不過現在他又開始跟她說話了。他會問她的意見。有時到了晚上也會嘗試跟她談起這天過得如何卻又感覺她可能已經知道了。

然後慢慢地一切開始消逝。他知道真相是什麼。真相是他正在失去她。

他記得她在寒冷的薄暮微光中站在湖邊。她用雙手抱住自己的手肘。看著他。最後才終於轉身走回那棟小屋。

他身上包著很多毛毯坐著手肘邊放著油燈。薛登曾說讀過同樣的幾十本書會讓人擁有比血緣更親近的關係。之前我給你的書你都會在幾小時內狼吞虎嚥般地讀完。而且是幾乎每個字都能記得的程度。天氣變得比較暖和了。屋後出現了一隻貓頭鷹。我可以在晚上聽見那隻公貓頭鷹的叫聲。我不知道要告訴你什麼。我打算寫到這裡。附上我所有的愛。

他起身套上靴子穿上大衣走到外面的路上。如同半垂眼眸的冷涼月亮在樹間移動。遠方有橋板在車輪底下翻動的微微音響傳來。光線沿著山脊移動後消失冷風吹來又夾著雪掃過田野然後再次止息。當她走到她在芝加哥住的房間門口為他開門時他就知道她已經好幾週沒出門。之後的幾年間那始終是他難以忘懷的一天。那時的她似乎什麼都為他著想。他帶她去老城區的那間德國餐廳吃晚餐她在桌邊搭上他手臂的那隻手把空間裡的其他一切抽乾而唯有到後來他才明白她就是在那天把他無法明白的事都告訴了他。她已經開始在跟他道別。

他醒來點亮油燈往後靠著乾草堆身上包著許多毯子。地板上的水瓢在油燈燈光中可以看見水面皺褶出細細的圓圈然後又再次回歸平靜。有些什麼在路上。有些什麼在地底深處。他的臉上是濕的於是意識到自己在睡著時哭了。

他用掃把把雪從小貨車上掃掉再把電池用一把鉗子拆下來後用玩具小卡車拖到鎮上後又拖回來。這段路程總共花了七小時。兩天後他離開了。

他在愛達荷州南部一座小鎮的一間老舊鐵路旅館中過夜晚上清醒地躺在床上聽著軌道工程車傳來漫長的輕撞以及噹啷音響那些鏗鏘作響以及回音都像來自遠古的戰爭消息。他站在窗邊。外面已經開始下雪。

他往南開往猶他州的洛根走八十號公路穿越懷俄明。綠河市。黑泉。薛安市。他在小卡車上睡覺一路不停往前開。他穿越懷俄明中央的那些平原。風雪中仍有大型雙聯結卡車不停行駛在高速公路上。奧加拉拉。北普拉特。在泛紅的暮色中一群群鶴飛過高速公路。牠們盤旋降落在在沙洲上往前走收起翅膀時而踏步時而站定。

他走輔助道路往北行駛。一開始有幾台車經過他身邊後來就完全沒有了。一輪矮胖的米紙月亮掛在燈線上。在離開諾福克的道路上他撞見兩個燈在路邊的水溝裡亮著。他把小貨車的速度放慢。那兩個燈一個在上一個在下所以他花了點時間才搞清楚是怎麼回事。

他把車開到路邊停好。那是一台側邊朝下倒在水溝裡的車子車燈還亮著引擎也還在運轉。一陣白煙飄過路面。他關掉小貨車的引擎從手套箱裡拿出手電筒下車關門走到路的對面。他用手電筒往下照向車窗可是什麼都看不見。他站到車底的傳動軸上把自己拉到上方的車體側邊往下望入車內。車門底下有個蜷曲著身體的男人正因為光線猛眨眼睛。

威斯特恩輕拍車窗。你還好嗎？那男人稍微改變了姿勢但沒有回答。威斯特恩可以看出那個男人在呼吸。有一把把枯草和泥巴還有碎石緊貼在下方車側的窗玻璃外。威斯特恩爬到車體後半的四分之一面板上抓住門把嘗試拉開可是門鎖住了。他再次用手電筒往車內照去。把引擎關掉，他喊。那個男人用手肘遮住臉。威斯特恩關掉手電筒坐下。有隻狗在遠方吠叫。更遠處有間農舍的燈光從陰暗的樹林間透出。他爬下車子繞到後方脫下一隻靴子身體靠在保險桿上把靴子的皮鞋跟平貼在軋軋作響的排氣管口。發動機掙扎了幾聲後熄火他於是重新把靴子穿上爬出水溝跨越路面上了自己的小貨車。他想那個蹲在車子裡的男人不是駕駛於是發動引擎沿路往前開心想或許可以看到車燈照到駕駛正在路上努力走著但結果沒有。

他把車子開進黑河瀑布市那天是個很冷的星期五。他住在高速公路邊一間很便宜的汽車旅館等到了隔天早上十點他已經抵達海星聖母療養院。

護士記下他的名字後抬眼望向他。你是病患的親戚嗎？

不是的女士。我只是個朋友。

非常抱歉，我得告訴你，她說。海倫過世了。大概一年前。

他望向走廊。沒關係。有其他我可以探望的人嗎？

沒關係？

很抱歉。我不是那個意思。那傑佛瑞呢？

他把筆放下，抬頭望向他。你是她哥哥。

對。

她仔細端詳他。他身上穿著伐木服裝頭髮還是自己剪的。然後她把椅子往後推站起身。

你不會把我趕出去吧？

不會。當然不會。

你認識我妹妹嗎？

不認識。但我知道她是誰。

等她回來後帶著他經過走道進入交誼廳。這裡跟之前一樣隱隱有尿和清潔劑的氣味。她把門拉開後讓他進去。

你可以坐在那邊的窗戶邊。稍等一下。

等她回來後把門又拉開讓傑佛瑞進去。他坐在輪椅上。威斯特恩站起身。他其實也不確定為什麼。傑佛瑞把輪椅推過油氈地毯然後稍微轉動椅子後抬頭望向他。威斯特恩伸出手可是傑佛瑞只是把他的手肘放到他的掌心後上下擺動了幾次後回頭望向護士。她轉身離開後傑佛瑞看著威斯特恩。請坐吧，他說。

他照做了。他們等待著。直到護士確定離開這個空間後傑佛瑞才轉動輪椅更仔細地觀察起威斯特恩。

你看起來實在不太好，他說。

最近好多了。
我以為你可能死了。
沒有。還**沒**到那個地步。你好嗎？
我只是覺得要是你**沒**死至少該說一聲。
抱歉。
不知道是還不是啦。但我想你來這裡是為了聊艾莉西亞吧。
我只是想看看這地方。就最後一次。
你快死了。
沒有。可是我打算離開。
去多遠的地方？
算是很遠的地方。
好吧。可以理解。我短期內完全沒計畫去任何地方。
你怎麼了？
被一台車撞了。好嗎？
我很遺憾。
對啦。我也是。對方肇事逃逸。
他們找到駕駛了嗎？
誰找到駕駛了嗎？
就是任何人。
你必須講得明確一點。我有躁鬱症[184]。還有其他很多毛病啦。我和阿蒙森[185]都是。

我不認為他有真的抵達北極。

沒有。但他有飛過北極上空。你好像沒辦法搞清楚重點。

我只知道你們是朋友，就這樣。

你說我和阿蒙森。

欸。不是。其實我很清楚。嗯，她有很多朋友。

不過到頭來她還是沒得到她想要的，對吧？就跟我們其他人差不多。

她要的是什麼？

別裝了。

不。我是真的不知道。

她想要消失。哎呀，這樣說也不太對。她想要的是打從一開始就不要出現。她希望自己從未存在過。

就這樣。

她這樣跟你說？

對。

你相信她。

她說的每件事我基本上都相信。你不是嗎？

你相信有死後的世界嗎？

184 正式名稱應該是雙極性疾患，但此書裡的人用字都很老派，而且又是口語對話，所以選擇維持舊譯名。

185 羅阿爾・阿蒙森（Roald Amundsen, 1872-1928），出生於挪威的極地探險家，帶領過第一支抵達南極的探險隊，一九二八年於北極海失蹤。

而她說我不相信有。對吧？

傑佛瑞從衣袍某處挖出一把雙筒望遠鏡靠近窗戶掃視外面的草坪。

世界一定至少有一半是由黑暗組成的，他說。我們談過這件事。

你想念她嗎？

什麼？你瘋了嗎？

你在那裡看到什麼？

一些身上有綠點的蜥蜴。那邊的林子裡有不少。大到不行的鬼傢伙。

真的啊。

或許沒有你那麼想。但我當然想念她。誰不會呢？我以為她待在這裡很安全。但並不是這樣。她該先跟我說的。我會跟她一起走。

真的會嗎？

但她沒告訴你。

毫不猶豫。

沒有。明明這又不是什麼禁忌話題。

你記得她還說過什麼嗎？

不知道欸。我沒想過那些事真的那麼困擾她。她曾說過就算世界還在運轉也不代表你不能離開。那邊的樹林裡有隻貓頭鷹。

哪一種？

我不知道。沒辦法看見。現在只有一堆烏鴉。我以為她是個完美的人。幾乎算是完美。

我不喜歡她罵髒話。

是嗎？我可喜歡了。你知道我喜歡什麼嗎？

不知道。什麼？

看到她和某人第一次見面——最好是個自以為是的臭傢伙——他們看著站在眼前的這個金髮孩子但不用幾分鐘就會嚇得落荒而逃。太有趣了。

她有提過那些會來拜訪她的小朋友嗎？

當然。我有問她既然相信那些傢伙的存在怎麼可能**沒**辦法信仰耶穌。

她怎麼說？

她說她從沒見過耶穌。

但你見過。如果我沒記錯。

對。

他是什麼模樣？

他**沒**有是什麼模樣。他會是什麼模樣？沒有什麼可以描述他的模樣。

那你怎麼知道是耶穌？

你是在鬧我嗎？你真的覺得你可以看見耶穌但卻不知道對方是誰嗎？

他有說什麼嗎？

不。他什麼都**沒**說。

你有再看過他嗎？

沒有。

但你從未對他失去信仰。

沒有。希伯來人總會痊癒。你只需要知道這件事。讓我對你引用湯瑪斯・貝爾福特的話。他的真相到頭來不會是一場空。他想做的一切終將實踐。你或許該好好想想。

誰是湯瑪斯．貝爾福特？

一個已遭定罪的謀殺犯。在德州等著處刑。總之，只要你見到耶穌一次就等於永遠見到他。結案。

永遠。

對啊。他是那種永遠不變的傢伙。

在對這個世界的認知以及因為神而有的信仰之間你都**沒**感受到任何斷裂嗎？

我**不**是因為神而有了信仰。我只是信仰著神。康德針對天上星星還有內在真相的說法沒錯。無信仰者最後會看到的不會是太陽逐漸黯去的光。他們看到的是神逐漸黯去的光。所有人都天生擁有見證奇蹟事物的能力。你必須自己選擇不去看。你以為他擁有無限的耐心嗎？我想我們快把那些耐心耗盡了。我覺得很有可能我們會在這個世上目睹他舔濕自己的大拇指然後靠過去把太陽扭下來的畫面。

你在這裡待多久了？

十八年。

他轉頭看著威斯特恩然後又繼續研究外面的草地。對啦，我自己也有在想。要是他們把我這老屁股趕出去怎麼辦？到時我只能拿著行李箱站在公車站旁口袋裡還只有二十塊錢。所以你不會想太惹人注意。但還是得被當成瘋子。你不能只是裝病摸魚。

你覺得藥物有幫助嗎？

見鬼啊，鮑比。幫助什麼？你的處境很微妙。你知道他們想把你丟出去。畢竟你讓這地方的名聲不好。新客戶帶著他們的**親友**來時他們會把你跟他們隔開。而且你還沒錢。你有任何東西可以抽嗎？

我**不**知道你可以在這裡抽菸。

是**不**行。建築裡不行。但這**不**是我問的問題。

我沒有。沒任何東西可抽。抱歉。

好。

他把身上的衣袍拉緊望向窗外。

我開始讓你不高興了。

還沒。如果有會讓你知道，別擔心。

好吧。

你也可以自己申請入院你知道吧。如果有人可以陪我倒是挺不錯的。我想。你反正也沒其他事可做。

我有朋友建議過。我會考慮。

你才不會考慮。就算進來也不會有幫助。這裡的病房有個小故事。有個女人名叫瑪麗・史布真。二十八歲。在她生日那天。欸事後證明那是她的最後一個生日。總之他們辦了一場有蛋糕的小派對基本上應有盡有還有人帶來一台寶麗萊拍立得相機拍了一些瑪麗和艾莉西亞的照片。艾莉西亞看到照片時發現瑪麗的眼裡有個白點她仔細看著那個白點然後轉身離開。

她去醫務室告訴醫生瑪麗有視網膜母細胞瘤需要立刻移除眼球還把照片拿給他看。醫生看了照片後他們一起回到病房他檢查了瑪麗的眼睛後叫救護車把瑪麗送走一週後瑪麗回來其中一隻眼睛上貼著大繃帶。

她本來會死掉。

對。可是當然這些神經病不是這麼想的。他們派了一群代表去問為什麼她要這樣對待瑪麗・史布真。他們想知道她為什麼要舉報她。他們就是這樣說的。瞧瞧你幹了什麼好事，他們說。

瑪麗本人怎麼說？

瑪麗始終對這件事保持沉默。不過瑪麗已經在大廳廁所割腕自殺死了割腕前還用自己的血在牆上寫了一首意味深長的詩。

這件事一定讓她很難熬。她沒跟我說過。

你說艾莉西亞。

是啊，嗯。病房內有很多發生的事都不會上報紙。

對。

我猜這就是她自殺的原因。

你說瑪麗。

對。

誰知道？她已經在自殺邊緣好多年了。當初應該要對她實施自殺防護計畫但卻沒有。你妹妹一週後走了。

你覺得她為什麼沒有告訴我？

她心裡可能多少覺得那些神經病沒說錯吧。

他把眼鏡往下拉再次仔細研究整理過的草坪。你覺得大部分的人都想死嗎？

沒有吧。大部分這個說法指的數量很多啊。你呢？

我不知道。我覺得有時候你會覺得不如早死早超生。我想如果死亡不是必經過程的話很多人會選擇死去。

你呢？

毫不猶豫。

我不確定我明白有什麼差別。

哎呀你懂啦。

還有呢？

為什麼問？還有什麼嗎？

一定有。

好吧。

好吧？

當然有。

他將眼前的光景看過一輪。我來說個夢吧。這個男人是個偽造古物的傢伙。他在各種文件史料中漫遊。也在準備偽造的道具間徜徉。他是個舊世界的角色。那套深色西裝啊，因為漫遊而破舊。那套西裝潦倒的正式感中卻也有一股擺脫不了的異國氣息。他的公事包謠傳是用異教徒皮製作其中帶著所有文件需要用到的材料。羊皮紙和法國犢皮紙還有可以仿造出適當水印的時代紙張。復古的封印章和緞帶還有各州的簽署範本和來源不同的筆尖搭配上用細繩掛在他腰帶上的細瘦瓶子裡的天然墨水。或許你能想像他的模樣。

我不是很確定。

沒關係。其實啊，我一想到他就會微笑。雖然不是很重要的事。但要是沒有他的這些手藝世界會是什麼模樣啊。我們的選擇會很受限。更值得關注的是他的客戶。

他的客戶是誰？

他的客戶是歷史。

歷史不是「一個東西」。

說得好。不過這樣說也很有問題。歷史是一系列文檔的集合。是一些逐漸褪色的回憶。一陣子後只要沒寫下的事物也就沒發生過。

而大部分沒寫下來的事物是？

嗯。我們現在就是在討論這個主題。

這背後是誰在付錢？

你。

我。

對。而且每次的歷史改寫都是財富改寫。除非你是住在垃圾堆裡不然一定要有所貢獻。

我就是住在垃圾堆裡。

你說的算吧。

這些都是一個夢裡的內容。

不行嗎？

你有跟她提過這個夢嗎？

不需要。

為什麼不需要。

那是她的夢。

可是你能理解。

哎呀呀。

歷史跟錢有關嗎？

你在有錢之前無法擁有歷史。這說法如何？

不知道。懷疑吧。頂多只能懷疑。

謠言、道聽塗說。謊言。如果你覺得你的生命尊嚴不可能因為有人大筆一揮而消失那我建議你三思。

這是她的想法嗎？

不是。這是我的想法。

她一定有提起他的一些事。我說那個造謠者。

你很清楚是什麼狀況。

不。我不知道。

所有實體歷史最終都會變成嵌合獸也就是嵌合體。她說就算把雙手放在老舊建築的磚石上你都永遠不會真正相信他們曾經努力生存下來的世界擁有跟你此刻身處其中一樣的現實。歷史是信仰。

我不確定我明白這個故事的重點。有其他夢嗎？

夢境啊，夢境。什麼樣的絕望會把一個人逼到跑來精神病院問一個瘋子的看法？

好問題。

你知道威斯康辛卡片分類測驗嗎？

有聽說。

大家都知道精神分裂者超不擅長這個測驗。那是個分析工具。她卻是這方面的奇才。

醫生怎麼理解這個情況？

他們給她做更多測驗。

更多測驗。

對喔。

他們就是這樣。

他們就是這樣。她有一次在史丹佛—比奈智力量表拿到八分。

八分？

對。

好。

他們又給她做了一次結果她拿了五分。智商大概跟一條麵包差不多。但之後她就不做了。

沒錯。她不肯再接受更多醫生的測驗。我想她有說要是他們肯改掉名字他就願意接受Coonsfeldt[186]這個測驗。他們想知道她有沒有反猶傾向。

或是反黑人傾向？

或是其他有的沒的吧。

他把雙筒望遠鏡放下看向威斯特恩。他們正在藉此寫一篇論文。天知道他們到底想搞什麼。

如果你可以離開這裡會去哪裡？

不知道。我完全**沒**有想離開的感覺。這裡當然不完美。但我也別無選擇。為什麼問？你想上路了？

我已經在路上了。

是啦。哎呀，你**不**會想跟我一起。我總會招惹一些麻煩。

你被政府當局通緝了嗎？

我**不**知道。對啦。或許。可是只要躲在這個杜鵑窩裡他們就搞**不**到我。所以你也可以考慮啊。

或者還是**別**了吧。

或者還是**別**了吧。不過可能會很有趣。畢竟我在這裡**沒**人能聊天。

你說過了。總之，我知道那種感覺。

你說過了。

她有一次在我自殺情緒爆發時跟我說只要能熬過自我厭惡活下來就能獲得特許去做一些事。我想我懂她的意思。可是如果她都**沒**有遵循自己的忠告我又該多認真看待這個說法？

我**不**知道。

如果人類行善的目的不是為了保護弱者——反正這做法似乎很反達爾文主義——而是為了將瘋狂保留

下來呢？他們不是都有在原始社會中獲得特殊待遇嗎？

應該是吧。

你的好夥伴弗雷澤[187]怎麼說？

我想他同意。根據逸事趣聞來說沒錯。

你得小心對待你想除掉的人。我們對一切事物的理解或許有一部分是來自這些無法好好承載自我的容器。你怎麼想？或許你得先瘋掉才能這樣想。

還有呢？

她說女性氣質中隱含的指令遠比男人所熟悉的還要苛刻許多。

你覺得是真的嗎？

不知道。不過既然她這麼說，你當然還是會想一下。你說點什麼吧。

你指跟她有關的事。

對啊。

我在她十六歲的時候給了她一台車。那是在土桑的時候。幾週後她打包行李從土桑開車到芝加哥。一路都沒停。那台車速度很快而她也開得很快。她一路都沒停就這樣開去。還把頭髮塞在窗縫裡這樣一睡著就會被扯醒。

精神分裂者的典型作法。

---

186 根據前後文推測這是一個要確認是否有歧視傾向的測驗，在這個捏造名字中coon是一種歧視黑人的用語，所以這裡可能也有諷刺意味。

187 詹姆斯．弗雷澤（James Frazer, 1854-1941），蘇格蘭的人類學家、神話學家與宗教學家。

把頭髮塞在窗縫裡嗎？

不是。是一路不停的旅行。是怎麼樣的車？

你懂車嗎？

不懂。

道奇車。改良過的Hemi引擎。速度很快。除了加油站之外什麼都能超過去。

你希望她自殺嗎？

不。我希望她自由。

你覺得那是自由嗎？

或許不是。可是一台快車和開闊的道路可以給你一種別的地方或事物很難給你的感受。

問你件事。

問吧。

你可以猜出自己的人生怎麼發展嗎？

幾乎沒一天猜對。

不過你沒打算問我，對吧？

好吧。你可以嗎？

不行。當然不行。你覺得我們有任何主導權嗎？

這問題真的沒辦法回答。我的朋友約翰一直以來的看法是如果情況發展得既合理又順利就是你自已的功勞而如果不順利就是運氣不好。

對。根據我的經驗也是只要主動想爭取什麼就很可能失敗。

我得走了。

好。你還好嗎？

不好。你呢？

不好。可是我們的期待都變低了。這有幫助。

你覺得我還能見到你嗎。

或許。誰知道呢。

我想你知道。

保重，鮑比。

你也是。

他對櫃台的女人表示感謝但就在要準備轉身離開時她開口了。

威斯特恩先生？

是。

這裡有些東西。你妹妹的東西。我請人拿下來了。你想帶走嗎？

他站在原地望著走廊末端的大門。

威斯特恩先生？

什麼意思。她的東西？

女人從地上拿起一個盒子放在櫃台上。我想只是她的一些衣服。一些紙張。如果不想要的話不用帶走。我們可以送到善意二手商店。可是這裡還有一張要給你的支票。

支票。

對。是她帳戶剩下的存款。另外還有一個留給你的信封。

留給我的。

對。

誰留給我的？

我不知道。有個女人留下來的。

他接過那兩個信封後盯著看。其中一個信封上的收件地址是他位於聖菲利浦街的公寓。

信封裡是什麼？

是一條鍊子還有一枚戒指吧我想。或許是婚戒。顯然都是你妹妹的。本來是寄到紐奧良給你但被退回來。收在我們這裡一陣子了。

而且是某個女人留在這裡的。

對。

她怎麼知道這是我妹妹的？

我不知道。她說她丈夫找到的。她沒留下名字。想打開盒子看看嗎？

沒關係。

你想帶走嗎？

對。好。

她把盒子交給他而他先把兩個信封塞進褲子後方的口袋後接過盒子。

謝謝你。

我很遺憾，女人說。我很遺憾之前沒認識她。

威斯特恩不知道該說什麼。他點點頭把箱子夾在腋下後經過走廊走出大門。

他在小貨車裡坐著把盒子放在旁邊的座位上。有人用膠帶將那個盒子纏繞起來還用黑色麥克筆在盒子上寫了她的名字。他把信封拿在手上。他盯著那兩枚信封看。裝著戒指的信封上寫著羅伯特・威斯森。他打開另一個信封看著裡面那張支票。兩萬三千美金。

他望向車窗外。這樣啊，他說。

他把支票放回信封坐在車裡望向**停車場**外面的樹。他腦中出現她在雪中穿過樹林的畫面於是無法克制地想起她的一切只好用一隻拳頭緊貼住額頭閉上雙眼。過了一陣子後他伸手打開手套箱把信封放進去關上手套箱。他坐在位子上看著另一個信封。信封紙上有個**戒指形狀**的印痕那是有人用大拇指按壓信封裡的戒指留下的痕跡。他用牙齒撕開信封角落打開信封倒過來。裡頭的戒指和鍊子滑進他的掌心。他坐在位子上盯著看然後緩緩握住它們。喔寶貝，他低聲說。

他在抵達紐奧良後住進基督教青年會ＹＭＣＡ然後用大廳的電話打給克萊恩。

你在哪裡？

我在Ｙ。

不如我大約一小時後到大門接你吧。

大概五點。

對。

到時候見。

他們坐在克萊恩訂的桌邊點了薩澤拉克雞尾酒。男服務生將威斯特恩稱為**威斯特恩先生**。乾杯，克萊恩說。

乾杯。

這是週四傍晚的五點三十分不過餐廳幾乎沒人。那是馬塞羅，克萊恩一邊說一邊抬起下巴點了點。他喜歡早一點吃飯。

跟他一起來的是誰？

不知。你不喝水啊。

不太喝。這樣不太好吧。

可能喔。你妹妹之前在威斯康辛做什麼？

她在一間療養院裡。

為什麼是威斯康辛？

她本來想住進他們關羅斯瑪麗．甘迺迪[188]的地方。

她覺得她想去對方就會收？

對。當然他們沒有。最後她去了一個曾由一群修女管理的地方。

美國是個孕育神經病的溫床嗎？

但大概還沒有發達到讓每個神經病有地方去。

你們跟甘迺迪家族沒關係吧？

沒有。

我在六〇年代初期跟鮑比．甘迺迪[189]一起在芝加哥合作過。很短暫。我們和一個名叫艾德．希克斯的人合作那傢伙努力想讓芝加哥的計程車司機擁有自由選舉的空間。基本上甘迺迪是個愛說教的道德家。沒過多久他擁有的敵人就足以列出一長串令人讚嘆的名單而他對自己知道他們是誰並擁有什麼意圖感到自豪。但當然他根本搞不清楚。等他哥哥幾年後遭槍殺時他們已陷入一堆剪不斷理還亂的陰謀詭計中。在這些陰謀詭計中的首要任務就是要殺掉卡斯楚而且如果失敗的話乾脆直接入侵古巴。到了最後我並不認為這有可能發生但這預示了他們之後遇到的所有麻煩。我總是在想甘迺迪在垂死之際是否曾因為鬆一口氣而露出微笑。老甘迺迪中風後這些甘迺迪家族的人不知為何覺得可以去找黑手黨麻煩。完全不管長久以來老甘迺迪跟他們的約定。真搞不懂他們在想什麼。傑克[190]那傢伙一直在跟山姆・吉阿卡納[191]的女朋友亂搞——一個名叫朱蒂絲・坎貝爾的小姐。不過如果要我實話實說——還真是個懷舊用語——我認為是傑克先發現她的。或者應該說是他的其中一個皮條客先發掘她的。某個叫做辛納屈的傢伙。關於這些甘迺迪家族的人你能說什麼呢？他們真是獨一無二的一群傢伙。我有個朋友某天晚上去參加瑪莎在葡萄園辦的家庭派對而他抵達時泰德・甘迺迪正在門口跟大家打招呼。身穿亮黃色連身衣的他已經喝醉了。我朋友說：你那身打扮還真了不起，議員。然後甘迺迪說，對，但我敢做敢當。我朋友——他是個在華盛頓執業的律師——跟我說他始終搞不懂甘迺迪家的人。他覺得他們很難對付。可是他說他一聽見那句話頓時覺得明白了一切。他覺得這就是他們可能會刻在家族紋章上的一段話。不管用拉丁文是怎麼說啦。總之，我始終不明白為什麼沒辦法在任何地方找到瑪莉・喬・柯佩芝妮[192]的紀念碑。就是泰德[193]把車開到橋下丟在車裡溺死的女

---

188 羅斯瑪麗・甘迺迪（Rosemary Kennedy）是美國前甘迺迪總統的妹妹。
189 羅伯特・法蘭西斯・「鮑比」・甘迺迪（Robert Francis "Bobby" Kennedy）是美國前甘迺迪總統的弟弟。
190 約翰・費茲傑羅・甘迺迪（John Fitzgerald Kennedy），通常被稱作約翰・F・甘迺迪（John F. Kennedy）、JFK或傑克・甘迺迪（Jack Kennedy）。
191 薩爾瓦多・穆尼・吉阿卡納（Salvatore Mooney Giancana）是義大利裔的美國黑幫成員，曾為芝加哥幫的老大。
192 瑪莉・喬・柯佩芝妮（Mary Jo Kopechne）是鮑比・甘迺迪後來於1968年試圖參選時的競選團隊成員之一。
193 愛德華・摩爾・「泰德」・肯尼迪（Edward Moore "Ted" Kennedy）駕車載著瑪莉・喬・柯佩芝妮落入水中並導致那名女子溺死。

孩。要不是有那個女孩的犧牲那瘋子本來可能成為美國總統啊。我猜除了鮑比之外他們就只是一群精神變態。我想鮑比是希望能透過他自己來合理化這些家人的存在。雖然他一定也知道是不可能的。資助這整個企業的金庫中沒有一枚銅錢沒受到玷汙。然後他們都死了。大多數遭到謀殺。或許不算是個莎士比亞的故事。但也算是個不錯的杜斯妥也夫斯基式結尾。

這一切跟卡斯楚無關。

真的沒有。到頭來發現真的跟他無關。他在拿下那座島嶼時把聖托．特拉菲坎特拉[194]丟進監獄跟他說他會被當成人民公敵槍斃。所以當然特拉菲坎特拉只是說：你要多少？關於這數字有各種說法。比如四百萬。或是兩百萬。但實際上大概是一百萬美金。可是特拉菲坎特拉並不滿意。黑手黨長期以來都在幫巴蒂斯塔[195]經營賭場。他們覺得卡斯楚該對他們客氣一點。他們可是黑手黨啊。他還活著算是走運。奇怪的是聖托後來還在古巴經營了八到十年的賭場。語言很重要。人們常忘記特拉菲坎特拉的母語是西班牙文。總之，多年來他和馬塞羅負責管理從邁阿密到達拉斯的整個東南部。這個企業的資本淨值相當驚人。最巔峰時期一年有超過二十億美金。如果傑克沒同意鮑比．甘迺迪不可能把馬塞羅驅逐出境可是到了這時候整個生意已經不只是剪不斷理還亂了。中央情報局恨透了甘迺迪一家人而且努力想切斷他們跟政府當局之間的關係但若覺得是他們殺掉甘迺迪就太蠢了。而且要是甘迺迪真打算如他誓言的那般一點一滴瓦解掉中央情報局那他兩屆政府前就該動手。等到他上任時已經太遲了。中央情報局恨透了胡佛後來胡佛也恨透了甘迺迪家族人們總是直接認定胡佛和黑手黨有在互通聲息但事實是黑手黨掌握了太多胡佛身為變裝癖者的檔案——身穿女性內衣褲的檔案——所以那可說是上演多年的墨西哥對峙戲碼。當然還有更多其他因素啦。可是如果你說是鮑比把他哥哥——他所景仰的哥哥——害死的話我得說基本上沒說錯。中央情報局把卡洛斯拖到瓜地馬拉的叢林裡然後就揮手告別搭機一走了之。實在很難想像他們到底在想什麼。他們就把他丟在那裡——他身上持有的還是假護照——等他的律師終於出現後他們兩人被反扭雙手丟進薩爾瓦多的叢林自生自滅。他們站在熱氣和泥濘和蚊子群當中。身上穿著羊毛西裝。走了大概二十英里才終於來到一座村莊。然後，讚美上帝，這裡有台電話。等他回到紐奧良在邱吉爾農場——他的鄉間住處——召開了一場聚會並在會中口沫橫飛地大罵鮑比·甘迺迪。他看著房內所有人——我想大概有八個人吧——然後說：我要揍死那個小雜種。現場變得非常安靜。每個人都知道這是一場認真的聚會。桌上除了水之外沒有其他飲料可以喝。終於有人說了：我們何不一起搞死那個臭雜種？事情就這樣決定了。

我不確定我有聽懂。

如果你殺了鮑比就得應付一個非常火大的約翰·甘迺迪。可是如果你殺掉約翰·甘迺迪那他弟弟很快就會從美國檢察總長變成失業律師。

你怎麼會知道這些事？

說到這個。甘迺迪家族的問題在於他們無法了解西西里人那完全不能讓步的戰爭倫理。甘迺迪家族是愛爾蘭人而且以為他們是靠談判取勝。他們甚至不真正明白有別的可能性存在。他們利用抽象概念來打造政治演說。人民啊。貧窮啊。不要問你的國家什麼什麼什麼的。他們不明白還有實際活著的人是真正對榮譽這種事抱持信仰。他們從沒聽過約瑟夫·博納諾[196]談這個主題。這也是為什麼甘迺迪的書如此荒謬。雖然實話實說還有他自己到底有沒有讀過的問題啦。我要吃焗烤炸雞。

好吧。

194 聖托·特拉菲坎特拉（Santo Trafficante）是西西里出生的黑幫成員，其勢力影響範圍主要在佛羅里達州的坦帕市。

195 富爾亨西奧·巴蒂斯塔（Fulgencio Batista, 1901-1973）曾任古巴共和國軍事領導人、古巴領導人、古巴合法總統及軍事政變後的最高領導人。

196 約瑟夫·博納諾（Joe Bonanno）是出生於西西里島的義大利裔美國籍組織犯罪領導人。

給你選酒好嗎？

當然好。

威斯特恩用指尖挑開酒單。我得說這是個非常引人入勝的故事。可是我猜我想知道的是這故事跟我的問題有什麼關係？

這個國家就是你的問題。

是嗎？

不是嗎？

我得想一想。

嗯。這可能也是個問題。明明你已經不受這地方歡迎。卻還是無法下定決心。

你覺得我有危險。

你真的不該往那邊看你知道吧。

抱歉。我得說他外表看來沒那麼討人喜歡。真的沒有。一百六十五公分而且體重又過重。很難想像有人只因為看了一眼而丟掉小命。

看了一眼。

對。

威斯特恩點了一瓶蒙特普爾恰諾的葡萄酒。克萊恩點點頭。選得好。前陣子我和一個朋友坐在這張桌子旁而卡洛斯和另外兩個男人坐在他那張桌子旁。保鑣沒跟著。保鑣總是坐在前面那邊才能看見所有人。可是有三個女人就坐在那邊的桌子旁而且我注意到所有服務生都對她們擺出一種過往年代才有的恭順姿態。尤其是跟其中年紀較大的女人互動時。等馬塞羅和他的朋友要離開時他們在那張桌子旁停下卡洛斯彎腰牽起那位隨行保母的一隻手對她說了些義大利文另外兩位男人也跟著做。他們完全沒管另外兩位女子。

可是馬塞羅的朋友在微微鞠躬時還把左手放在心口所以等他們離開後我朋友想知道那是不是一個西西里的習慣。就是把手放在心口。我說確實沒錯。事實上那是非常西西里的作法。因為那樣做可以避免他們的點三八手槍滑入那個女人的湯碗。

他點了什麼？

我想通常是一些義大利麵料理吧。他喜歡龍蝦。就是些不見得在菜單上的餐點。

他要去坐牢了嗎？

除非有神蹟出現吧。他在三個州被指控行賄。我甚至無法想像他的律師費有多誇張。

威斯特恩微笑。你是他的品格證人嗎？

很難算是。如果真要說的話正好相反。

怎麼說？

他的律師名叫傑克·瓦瑟曼。他是個來自華盛頓的移民律師。大概三年前瓦瑟曼走到我桌邊坐下。他從口袋掏出一個鈔票夾開始把百元鈔票一張張數到桌布上。他數出三千兩百美金後整理好推過來說：這裡是三千兩百美金。這個數字沒有任何意義。我只是需要你幫我寫一張支票。

你怎麼做？

我拿出我的支票簿。

我不明白。

如果他有一張我寫給他的支票就能證明我有付訂金聘僱他做法律顧問的證據並因此享有律師—顧客關係的保密特權。

為什麼他覺得你會需要他們的幫忙？

他沒有。他只是不確定我們會不會需要嘛。這些人不喜歡將一切交給機運。

你們不會需要簽個合約之類的嗎？

任何人都能起草一份合約並偽造之前簽過的日期。可是支票是直接存進銀行。我寫了一張支票給他還把現金存進一間在佛羅里達的銀行。食物來了。

他們安靜地進食。克萊恩喝葡萄酒的風格很節儉最後兩人桌上還留了半瓶酒。他們點了咖啡。

你有順路去那間酒吧看看嗎？

沒有。我有打電話。

所以沒有人找你。

他們偶爾會去確認。

我希望你沒有相信他們會自己消失。

沒有。應該沒有。他們只是知道我不在那裡。

他們。那些不知道哪來的人。

對。

你覺得會發生什麼事？

我嗎？

你啊。

我不知道。

嗯，大概是不會遭暗殺就是了。

還真讓人放心。

只是會坐牢。

我一直在等你給我一些有幫助的建議。

我也希望可以。

你幫過多少人改變身分？

兩個。

他們現在在哪裡？

死了。

太棒了。

跟我沒什麼關係。其中一個是我的親戚。另一個是用藥過量。大概是因為混藥吧。他們是在用錢買時間但時間難買而且通常很昂貴。

你為什麼要幫他們？

家人嘛。家人就是麻煩。

抱歉。

回到甘迺迪家族。

對。你**不**相信是奧斯華[197]殺掉甘迺迪。

那不是相不相信的問題。

所以這是偵查結果？還是有內幕消息？

都有。從一開始講起吧。就講基本事實。本案中最基本的事實就是奧斯華的步槍彈道分析。那是一把便宜的郵購步槍配上便宜的瞄準鏡。沒有證據顯示奧斯華甚至真的有用過那個瞄準鏡。或甚至知道該怎麼

197 李・哈維・奧斯華（Lee Harvey Oswald）被普遍認定為刺殺美國前總統甘迺迪的犯人，而他在事件發生的兩天後在電視直播中遭到別人擊斃。

用。我們知道其中一發子彈完全沒打中禮車而是擊中人行道邊。根據推測那發子彈打中了一條電線。但我們當然對這個說法存疑。沒有證據顯示奧斯華對槍有任何了解。其中包括如何發射一把槍。他曾被評為神槍手可是那只代表你一直站在那裡直到擊中目標為止。要被評為「專家」才真的有意義。我不知道瞄準鏡的放大倍率。四倍吧。或是六倍。那不重要。我們只知道那就是個沒用的爛貨。就跟步槍一樣爛。那是把六點五釐米的曼利夏—卡爾卡諾步槍。他們甚至沒辦法把名字講對。卡爾卡諾其實是製造商的名字。曼利夏則是一種步槍種類這種槍枝的前臂幾乎跟槍管一樣長。基本上是為了不讓你的手燙傷。所以那種感覺就像是把柯特轉輪手槍叫成轉輪手槍柯特一樣。也許義大利文可以這樣講吧，我不知道啦。在那次槍擊之前甚至沒人聽過這件糟糕的射擊裝備。就算知道這把步槍發射子彈大約是點二五口徑也毫無幫助。軍用彈藥口徑變小已經有一段時間了。不過速度也有變快。重點在於速度。畢竟高速才有殺傷力。

能量與質量成正比增加但卻是隨著速度的平方成正比增加。

對。我一直忘記你很懂這些。卡爾卡諾的槍口初速大概比每秒兩千英尺稍微慢一點。你可以手動裝填一枚點二二口徑的凸緣底火子彈來獲得幾乎那麼快的速度。我仔細看過法醫解剖照片了。很多人都看過。當然死的人毫無疑問就是甘迺迪。你可以清楚看見他的臉。他的頭骨後半完全不見而且小腦還垂在桌上。不過手繪圖相對來說卻不同。其中顯示子彈打掉的主要是上半部。我想我會以照片為準。如果你有看澤普魯德影片[198]的第三百一十三幀就會看見被甘迺迪家族許多人的身影半擋住一團血霧和腦組織。那些組織炸開後往右邊噴濺了好幾英尺的距離。甚至噴灑到一些騎摩托車的警察身上。但卡爾卡諾的槍能造成的傷害不會比BB槍強多少。接下來幾幀影像顯示賈姬爬到禮車的後車廂上還有一名特務情報員也從後方爬上後車箱。他們伸手扶住彼此。可是事實並非如此。最後大家聽到的故事是賈姬努力想把丈夫掉在禮車後車廂蓋上的腦組織掃進手中。她應該是有這麼做沒錯。然後她坐在死去丈夫身旁身上滿是腦組織和血據推測應該是用雙手手掌捧著那些腦組織一路抵達帕克蘭醫院，再交給醫生。又或者說醫生作證時這麼說的。你看起來很困擾。

這是個很奇怪的故事。

對。

是真實故事嗎？

不是。

所以重點是什麼？

重點是大家相信這個故事。重點是只要有愈多情緒跟這個事件綁在一起我們關於實際狀況的敘事就愈不可能精確。我想一定有比總統遭到刺殺更戲劇化的事件但不可能有太多。我當然看過澤普魯德影片。還好幾次。那部影片有十年沒有公諸於眾。但當時那部影片已被竄改得毫無意義可言。我知道賈姬有爬到禮車的後車廂蓋上。可是我不知道為什麼。所以我坐下好好看了那部影片。有另外三部影片也拍攝了同一個場景但都是從禮車的另一側拍攝所以無法看見她的手。而且澤普魯德還有用貝靈巧牌的變焦鏡頭。你覺得她在禮車的後車廂上待了多久？

沒概念。

二點八秒。

好吧。

她不可能有時間把腦組織從車上撈起來。她只是爬出去抓起某個東西轉身回來。你可以看出她根本沒在撈什麼東西。她甚至從頭到尾都沒看手裡的東西。她在指間夾著她拿到的東西試圖把身體溜回來時還是用同一隻手往下伸再用掌根撐住自己朝左推好讓自己回到她位於另一側的座位上。影片有拍到的就是這

198 澤普魯德影片（Zapruder film）是美國公民亞伯拉罕・澤普魯德（Abraham Zapruder）在甘迺迪遭刺殺當天拍攝下的最完整影片。

樣。你可以自己看。她在指間夾住的是她丈夫的一片頭骨。至少真的有一位目擊者回報表示有看見那片頭骨在禮車後車廂蓋上輕輕搖晃的位置。就像一只茶杯。賈姬在撿之前彎腰望向丈夫。他當時已經遭到槍擊。等下一發子彈穿過他的頭時她的臉只有六英寸遠。真正驚人的是接下來發生的事。她丈夫的頭在她眼前爆開才不到一秒她就轉身爬上禮車後車廂取下在上面搖晃的那片頭骨。你知道她在想什麼。或者說你應該知道。她在想如果之後能把丈夫拼回去就得先把每個部位找齊。

這故事聽起來更詭異了。

其實不會。他帶給她太多痛苦但若要說有什麼無懈可擊的證據足以說明她對他的愛與奉獻我想就是這件事。沒得爭論。她是個非常令人讚嘆的女人。

他配**不**上她。

如果你看了從禮車駕駛那側拍的影片她似乎是把手一直伸到後車廂蓋的後方可是澤普魯德的影片顯示她撿起來的東西距離車尾還有一英尺。她立刻採取行動是因為她覺得丈夫在後車廂蓋上的頭骨已經快滑到街上而且即將被輾碎。

威斯特恩坐著。一陣子後他望向克萊恩。你**沒**有女朋友吧。

沒有。

為什麼?

說來話長。

可是你喜歡女人。

我愛女人。

威斯特恩點點頭。

甘迺迪是遭到一把**威力強大**的狩獵步槍殺害。最有可能的是口徑點三〇到點〇六的步槍但也有可能是更熱門的點二七〇溫徹斯特又甚至是霍蘭德與霍蘭德牌的點三〇〇麥格農步槍。但無論如何都一定擁有卡爾卡諾的兩倍槍口初速以及好幾倍的威力。這件事我之前說過了。甚至有可能是一把點二二三口徑的槍——那是北約的制式步槍規格。而且子彈是空尖彈。也就是易碎彈。發射後很可能瓦解成一片片。奧斯華發射的子彈有著堅硬包殼。現場尋獲的子彈甚至完全沒變形。光是這個細節就說明了一切。總統的頭基本上是爆開了。造成這種效果的當然不是子彈而是子彈的震波。他們用顯微鏡檢查甘迺迪剩下的腦組織時發現其中受到許多鉛質碎片的衝擊。但即便如此他們也沒有停下來思考哪裡不對勁。畢竟這些是真的把彈匣當成子彈來稱呼的所謂彈道專家嘛。於是除了鉛碎片之外現場沒有任何來自易碎子彈的微量遺跡而且唯一找到的子彈又來自奧斯華的步槍。可是那些所謂彈道專家卻完全無法好好分析這些資訊。

好喔。

於是「為了國家利益」每個目擊者都被要求改變他的——或她的——證詞。

好喔，為什麼？

好像只是因為當時槍擊總統並不是聯邦罪行。可是如果有兩、三個人共謀這麼做就會是。一定是有人知道這件事。而後者的情況會讓刺殺案變成美國檢察總長的燙手山芋。

也就是鮑比・甘迺迪。沒錯。但即便是這種說法也站不太住腳。真正的問題在於他那幾個兄弟一直以來打算搞出的麻煩爛事。從霍法[199]到吉阿卡納到卡斯楚。一旦仔細調查這場刺殺案這些全會曝光。所以我

199　詹姆士・瑞德爾・「吉米」・霍法（James Riddle "Jimmy" Hoffa）曾為美國工會領導人，據稱早期擔任貨車司機時就有參加組織犯罪活動，曾被擔任司法部長的鮑比・甘迺迪盯上並期望能找出他的罪證，後於一九六七年入獄，遭到尼克森總統特赦出獄後的死亡也疑似與黑幫有關。

們最後只有《華倫報告》[200]。美國政府說服所有人——那些目擊者最後幾乎全撤銷了他們表示看見或聽見的證詞——讓他們相信他們的證詞有可能決定俄國會不會用核彈轟炸我們。是真的有好幾百萬頁跟甘迺迪死亡有關的文件一直被歸檔在密室中啊。我們何時才能看見？致命的那發子彈很可能是從禮車前方射過去。這點當然跟《華倫報告》中提到的完全相反。那裡有許多建築可是沒人費心去確認畢竟他們已經找到那個藏書間和那把步槍還有那些空彈殼了嘛。真正的神槍手大可從極遠處開槍。海軍陸戰隊的狙擊手進行擊殺的距離可遠達一英里。這裡有太多縱橫交錯的可能方程式。小口徑子彈可以行經的距離導致速度變慢但可以用更重子彈的能量與衝擊去取代小口徑子彈沒有的速度優勢。因此無論子彈變得多慢基本上都像一個飛行的磚塊。

你覺得他是遭到點五〇的槍射擊。

不。我可能也不認為他是被人從遠距離射殺。狙擊手所在的位置愈遠——假設是在車子前方——擋風玻璃就愈有可能阻擋他的視線。總之，奧斯華說自己是替死鬼是因為發現自己被丟著到處閒晃、搭上公車，還抵達了電影院。我猜那裡本來是備用的第二見面點。但卻只是在那裡等一台永遠不會來接他的車。而車沒來導致的結果是什麼？就是蒂皮特警官遭到射殺。如果不是這樣的話我們無法解釋這個事件。不過這個事件可能本來就難以解釋。只是即便是在那之前奧斯華就已經在那把該死步槍的瞄準鏡中看見了無比震驚的場面。總統的頭在他準備第三次按下扳機時爆開了。你說說看有哪個說自己是替死鬼的男人結果卻不是的例子。總之，任何人認為有人要和奧斯華這種傻子共謀刺殺現任總統的想法一看就很荒謬。他們沒料到他可以擊中甘迺迪。那只是走狗運。

你怎麼有這麼多槍枝知識？

我本來對槍不太了解是後來開始對這場刺殺案感興趣。所以花了兩天搞清楚所有細節。你大概花一天就行了。

而策畫這一切的人正跟我們在同一間餐廳吃飯。難道這不是件知道了可能帶來危險的事嗎？

這基本上是公開的祕密。至少在某些圈子是這樣。

某些圈子裡。

對。

克萊恩把杯子裡的咖啡喝完再把杯子放回碟子上。

準備要走了嗎？

好了。

在停車場時克萊恩正打算打開車門但又停止動作。他把手肘靠在車頂上。你幾歲？

三十七。

這樣啊。我比你大十歲。你之前問我如果遇到你的狀況會怎麼做我記得我的回答大概是說不知道啊因為就沒遇到。可是你有沒有好好想過你目前必須面對的實際問題？我隱約覺得你有一種內心生活的樣態讓你相信自己有權不去面對其他需要考慮的事。你有意識到自己可能會坐牢嗎？而且其實已經快了？

有。

你不能工作。在這個國家沒辦法。你沒有朋友。我想如果我是你會去思考到底我為什麼還留在這裡。又或者為什麼我沒有考慮改變我的身分。如果你沒有一千八百塊那我幫你出。

我有一些錢。

嗯。那你的處理方式多少讓你看起來像個蠢貨。

他往後退開一步打開車門。門沒鎖，他說。這是不需要鎖車門的那種停車場。

200《華倫報告》（Warren Report）是美國政府一九六三年成立委員會調查甘迺迪遭刺殺事件而做出的報告。

他隔天早上打電話給德布西可是她沒接電話。他打到酒吧喬西接了。她說那些聯邦鬼子每兩、三週就會來打探他的消息。她就是這樣稱呼他們的。聯邦鬼子。

你怎麼跟他們說？

說實話啊。說我們連個人影也沒看見。他們想知道你的朋友是誰但我說據我所知你沒朋友。不令人驚訝，我說。這世上沒比他更誤入歧途的渾蛋了。

你算是根據事實發言啦。

這裡有你的幾封信。

我會派人去拿。

你到底幹了什麼好事？

我不知道。

羅西說她以為你去科斯比了。

之後是有可能。謝啦。

你保重。

他掛掉電話去了上城的拿破崙旅店。他走進去時博爾曼正在吧檯後方。整個地方空蕩無人只有博爾曼在收銀機前數錢。威斯特恩看著他。我請你喝一杯，其他人也一人一杯。

博爾曼抬眼在吧檯後方的鏡子上發現他的身影。鮑比老弟，他說。給我坐下啊。

威斯特恩坐在吧檯邊。博爾曼把現金抽屜關上後走過來。你要喝什麼？

碳酸水。

馬上來。

他轉身把一個玻璃杯喝乾伸手用那個玻璃杯往冰桶裡舀過再把杯子放在蘇打水龍頭底下拉下把手。

我有去七海酒吧找你啊。他們說鮑比哪位？
他把杯子放在威斯特恩面前。拜託告訴我是他們把你這屁傢伙丟出去了。
我的杯子裡有隻蟲。
博爾曼彎腰瞇眼看。對啊。我想已經死了。別喝到最下面就是了。
好。
威斯特恩把杯子推到一邊。你在這裡多久了？
大概兩週吧。
喪夫女呢？
她一直威脅說要跑來這裡。不知道耶，鮑比。我對這件鳥事實在三心二意。
三心二意。
對啊。不確定我有沒有享受幸福家庭生活的命。
八成沒有。你上次見到薛登是什麼時候？
自從葬禮後就沒見過他了。
自從葬禮之後？
薛登的葬禮。
約翰死了？
在我看來是死了。他們把他裝在棺材裡。
什麼時候的事？
不知道。大概三週前吧。
你去了他的葬禮？

你覺得我會錯過這種事嗎？你不知道，對吧？

對。

我很遺憾，鮑比。

很多人去嗎？

葬禮嗎？當然很多。像禿鷹一樣成群結隊跑來啦。都是些諾克斯維爾的老賭鬼。幾乎每個人狀態都沒比約翰好多少。

該死。

我很遺憾，鮑比。我以為你知道。

他拿起那杯蘇打水往水槽裡倒光然後舀了滿滿一杯冰塊後重新裝滿再次放到威斯特恩面前。

科默撞球館的員工團隊都來了。我有點驚訝他們都有出席。

說不定只是要確定他死了。

我有想過。

你的電話給我一下。

當然好。

他把電話拎過來放在吧檯上。威斯特恩拿起話筒撥了七海的號碼。珍妮絲接起電話。

我是鮑比。喬西說我有幾封信。哈洛德在嗎？叫他把我的信帶到拿破崙旅店我會給他十塊錢。

他掛掉電話。你這邊有東西可以吃嗎？

我想冷凍櫃裡有一些紅豆飯。

放多久了？

不知道。我不記得夏天時有看到。

嗯給我來一碗吧。
馬上來。你要餅乾嗎？
當然好。再給我來罐珍珠啤酒。這份報紙是誰的？
你的。
薛登啊。天殺的。
我很遺憾，鮑比。
真是天殺的。

他坐著一邊吃紅豆飯一邊喝啤酒同時讀著那份報紙然後哈洛德氣喘吁吁地出現了。
該死，哈洛德。你不需要用跑的。
我想說既然有十塊錢最好還是趕快拿來。
所以有什麼？
沒有寄給你的東西。只有一張來自西爾斯·羅巴克百貨公司的廣告。
你要我吧。
對啦。拿去。
威斯特恩接過那封信後遞給他十塊。謝啦，哈洛德。
隨時效勞啊鮑比。
他翻看一個個信封結果看到一封薛登兩個月前從田納西的約翰遜城寄來的信於是用牙齒把信封的一角扯開。

親愛的閣下，

這封信是來自約翰遜城的一間老兵醫院但帶來的消息並不好。騎馬的死神似乎已在我的門上做好記號所以等這封信送到你手上——假如真有送到的話——我可能已經走在擺脫俗世糾纏的道路上了。身旁伴隨著所有護理設備所需的冷凝器、變壓器和電容器。還有C型肝炎，以及主要因為肝功能障礙而衍生出的各種併發症另外還有因為年紀、酒精以及多年來大量且廣泛服用的藥物而導致其他器官受到的各種不同損害。戴克斯來探望過我幾次了。我跟你說來看我真的不用排隊相信我。他向一個共同朋友表示我即將被丟入地獄世界的深處就算是派一隻石棉獵犬也找不到我。我想他正計畫為他平常偶爾寫稿的諾克斯維爾小報準備一篇詳盡訃聞。之前他只有為基恩・懷特的其中一條獵犬花過這麼多心思。我有想過要把我的遺體奉獻給科學研究但顯然他們有劃定一些無法使用的限制。戴克斯表示根據紀錄在沒有進行環境衝擊評估之前不能土葬。你可能以為火葬會是個好選項但毒素可能搞壞設備的清洗系統導致死亡和疾病在下風處難以預見的距離外蔓延在狗隻與孩童之間。

好幾個認識我的人都很驚訝因為事態發展至此我還能保持淡定可是老實說我看不出有什麼好大驚小怪。反正自始至終你下車的地方就是這條火車線路的終點。我研究的很多但學到的很少。但我想無論誰都會合理盼望最後有張友善的臉孔陪伴在側。至少是個不希望你下地獄的人陪在床邊。活得更久也無法改變什麼而你那即將永遠撒手放下的生命幾乎可以確定打從一開始就跟你想像的不同。夠了。我從不覺得我的這段人生特別宜人或有益健康而且始終一點也不了解自己為何在此。如果有死後的世界——我極為熱切地希望沒有——我只能希望他們那邊不唱歌。保持愉快啊，閣下。這是早期基督徒一直以來的勸誡而至少他們在這一點上沒說錯。你知道我一直覺得你的過往歷史讓你背負了無謂的怨苦。苦難就是人類處境的一部分也必須承擔。可是悲慘是一種選擇。謝謝你的友情。二十年來我不記得曾聽過你出言批評光是為此我就深深地祝福你。要是我們還能再相遇我希望會是個賣酒水的地方這樣我就能請你喝一杯。或許帶你四處走走。然後去找個看起來有點放蕩不羈身上還穿著訂製長袍的高個子傢伙。

永遠祝福

約翰

九

最後那年冬天小子常常很久沒有出現。她有時醒來會有一種某人剛離開房間的感覺而她會在一片靜默中躺著。一切在灰色的光線中慢慢現形。有一次還留有一抹花香。

她去了田納西那會是她最後一次去。她打電話給奶奶說她要回去了。她們已經好幾個月沒說話於是兩人之間有漫長的沉默。

愛倫奶奶？

她以為奶奶在哭。

或許你不希望我回去。沒關係。

我當然希望你回來。實在不能告訴你有多想。

她就連一件大衣也沒有。天空已經開始下雪而她走進樹林。腳上是她奶奶的靴子。她身上穿了層層疊疊的毛衣還另外套上奶奶的大衣。

沒關係，愛倫奶奶。我不太怕冷。

或許你不怕，孩子。但我怕。

還有一些雪花在落下。它們從灰色的天空灰撲撲飄下。光禿的樹木之間有大塊大塊的採石場石頭。她在雪地跪下用手描過一條繩索形狀的凹陷覺得可能是一條蛇在剛變冷時困在其中留下的痕跡。

她走到採石場往下踏上一片寬廣的岩石平台然後走向對面的水池。一片薄冰浮在暗色水面。她伸長雙臂讓自己變成一個跳舞到一半就定住不動的人影然後用一隻靴子測試那層冰。隔天早上她在吸鼻子的聲音中醒來從被子底下往外望去看見薇薇安小姐在角落縮成一團。她身上包著被子坐起來。怎麼了?她說。

那位老太太為了好好地擤鼻子掀起帽子下的面紗。她緊抓住圍在脖子上但顯得光禿的貂皮同時把濕答答的手帕揉成一團壓在鼻子上看著眼前的女孩。我很抱歉,她說。

你怎麼了?

我沒事。

你為什麼哭?

因為太令人傷心了。

什麼太令人傷心。

一切。

你為了一切在哭?

是因為那些寶寶。

那些寶寶?

對。真是太令人傷心了。

她在身上拍來拍去終於找出一把帶柄眼鏡掛在一隻眼睛前面然後傾身仔細觀察眼前的女孩。他們真的很不快樂。他們也在購物中心哭。

那些寶寶。

對。

他們為什麼哭?

我們不知道,對吧?我們只知道大家一致同意。

同意沒有快樂的寶寶?

沒有。而且他們好努力，願神保佑他們的心。

說不定他們是因為知道未來會發生什麼事。

老太太再次擤了擤鼻子，搖搖頭。粉末狀的黏土物質從她臉上灑落。實在太令人迷惑了。人們似乎覺得這件事很自然。難道你不覺得很令人傷心嗎？沒人關心這件事嗎？

我不知道。他們一直都在哭嗎？

不。我覺得他們非常勇敢。他們想要快樂。

女孩仔細端詳她。她的服裝有種曬傷感。那件骨董洋裝的顏色是曬傷紫。就像有東西在太陽底下放了太久。她的帽子上堆滿墓地鮮花。絲襪都是破洞。

你還好嗎？會冷嗎？

我沒事，親愛的。她拍拍鼻子調整了一下肩膀上的披肩抬眼看。或許你是對的。他們真的知道未來會發生什麼事。他們似乎都擁有一樣心思。實在令人困擾，不是嗎？

我不知道寶寶們可以有什麼看法。

老太太點點頭。我知道。我認為我們這些接近中年的人常受到年輕人吸引。我們當然沒想到會這麼令人心碎。

接近中年？

對。像我就是一個例子。

當然。那你覺得可以怎麼辦？關於那些寶寶。

我不知道。你可以分散他們的注意力。至少可以分散一段時間。但你會無法克制地想到他們是帶著絕望出生在這個世界上。不過我還是無法想像他們在媽媽的肚子裡哭泣。即便他們可能想這麼做。

我不確定與生俱來的共享集體悲苦能有什麼演化上的優勢。

老太太坐下讓自己冷靜下來。那模樣像是有人建議她這麼做。我只是個傻老太太，她說。我不知道我們忘記了什麼。無法記得的人怎麼可能知道任何事？我只知道我們不想記得。或許你是對的。或許他們只是害怕。

他們害怕的是跌倒還有太大的噪音。還有溺水。可能還有蛇。我不確定你怎麼會從中聯想到某種返祖性的焦慮感。

嗯。我們很難去理解寶寶面對的問題本質。畢竟他們不知道自己身在何處，這是當然。他們不知道該信任誰。他們可能身處樹林某處。等待著狼群的出現。

等待著狼群的出現。

沒錯。

我想生物會在大喊不會帶來危險時大喊。鳥類歌唱是因為牠們會飛。因此如果寶寶在哭就一定代表他們很安全。

老太太搖搖頭。安全的寶寶，她說。喔多麼令人想要相信的可能性啊。

你會自己到處旅行嗎？

會。別無選擇啦，真的。我從沒結過婚。如果你要問的是這個。

我**沒**有想要打探你的隱私。

我並不真正屬於他們的其中一員你知道吧。

你說那些表演藝人。

對。

但又有點算是。

嗯。可以這麼說吧。我想。可是我向來就不太喜歡演藝界的人。

我有注意到你是那種寧願獨處的人。

我只是不喜歡造假。

我也不喜歡。

俏皮話通常很殘酷。

是的沒錯。

若有來生我的作法會不一樣。

來生。

我不是覺得寶寶有自己的意見。我想他們主要只是不喜歡這裡。當然你可以問是跟哪裡相比。畢竟他們之前哪裡都沒去過。更別說是這裡。而且他們之前沒見過人所以會想問他們怎麼知道眼前見到的是「人」也應該是個合理問題。又或者眼前見到的到底是什麼生物。他們從沒見過自己。如果有個寶寶出生在一個都是火星人的家中我想他可能要花一點時間才會搞清楚自己出生在錯誤的家庭。畢竟要是他照鏡子時發現自己有兩個眼睛但其他人都有三個呢？

你相信有火星人嗎？

不一定要是火星人啊。他們可能會發現自己身邊都是熊。

最好還是鬥雞眼熊。

你說什麼？

熊。

身邊都是熊很糟嗎？

除非他們吃了你。他們一抵達就開始嚎哭。

你說寶寶們。

對。我不認為問題一定在於來到這個世界。問題可能是我們自己。舉例來說。要是我們變成了讓自己反感的東西怎麼辦。這想法實在令人不開心，是吧？

感覺不太可能是這樣。

所有其他事也是。

所有。

我是這麼想的。當然，就算是最不可能發生的事真要發生還是會發生。是的沒錯。

你是寶寶時有哭嗎？

還是寶寶的時候啊。有。

但後來就不哭了。

對。

所以你當時都在做什麼？

什麼都沒做。

你只是躺在那裡。

他們覺得我有毛病。如果他們把頭伸到搖籃上方我會盯著他們看但沒有其他反應。他們會在凌晨三點時溜進我的房間但我只會抓著我的雙腳躺在那裡。這種情況持續了大概兩年半然後有一天我起身下樓去信箱拿信。

不可能。

確實不是。但也很類似了。

你身邊有其他寶寶嗎？

沒有。只有我。

你當時在想什麼？

不記得了。顯然當時的我對這世界沒什麼興趣。我有幾個填充娃娃。我認為嬰兒沒有因為被丟進這個世界而更為驚恐只是因為他們感受驚恐、害怕及憤怒的能力還沒有發展完全。還沒。任何孩子出生前一天的大腦跟他們出生那天的大腦完全一樣。不過除此之外的一切都不同。他們大概要花上一段時間才能接受這個一直跟著自己的東西就是自己。畢竟他們之前從未見過。他們必須把視覺和觸覺連結在一起。新生兒大概沒辦法那麼快理解現實和視覺的因果關係。而將現實歸因基本上就是他們被世界要求做的事。

他們覺得視覺是什麼？

他們不知道。母親的子宮內黑到不行。我想當他們閉上雙眼時甚至會想像自己已經回到子宮。或者說他們希望回去。他們需要這樣的喘息。抱歉。我只是把腦中想的都說出來了。

我一天到晚這樣。

但你覺得他們只是不想身處此地。

我覺得過一陣子後他們會想找個人負責。那是你在這個世界中學習時學到的事。當然事情有可能毫無來由地發生。但真的不常見。

你覺得我們有在情況不順時找人怪罪的傾向。

對。你沒有嗎？如果沒人可怪罪那還有什麼公平正義可言？

我猜我沒這麼想過。

如果你什麼地方都沒去過也不知道自己要去哪或者為什麼要去那你對於這趟旅程能有多興奮？

我想不會很興奮吧。

寶寶們很早就開始相信所有發生在自己身上的事都是別人造成的結果要不然其他人存在的意義是什

麼？這難道不值得哭嗎？

為什麼他們不能只是因為尿濕褲子？或是單純肚子餓？

他們可以啊。可是正常來說你會抱怨這些事卻不會因此痛苦尖叫。

或許他們只是還不知道其中的差別。我猜他們之所以一天到晚嚎哭是因為他們可以不用承受大哭的後果。我是就演化層面來說。畢竟如果你想吃一個寶寶得先明白那個寶寶有手持長矛和大棍棒的生物在二十四小時照看。此外你可能還得先移開一些真的很大的石頭。

但你停止哭泣了。

還是寶寶的時候。

對。

對。而且還變得很安靜。

你現在會哭嗎？

會。我現在會哭。

他去阿諾餐館吃晚餐坐在餐館內啜飲著一杯冰涼的天然乾香檳。他無聲地向薛登敬酒。畢竟你能對死者說什麼？你們之間也沒什麼共同興趣。敬你身體健康嗎？難道要回覆死者的信？對方也還要回信嗎？男服務生過來打算把桶中半瓶香檳旁的餐巾布取走但威斯特恩揮手要他走開。

先生？

我們打算自己倒香檳。我們比較喜歡冰涼冒泡的香檳而不是溫熱沒氣泡的那種。這就是我們的癖好。

先生？

沒關係。若你不介意我自己倒就好。我沒在菜單上看見龍蝦。你覺得這是什麼情況？

我去確認。

他回來時表示他們確實有龍蝦於是威斯特恩點了水煮龍蝦還有烤馬鈴薯搭配酸奶油及特多奶油。男服務生表示感謝後離開。威斯特恩倒了自己的酒然後把瓶蓋轉好放回冰桶。

我很抱歉，約翰。我早該知道會這樣。我早該知道很多事都會發生才對。乾杯。

他明明知道不應該卻還是去了七海一趟。喬西站在吧檯後方。沒料到會再見到你，她說。

最近好嗎？

很好。你剛錯過他們。

開玩笑的吧。

沒。大概一小時前。

時機還真好。你覺得他們為什麼一直來這裡？他們為什麼覺得我會在？

我不知道。當然我也可以去通風報信。要啤酒嗎？

不用。沒關係。

你看起來不像沒關係。

我瘦了一些。

是嗎？

我看起來怎樣？

我不知道。

憔悴吧。

大概吧。就是看起來有點消沉。或許只是很多心事。比平常多一些。但可能也沒那麼不尋常。

有個朋友死了。

很遺憾。好朋友嗎？

一個很不尋常的傢伙。

你會想念的人。

對。

這裡又有你的幾封信。我說我不知道你在哪裡時那些傢伙不相信。他們總是要問。但我就是隨口說說，總之我真的不想知道。我可不希望他們因為我窩藏逃犯而把我丟進監獄。

你可以收養我。

收養你。

對。這樣我就是你的直系親屬你也沒有供出我的法律義務。

你在耍我吧。

我不知道。每個州的規定不同。把電話給我。

她把電話拉過來放在吧檯上於是他拿起話筒撥了克萊恩的電話號碼。沒有人接。他把話筒放回去。然後再次拎起話筒打給德布西。

嗨親愛的。

你怎麼知道是我？

我新買了一台會告訴來電者是誰的高檔電話。

你今晚要做什麼？

要工作。

幾點下班？

一點。你約我出去啊。

我想要你幫我做件事。

好啊。跟女孩子有關的事嗎？

我要你幫我讀一封我妹妹寫的信然後告訴我內容。

好啊。

你不想知道為什麼嗎？

不想。

所以你今晚可以跟我見面？

我還以為我們已經約好了。

一點三十？

我一點三十到不了。卸妝比化妝更花時間。兩點的話可以。

好。哪裡？

你決定吧。

苦艾酒屋如何？

好。

如果你想要的話我們可以點些食物來吃。

我知道。你還好嗎？

我沒事。那就兩點見？

好。

謝啦小德。

他掛掉電話上樓走進走廊上的廁所鎖上門把鏡櫃掀起取下。

他提早抵達苦艾酒屋所以站在外面等她。他知道她痛恨在無人護送的情況下進門但其實輪不到他擔心。她搭著一位身穿西裝的灰髮紳士的手臂穿越比恩維爾街過來。那名男子和威斯特恩握了一下手然後親吻她的兩邊臉頰接著回頭再次跨越比恩維爾街離開。威斯特恩和德布西走進苦艾酒屋。裡頭客滿，其中大多是英國傘兵。

天老爺啊，她說。

或許來這裡不是個好點子。

她勾住他的手臂往酒吧深處看。沒問題的。來吧。

有個男服務生從人群中擠向他們。那些傘兵又是吹口哨又是發出輕蔑的叫喊。瞧瞧她身邊那個幸運的呆瓜啊。男服務生走到他們身邊把他們帶到後方。

謝啦，艾力克斯。

我打算把你們安頓在後面。這裡可以把門關上。

謝謝你，親愛的。艾力克斯，這位是鮑比。鮑比，艾力克斯。

我們應該先打電話來才對。
沒關係的，先生。你要喝點什麼呢？
跟她一樣就好。
你知道她不喝酒。
沒關係。
了解。
他消失在煙霧和噪音中並把門拉上。
我本來打算跟他拿酒吧的食物菜單。
沒關係。如果你沒差我也不用吃。不過我可能會改變心意點酒來喝。
你會想去別的地方嗎？
不用。反正噪音是監控的敵人。
我們被監了嗎？講「監」可以嗎？
可以。所以跟我說說你的近況吧。我可不想聽到什麼恐怖故事。
我有很多事還沒告訴你。
我知道。
你怎麼知道？
開什麼玩笑。
好吧。我想我快變成另一個人囉。
也該是時候了。
威斯特恩微笑。

男服務生把他們的飲料送來。高腳杯裝的蘇打水稍微用橙味利口酒調色。另外還加上苦精，還有柑橘皮。威斯特恩抬眼望向他。我改變心意了，他說。

男服務生把其中一個杯子放回托盤上。威斯特恩伸手拿回來。再給我一杯雙份琴酒。

不兌水。

對。

德布西啜飲著她的飲料。你需要有人支持。

我不知道我需要什麼。

直接開始吧。

好。

他把信從襯衣取出放在桌上攤開。就是這封信。我從來沒打開過。我有幾封她寫的信還有她在一九七二年寫的一部分日記之後可能都得拜託你幫我收著。

好吧。但我得說這一切讓我有點緊張。

不用緊張。

在追你的人是誰？

我不知道。就算知道對方是誰我也不覺得有差。

怎麼可能沒差？

因為不管他們是誰唯一的選項只有逃跑。

你打算逃跑？

對。

我不會再見到你了。

那是另一個問題。我們到時候再想辦法。
我**不**想失去你這個朋友。
你永遠不會失去我這個朋友。
她拿出她的菸盒。你可是向我保證過了。
對。
要我把信打開嗎？
等我的酒送來吧。我會拿酒到外面的吧檯喝。我希望你幫我看看裡面有沒有提到小提琴的事。就是關於小提琴在哪的資訊。另外還有她可能在哪裡有銀行帳戶。
好吧。這件事我做得到。
男服務生把琴酒放到桌上威斯特恩從高腳杯中喝了一小口然後把高腳杯內的飲料倒進琴酒中用吸管攪拌。慢慢來。我完全不知道裡面寫了什麼。
好吧。
我很抱歉，小德。我沒有其他人可以託付重任。
沒關係。
好的。
別在外面跟人打架。
我**不**會。
我看完會叫艾力克斯出去找你。
好。
可以問你一件事嗎？

當然。

你真的沒問題嗎？這樣孤身一人？

威斯特恩盯著自己的手。那隻手平貼在桌面。過了一陣子後他說：**沒**人問過我。**沒**人想知道我的意見。

你現在無法為你的人生作主。

如果我在這世上愛的人都不在了能不能自由去超市又有什麼差呢？

而這情況永遠不會改變。

對。

他抬頭望向她。她的雙眼閃著淚光。

抱歉。我**沒**有想要讓你難過。

直接來讀信吧。

說不定這樣做不好。

直接來讀吧。

好吧。謝謝你。

他拿起酒走出去穿過整間酒吧站到街上。四下頗為安靜。兩個年經人悠悠經過其中比較高的那位上下打量了他一番然後他們往酒吧裡頭看。

如果是我**不**會進去。

另一個人在門口轉身。這樣啊，他說。

比較高的那位已經去裡面看過又出來走到人行道上。沒辦法啦，他說。

怎麼了？

他轉向威斯特恩。謝謝你，甜心。

我的榮幸。

他走進苦艾酒屋。艾力克斯正在找他。你跟她說了什麼？

什麼都沒說啊。為什麼問？

她哭得好慘。

該死。好吧。我很抱歉。

他推門進到包廂關上門。那封信正攤開放在桌上。她望向他後又移開眼神。喔鮑比。

我很抱歉。

可憐的寶貝。可憐的寶貝。

我很抱歉。我真是太蠢了。

不是你的錯。是我自己的問題。天啊。我真是一團糟。我也有個妹妹你也知道。我很抱歉。我弄壞你的信了。她打開皮包拿出一張面紙在信紙上有睫毛膏水漬的地方小心沾擦。

不用管那個。

她輕輕擦去眼角的淚水。

我剛剛差點要進來叫你別看了。

沒關係。我真是個脆弱的小寶寶。

我真的很抱歉。

男服務生打開門往裡面看。你還好嗎？

沒事，艾力克斯。謝謝你。只是信裡有些壞消息。我們不會有事。

他看起來很懷疑但還是把門拉上了。

我一定看起來很糟。你真的要我收著這些信嗎？有多少？

沒有很多。但如果會讓你不自在就不用了。

總之我不會再需要看其他信。

不需要。

好的。

請說吧。

小提琴就在她購買的那間店裡。我希望你知道店在哪裡因為信上沒寫。

我不知道她是在店裡買的。我以為是在拍賣會上買的。

那把小提琴很值錢？我猜是這樣。

我想應該是。她是用奶奶留下的遺產買的。我當時覺得把遺產花在一把琴上實在很奢侈。那些錢本來應該是她的教育經費可是她說會有其他人買單。而她當然也沒說錯。另外她也說無論你為阿瑪蒂小提琴花多少錢總之不用幾年就能大大回本。

她在哪裡讀書？

芝加哥大學。

她那時候幾歲？十二？

十三。

她怎麼知道要買哪種小提琴？

她幾乎算是克雷蒙納小提琴的世界權威。她熟知一百把克雷蒙納小提琴的歷史。她以前會收到博物館來信詢問她關於館藏品的意見。她針對這些小提琴的聲學特性建立了數學模型。就是關於琴板的正弦波形。她最終想出足以讓人製作出完美小提琴的拓樸模型。阿瑪蒂琴只是用膠水鬆散地黏在一起所以她後來把琴徹底拆開。她和一個在紐澤西叫哈金斯的女人合作。還有一個在安娜堡名叫伯傑斯的男人。很多人到現在都還在嘗試聯絡她。她不太需要別人幫忙就能自己挑琴。那把阿瑪蒂琴是很罕見的珍品。我想應該很多年沒有出現在市面上了。

她把信折起來收回信封。

我真的很抱歉，小德。我沒有其他人可以拜託。

沒關係。

她打開她的粉盒看著自己在小鏡子裡的臉。天啊，她說。

我們該走了嗎？

我得去一下廁所。努力修復一下臉上的損害。

好的。我去拿帳單。

不會有帳單。留小費就好。

五塊？

不如放個十塊吧。

好的。謝謝你，小德。

他們穿過整間酒吧走出去但此時那些傘兵已經醉得不太有心力關注他們。確實有人大喊著要她甩掉那個娘娘腔但也僅止於此。威斯特恩攔下一台計程車。他們沿著杜曼街抵達她的公寓然後他陪她走向大門。

我感覺我做了耗損友情的事。

友情一直在，鮑比。一直在。沒有消磨。沒有耗損。

好吧。

克萊拉兩週後會來這裡。我希望你跟她見個面。你一定會愛上她。

你興奮嗎？

非常。

她傾身親吻了他的兩邊臉頰。

要我在這邊看你進去嗎？

不用。我沒事。

你家有人在嗎？

對。可以嗎？

可以。當然可以。我不是故意要打探你的生活。

她把鑰匙插進大門轉動後把大門拉開。

再打電話給我。

我會的。

保重。

我會。你也是。

晚安。

晚安。

鮑比？

是。

你知道我愛你。

我知道。或許在別的時空可以相愛吧。

我知道。晚安。

十

他白天待在鎮上晚上搭渡輪回去。他站在上層甲板看著底下的一個男孩和一個女孩一起抽一根大麻菸。渡輪的名字是Joven Dolores[201]。他稱為年輕的憂傷。汽笛最後一次響起時水手把船艏和船尾的纜索解開開始向海峽內比較平靜的水域移動。水一波波拍打著船殼。舊城牆上方的鐘塔緩慢轉身退去。

他們在逐漸濃重的暮色中艱難地穿越那些島嶼。洛斯阿爾卡多斯島、埃普島。埃斯帕德爾。塞帕德洛。洛斯弗列歐斯的燈塔。他在伊比薩島的文具店買了一本小小的劃線筆記本。裡面用的是那種很快就會泛黃發皺的便宜漿紙。他拿出筆記本用鉛筆在裡面寫字。Vor mir keine Zeit, nach mir wird keine Sein[202]。他把筆記本收進放有幾件日用品的抽繩袋中站著看海鷗在船隻索具上的燈光之間飛行不停飛晃出船尾又飛回來。牠們左右轉頭看著底下的海水以及彼此然後一隻隻躍下後重新朝城鎮的燈光飛去。

他往前走站在鐵欄杆邊讓自己的臉迎著風。腳下的甲板傳來柴油引擎的深沉鼓動。遠方的福門特拉島是一連串低矮的海灣與岬角。又陰暗又狹小的群島。有艘汽艇正穿越大海與天堂之間的陰影線那是古人也曾野心勃勃地想開著小石船做到的事。

他從卡拉薩比納的雜貨店中庭牽出自己的腳踏車把袋子掛在龍頭把手上然後上路朝著聖哈維耶爾以及拉莫拉的海岬地前進。新種的麥田地在路邊的黑暗中輕柔劃過空氣。他穿過松樹林。推著腳踏車走。在世間獨自一人。那扇厚重的木門上有個鐵鎖頭另外還有一把手打的黑色鐵鑰匙上有鎚子反覆敲打的痕跡不過吉列爾默不把鑰匙給他。沒問題的，他說。這裡不會有人來。

Bueno. Pero si va a venir nadie, por qué está cerrada?

Ah. No sé. Pero la llave es muy vieja. Es propiedad de la familia. Me entiendes?

Sí. Por supuesto. Está bien.[203]

他把門推開把腳踏車推進去然後靠牆站定關上門從低矮桌上拿起油燈點亮重新把玻璃燈罩蓋上舉起燈仔細觀察。內牆邊有往上的石階梯。有穀物的霉酸味傳來。黑暗中有塊作為底座的大扁石另外還有巨大的木製齒輪與把柄整體就像一台雄偉的天文儀。一切都是由橄欖木削製而成再用某間古早鐵工廠槌打出的鐵件連結起來最後在這個風車磨坊的黑暗密室中聳立著就像一座雄偉的太陽系儀。他對每個部分都瞭若指掌。包含風軸和**制動輪**。還有磨坊閨女魚。他爬上樓梯穿越陰影手上提著油燈抵達他睡覺的閣樓。

他的床就是放在幾個木塊上的膠合夾板上頭有個包著粗糙亞麻布的稻草床墊上面還放著兩條黑灰相間的義大利軍毯。他在頭頂上方拉開一條塑膠防水布緊貼住漏水的屋頂另外也是為了抵擋鴿子大便。他把油燈和抽繩袋放在矮桌上踢開涼鞋躺在床上伸展身體。鴿子們躁動了一陣子於是一綹綹稻草在黃色光線中飄下。厚重的石牆上有扇小窗有時到了晚上他會坐在窗前看外面有沒有船。那些遠方的燈火。

---

201 西班牙文：年輕的憂傷。

202 德文：在我之前沒有時間，在我之後沒有時間。

203 西班牙文：
好的。但如果沒有人要來，為什麼門要關著？
啊。我不知道。但這把鑰匙很古老。是家族財產。明白我的意思嗎？
好的。當然。沒問題。

他睡著了但半夜裡被塔樓裡的低矮火光驚醒。已經燒完的油燈正在冒煙。他伸手調低燈芯。有艘船的號角聲傳來。他總是睡不了幾小時。有時只因為風聲就醒來。有時是因為樓下的門發出咯咯響。就好像有人試圖拉開門栓。他原本會把一小塊木頭用腳跟踢到門底下塞住可是現在卻喜歡上這種聲音。他身上包裹毯子坐著望向遠方暗色的海彷彿披著一條變化莫測的星辰披風其中的星星揚起又落下。風暴的蒼白閃光再次出現並以窗戶的形狀短暫地、顫抖地投射在更遠的牆上。一整片光線靜默地閃過歷史上有名的這片海，地平線上的暴風雨雲被閃電打亮邊緣，緩慢而沉重的海浪如同熔爐中的爐渣反覆拍打並散發輕微的臭氧氣味。這短暫的風暴季節。他聽著雨滴拍打頭頂防水布的聲音睡去等到醒來時已經是白天。

到了早上他走上沙灘身上穿著那件很好的蠟油質布料英國防寒外套並把外套的帽子拉起來擋雨。空氣中充滿杏花的氣味。一朵朵花在路上的車轍中漂搖也在海岸邊堆積也隨著緩慢的黑色海浪湧動。兩隻狗沿海岸跑來但發現不認識他後轉身離去。如同蛇丘般的大堆大堆海草被暴風雨沖上岸許多人聚在沙灘上用木製乾草叉把海草堆到小拖車上。他們在他經過時對他點點頭而那些小騾子緊貼著挽繩。

他在細雨中往遠方的岬角走。有軟木塞在漂浮，也有碎玻璃。還有漂流木。過了岬角頂後的岸邊有大理石子發出喀噠喀噠的音響，翻騰的長浪正在退去。遠古的浪。無休無止的浪。這片狹灣對面的貝德拉巨岩要塞隱約可見。這塊岩石在雨中黑黝黝地聳立著。

這裡住的遠古人類是塔拉約爾人。他們建完石堆就離開了。然後來的是腓尼基、迦太基人。羅馬人。汪達爾人。拜占庭之後是穆斯林文化。十四世紀是亞拉岡王國。前方的海灘躺著一隻死去的海豚。牠長長的下巴骨已裸露出來，破碎的肉體像一條條細長的灰緞帶。他蒐集了半個手掌被海水充分洗刷過的碎玻璃，玻璃是噴砂材質的淺綠色而且不透光。他把這些碎玻璃在平坦濕潤的沙子上堆成圓錐狀的小堆不過這些碎玻璃很快就會再次滾入海裡。

他在接下來幾年幾乎每天都會在海灘上散步。有時到了晚上他會躺在殘骸線上方的乾燥沙子上像古代水手一樣研究星象。或許就是為了看看如何規畫航線。又或許是看看他們在這片永恆的黑色寬廣空間中緩慢前行時什麼樣的冒險計畫比較合適。他往外走向可以看見懸掛在遙遠彼岸菲格拉茲市燈火的地方。黑色的海水起伏拍打。他把長褲捲到膝蓋。在卡羅萊納海岸那天也是這樣一個夜晚。車道邊的旅店燈火。她親吻他臉頰道晚安時吐出的氣息。他心裡的驚懼。

薛登曾說邪惡沒有備案。邪惡完全沒有能力去考慮失敗的可能性。

而當邪惡嚎叫著打破所有壁壘而來呢？

身穿白色長禮服的她提著馬燈從樹林中走出來。她提著禮服裙襬，細瘦的身形透過床單透出來。樹木的影子啊，純粹的黑暗。在石造圓形露天劇場中的寒冷以及在他們頭頂上緩緩轉動的星辰。

讓我講個故事。這個宇宙中最後倖存的男人身邊的光芒逐漸暗去。他為任何事物感到憂傷時都是同一種憂傷。從他那可憐又幾近耗竭的靈魂殘餘中他將發現找不到任何東西來塑造出即便是最微薄的神性之物來指引他走完人生最後的日子。

之後的幾年間他會搭渡輪去伊比薩和吉爾特·維斯及他的妻子索妮雅一起在波羅伊格的海岸地區吃晚餐。有台車會在碼頭等他等到了對方家裡後他們會一起喝酒並享用美味的西班牙菜包括醬料滋味豐富的甲殼類和雞肉以及來自西班牙大陸的美味葡萄酒。吉爾特的司機到了晚上會把他載回去搭渡輪。他坐在繫纜柱上看著燈火。道路對面的咖啡店傳來笑聲。遠處海灣的黑暗中有驢發動機內部不停敲擊的碰嚨碰嚨聲。維斯一直催促他找個女人。他說這話時憂心忡忡，不但把身體靠近他還用手捏住威斯特恩的手臂。找個來觀光的有錢女人吧，羅伯特，他悄聲說。到時候你就會知道有多棒。

鎮上有人死了。天還沒亮他就聽見喪鐘響起。那些在雜貨店裡穿著深色西裝的男人之間瀰漫著某種莊重氣息。他們對他點點頭。他點了一杯葡萄酒坐在一旁。顏色慘白的熱帶壁虎在桌燈打在天花板上的光圈中繞圈圈。牠們跟蹤飛蛾的姿態就像賣酒水處常見的變態。牠們的腳有一顆顆感覺毛毛的突起。凡德瓦力[204]。他對著那些男人點點頭並舉起酒杯。回家時的天空清朗升起的月亮蹲踞在他眼前的道路上。他沿著漫長黑暗的岬角走而風車的剪影就矗立在天空前方。他站在風中仔細看著黑暗中的大片星星。遠方村莊的燈火。他爬上樓梯，手上提著燈。哈囉，他大喊。這杯啊。這苦杯[205]。

他父親很少跟他們談起三位一體。他幾乎都是在文獻中讀到那次試爆。他們臉朝下趴在掩體中。他們在黑暗中低聲交談。二。一。零。然後突然之間就是一片極致的白熾光。外面的岩石熔成渣滓後匯聚在沙漠的融沙中。小生物們驚駭地在這突然又罪惡的一日中蹲趴下來然後消失無蹤。就像是有個藍紫色的巨大生物拔地而起這生物本來被當作沉睡於不朽之眠但其實一直在等待著甦醒的時刻。

是他的父親帶她去看那些醫生。他坐在舊農舍的廚房桌邊眼神越過田野凝望向溪流和樹林。他在一本筆記中寫下她曾說過但他無法理解的話並把那些話讀了又讀直到最後或許終於意識到她的病——他是這麼稱呼的——與其說是症狀不如說是一種訊息。他不只一次在門口轉頭看見她盯著他看。這位**Fräulein Gottestochter**[206]背負著她自己終將不願認同的天賦。

他的父親。他從絕對的大地塵土中創造出一顆邪惡的太陽並讓人類藉由這顆太陽的光線看見自身終點的最醜惡諭示而且是透過彼此身上的衣物血肉及骨頭。

他曾在墨西哥北部的**荒僻鼠地**尋找父親的墳墓可是一無所獲。他對著身上襯衣沾得很髒的官員說著糟糕的西班牙語但對方只是無語地看著他甚至懶得假裝把他當成神智清醒的人。在諾克斯維爾的街道上他遇見一個童年時期認識的人對方顯然毫無惡意地問起他是否認為他的父親在地獄。不，他說。我不再這麼想了。

有時他坐在聖哈維耶爾的小教堂內。那些漫長而靜默的午後。披著黑色披肩的女人盡力不偷看他。石製聖水盆上有許多石製嬰兒像。聖壇後方的廉價板牆被漆成金色而抹上灰泥的牆壁上漆了許多花朵其中有許多像飛蛾一樣的生物造訪，像是正輕飄飄地從一片片窗玻璃透入的光線飛過，一隻，然後又是一隻。他一開始以為那些生物可能是蜂鳥但後來想起古老的世界沒有這個物種。他點燃一根蠟燭然後把一枚比塞塔幣投入錫箱。

他走出教堂沿著岬角走。遠方有雷在黑暗的地平線上翻騰並傳出像是許多箱子掉落的音響。不尋常的天氣。細小的閃電迅速打下。內陸海。西方的搖籃。孱弱的燭火在黑暗中搖曳。所有歷史的演練都是為了自身的滅絕。

隔天早上他的毯子上出現一隻蜘蛛。那對眼睛如同芝麻。他對蜘蛛吹氣於是蜘蛛慌忙跑開。他做了有關父親的夢。那天又過了一陣子後他想起來了。那個瘦弱身影在破敗的診所走廊蹣跚前行。前方推的點滴架上掛著他使用的許多管子和瓶子。當時距離死亡以及那場以無名者身分在異地無名者公墓的堅硬鈣質層上舉行的葬禮只剩幾天。他停下腳步淚眼汪汪地轉過身來。那對紙拖鞋和一件布滿髒汙的病袍。我的兒子在哪裡？他為什麼沒來？

他騎腳踏車穿越小小的碼頭。先是沿著舖有碎石的細小海口路騎再往外沿著平地騎。這裡曾是為了迦太基城將鹽蒸發後留下的地方[207]。Frumentaria[208]。這是羅馬人的說法。伊比薩的燈火在北邊亮起。他坐在岸邊一顆鑲嵌有古老鐵環的石頭上想趕在夜色降臨前修好輪胎。他把腳踏車的前輪叉撐在牆上讓車子立

---

204 凡德瓦力（Van der Waals）是一種電性重力，壁虎能在牆面行走就是因為腳上極細緻的匙突（spatulae）和接觸面產生了凡得瓦力。

205 在《聖經》中耶穌以無罪之身為了人類的罪喝下象徵性的「苦杯」，以為人類換來「福杯」。

206 德文：神的女兒小姐。

207 歷史上曾謠傳羅馬人在打下迦太基城後在城內及周遭的土地撒鹽使其變得貧瘠。

208 拉丁文：穀物。

起。再把耳朵貼近橡膠輪胎轉動輪胎仔細聆聽。然後從掛在腳踏車座位底下的皮囊裡翻出一枚補胎片。

有一天他遇到一位來自巴爾的摩的美國女孩並和她一起走過舊城區。他們走過小墓園裡的石碑。他跟她說他會被埋在這裡但她看起來半信半疑。或許吧，她說。任何人都不可能永遠心想事成。她的手臂上有刀片留下的痕跡。他把眼神移開但速度不夠快。我得走了，她說。

晚上他在沙灘邊蒐集木柴和焦油塊生火然後坐在一旁的沙子上取暖。有隻狗在黑漆漆的沙灘上走向他。他只看見一雙紅眼睛。牠停下腳步站了一下子。然後繞過一堆岩石繼續走。火焰被風來回扯動而他包著毯子睡著了醒來時火已經燒到幾乎只剩焦炭。綠色的礦火及餘燼被吹散在沙灘上。他把剛蒐集到的木柴推進火堆坐在黑暗中聆聽黑色的海浪緩慢拍打岸邊。許多銜鋒船被拖到沙子上。青銅或鐵的敲擊在那些古老的夜晚中迴盪。垂死者的呻吟。如果用鑿刀刻掉[209]理解古代典籍的關鍵那其損失又能透過什麼碑匾來衡量？

別害怕，她會這樣說。真是最令人驚恐的話語。她看見了什麼？對這個人來說血就是一切。血也毫無意義。一個有著天賦卻無需承擔後果的人。還是孩子時的她就會自己創造出一些遊戲而即便是那時的他也很難迅速理解並投入那些遊戲。她把他帶上閣樓之後那些年她至少會有一段時間是在這裡對抗世界也在此面對未知。他們蹲坐在屋簷下她握住他的手。她說他們注定是要找出些旁人隱藏不讓他們知道的事物。是什麼？他說。她說是我們。他們隱藏不讓我們明白的就是我們自己。

到頭來她相信的是大地的每一顆石頭都遭到辜負。

你怎麼可以沒有埋葬他？他的雙手真有那麼血紅嗎？父親們總是會獲得原諒。到頭來他們都會獲得原諒。如果是女人讓這個世界經歷如此恐怖的拖磨大家都會懸賞重金抓她們。

他回到風車磨坊時天色依然昏暗他爬上樓梯坐在他的小桌子前。他把額頭埋在雙手中在那裡坐了很久。終於他拿出筆記本寫信給她。他想跟她說些心裡話但最後只針對島上生活寫了幾個字。只有最後一句例外。我想你想到無法忍受。然後他簽下他的名字。

他們一起坐在柏克萊某間醫院內的窗邊。他父親在瘦瘦的手腕上綁著一條塑膠名牌。他已經長出一小綹白鬍子而且一直用手去摸。奧本海默，他說。那個人會是奧本海默。他會在你問他任何問題前給出答案。你可以把花了好幾星期處理的問題拿去找他而他會在你把努力成果寫上黑板時坐在一旁用菸斗噴煙然後看著你寫好的內容沒多久後說：對。我已經知道我們可以怎麼處理了。然後起身擦掉你寫的內容並寫上正確方程式再坐下對你微笑。我不知道他對多少人這樣做過。問題本身是什麼也沒差。如果只談數學領域的話這個人大概就是格羅滕迪克[210]吧。當然還有哥德爾。馮紐曼[211]始終不在這個行列。就這個情況來說愛因斯坦也沒有。他當然是更好的物理學家。他擁有卓越的物理學直覺但卻在解開自己的方程式時遇到困難。之後他的問題在於他想解開自己的方程式。他覺得那是條捷徑。我認為這讓他誤入歧途。在廣義相對論之後他再也沒交出什麼成果。我認識他，當然。就跟所有其他人認識他的程度差不多。也許哥德爾真的認識吧。那是他歐洲的朋友。還有貝索[212]。還有馬塞爾・格羅斯曼[213]。這一切都在他成為後來的愛因斯坦之前。

他在入夜時騎車前往聖哈維耶爾並在雜貨店喝了杯葡萄酒。

---

209 這裡的用鑿刀刻掉的原文動詞是「burrin away」，推測是鑿刀（burin）的變體。
210 亞歷山大・格羅滕迪克（Alexandre Grothendieck, 1928-2014），法國數學家。
211 約翰・馮紐曼（John von Neumann, 1903-1957），出生於匈牙利的美國籍猶太人數學家。
212 米給雷・安傑洛・貝索（Michele Angelo Besso, 1873-1955），義大利裔瑞士電機工程師。
213 馬塞爾・格羅斯曼（Marcel Grossmann, 1878-1936），瑞士猶太人數學家。

有個穿著編繩底鞋的老先生拖著腳步沿路走來。他拉出一個露出單顆黃牙的微笑。路邊的罌粟花亮麗得像紙花。到了晚上他帶著毯子來到海灘上睡在沙子裡。你在害怕什麼？她說。你怎麼可能害怕已經發生的事情？

雜貨店老闆是個名叫若奧而且英文說得很好的男人。他的英文是在布拉瓦海岸的旅館工作時學的。之前死掉的是他的朋友保羅。保羅年紀比較大而且總是坐在其中一張小木桌邊喝著他那杯葡萄酒。他臉頰上的黝黑皮膚顯得歷經風霜像是打磨過一樣而白色棉襯衣的袖口更顯得手腕特別棕黑。他總是用一種莊重的態度啜飲葡萄酒而前臂有個只要捲起袖子就能看見的貫穿白疤。那是三十毫米口徑的機關槍留下的疤而他的胸口下半還有四個同樣子彈留下的痕跡。他的雙手當時是被綁在背後所以那顆打斷他手臂的子彈是從身體前方直接往後打穿。他說他究竟是被打了四還是五槍其實是個哲學問題。

他有給你看過嗎？

沒有。他太謙虛了。

我想他是覺得丟臉。

為什麼會覺得丟臉？

我不知道。我是這樣想的。我想他不認為站在牆邊被人當作一條狗一樣槍擊是件多麼崇高的事。他有跟我提起他後來在一堆死人中醒來。大概就是夜裡的某個時候。身旁屍體都已經開始發臭。他就這樣在夜裡的一堆屍首中醒來後爬走。並在爬到路上後被一些巡邏兵發現。我想他是覺得丟臉吧。那是另一個世界。他為了一個注定失敗的目標而戰他的朋友都已靜靜地死去而在周遭的一片血泊中他活了下來。就這樣。他等了好多年想知道神對他有什麼期許。還有他該如何面對他的人生。可是神從未開口。

威斯特恩問他自己有什麼看法可是若奧只是聳聳肩表示不知道。總之，別跟我提起神。我們已經不是朋友了。至於站在牆邊被人用機關槍打這是保羅沒有在生前擺脫的過去。到頭來這件事形塑了他這個人。

這就是我們正在討論的主題。舉例來說。災禍無法被善行抹消無論多少善行都一樣。災禍只能被更糟的災禍抹消。他從未結婚。他受人尊敬，這是當然。可是到頭來你一定會記得他毫無意義地遭到槍擊。落敗者擁有他們的信念而勝利者擁有勝利。他是否有時寧願希望跟朋友一起死去？毫無疑問。他是從北方來的。小鎮來的。他哪懂什麼革命？他多年前來到這裡。沒有家人。他曾是教堂裡的司事。司事？有這樣一個詞吧？我**不**知道他為什麼來這裡。他有個小房間。他敲鐘。我**不**知道他為什麼來這裡。或許他跟你很像。

在伊比薩有聖週遊行。遊行中有喇叭和鼓和提燈。還有戴面具的各種角色。他們穿過舊城走來。那些角色身披黑衣頭頂上有**圓錐形狀**的帽子身後有一群抬棺者用擔架抬著他們神死去後的屍首走過卵石街道。那雙往上翻的灰白掌心有著黑色聖傷痕。

他坐在人行道邊喝咖啡。有人正在看著他。他轉頭時那個男人已經起身走過來了。鮑比？他說。是。

你**不**記得我了。

我記得你。

你在這裡做什麼？

喝咖啡。坐著。

我把我的飲料拿過來。

他拿著他的玻璃杯和一本平裝旅遊書回來拉開一張椅子坐下。我**不**敢相信你會在這裡。你自己一個人嗎？

對。

你在這裡做什麼？

我住在這裡。

你住在這裡？

對。

你做什麼工作？

沒做什麼。我只是住在這裡。

你在耍我吧。

威斯特恩聳聳肩。

有回諾克斯維爾過嗎？

沒有。

你知道希爾斯死了嗎？

有。我知道。還有薛登。

親愛大衛呢？

不。他的話我不知道。

我不敢相信你竟然住在這裡。讓我請你一杯吧。老天，這些天殺的狗到底是哪來的？你要喝什麼？

來杯白酒吧。

那就白酒。服務生呢？

噓那個男人。

噓那個男人？

對。他過來了。

要怎麼說？

Vino blanco.

Vino blanco, por favor.[214]

男服務生點點頭後輕手輕腳地走開。

這些東西到底是誰的？

狗嗎？牠們不是誰的。牠們就是狗。

其中有一隻在我妻子的皮包裡撒尿。

什麼？

在她的皮包裡撒尿。我們正在吃午餐等食物來之後她把皮包從桌上拿下來放在椅子邊的人行道上然後這個該死的東西就過來抬腿往裡面撒尿。沒什麼特別的原因。她回旅館後努力想把尿洗掉可是味道實在太可怕只好丟掉了。還連同包裡的所有東西。你在這裡住多久了？

大概一年。有些賽車手以前會來這裡聚聚。七〇年代的時候。

他們現在還會來這裡嗎？

沒有。我想這裡已經不是之前的樣子了。以前會有一些有趣的罪犯住在這裡。比如有個第一流的藝品仿冒家。最頂尖的能手之一。還有個謀殺了妻子的著名鋼琴家。警察最後終於把他們全抓起來。現在這裡的美國人大多只是來拜訪彼此一起喝酒。但我不推薦這樣做。

你呢？

我住在一棟風車磨坊裡。我會為死者點蠟燭而且正在努力學習如何禱告。

214 西班牙文：白葡萄酒。白葡萄酒，謝謝。

為什麼禱告？

沒有為什麼禱告，只是禱告。

我以為你是無神論者。

不是。我只是沒有任何宗教信仰。

然後你住在一棟風車磨坊裡。

對。

你現在天殺的是在逗我玩吧。

沒有。

男服務生拿著酒過來。Salud，威斯特恩說。

Salud。

你喝的是什麼？

芙內布蘭卡。

會有腸胃問題。

最好是啦。嘗起來這麼香甜的東西一定對你有好處。

威斯特恩微笑。他啜了一小口白酒。

你不是在開我玩笑。

不是。

好吧。你一直是個謎團。我想你也很清楚。你也覺得自己是個謎團嗎？

當然。你不覺得嗎？

不。不太算。反正我最好還是先離開。我的老小姐會等我。你確定你沒問題嗎？

我沒事。

好啦。好吧。

他在黑暗中騎腳踏車回到島上。從後輪往後方探照的尾燈在他於拉莫拉緩慢停下時愈來愈暗。他把腳踏車留在堡壘門邊往外走向崖壁後站在風裡。黑暗的潮水拍打著遠方菲格雷塔斯海邊有著許多燈火。海裡飄來微弱的鹽味。

薛登之後會再來看他最後一次然後就再也沒出現了。他們坐在一間空蕩蕩的劇院內。是你嗎?約翰。他說。

那個高個子彎腰駝背地坐在一個高處的座位上。他有一陣子沒回話。然後他說:是的,閣下。就某種程度來說是。

靜默中只有一個人的呼吸聲。他聆聽著。該說什麼呢?很高興見到你,約翰。

謝謝你,閣下。很高興被人看見。

我很懷念我們的那些閒聊。

我也是。你怎麼會跑來這裡?

跑來一間劇院嗎?

對。

不確定。可能是因為劇院裡永遠不會是黑的吧。這件事很少人知道。

劇院裡永遠不會是黑的?

沒錯。看見你身後的光了嗎?

所以呢?

那盞燈永遠亮著。無論如何。你知道燈的名字嗎?

不知道。

叫做鬼燈。

然後呢。每間劇院都有？

對。每間劇院都有。

而且總是開著。日夜不關？

日夜不關。沒錯。誰都不敢冒險關掉。

沒錯。

多年來的漫遊都捕捉在一個回憶片刻中。你可能也有注意到空蕩蕩的劇院代表一切都是虛空。那是過往世界遭人清空的一個隱喻。無論如何這裡不太可能是人們前來獲取新消息的地方。你還好嗎？

我想還行。

你為什麼在這裡？

我不確定。

什麼都沒變吧。

沒有。

如果我說這很振奮人心你不會覺得冒犯吧？你這擁有鋼鐵意志的男人啊。還抱持著高尚決心。

不會。

我猜到頭來我們可以給予的只有我們已經失去的。不是我有多愛悖論。只是這些悖論到頭來愈來愈像是唯一確切的現實。我想這大概算不上什麼新見解。

不算。

但讓我繼續說吧。

當然。

你說我是世界毀滅的預言家。但沒有什麼預言。充其量就是個盼望。你才是預言家。你有這麼做的工具。我的心中沒有哀慟，閣下。那正是我缺少的。我總是很嫉妒你。這是其中一個原因。神啊這裡好冷。我已經再也無法感到溫暖。你曾說我是**蒼蠅王老粗**[215]。

我說你是什麼？

蒼蠅王老粗。你**不**記得啦。

我記得。你不覺得好笑。

確實。被說是假神只會讓你聳聳肩算了。但被說是假撒旦就只是可笑。而且這說法還暗示我是**土包子**。

抱歉。

就當沒發生過吧。

謝謝你。還有呢？

啊。

想說什麼就說吧。

早該說的。可是剛剛迷失在我的思緒中，這個比喻現在使用還真恰當。我沒什麼可責怪你的，閣下，可是我**沒**有獲得善待。整體來說。現在抱怨有點晚了我想。就某種程度來說你已經直接認定我只是個愛耍嘴皮子的知識份子。確實我始終沒有擺脫我的出身。這點我很確定之前提過。一杯冰涼的酪乳總能讓我滿

---

215 這裡的原文是Beelzebubba，一個不存在的字詞，基本上是Beelzebub（巴西力卜，原意為蒼蠅王，在基督教的神學資料中時常被記載為撒旦的另一個名字）＋bubba（一種叫人「老兄」的說法，也會被用來指稱美國南方的勞工白人）的結合。

足。但那也不是什麼壞事。

不是。

我希望可以獲得你更好的評價。我不認為我是個不大方的人。就算花的是別人的錢。

不。你不是不大方的人。

我一直以為你會把自己溺死。但你沒有。

沒有。

我一直做一個跟你有關的夢。其實是兩個夢當中的其中一個。你獨自穿著印度橡膠連體衣站在海底。正在逃離一道正在裂開的地層潛沒帶。你在那些超深淵的深處艱難前行就像一個在黏液中跋涉的男子你的鉛鞋在身後肥土留下的足痕一個個緩慢闔上。地殼吱嘎作響。緩慢捲起的泥沙雲霧吞噬了你。你的提燈幾乎毫無用處只能靠著遠方的詭譎光線前進那些遠古火山孔的噴煙如同蠟燭矗立著。你朝向那些彷彿來自地獄的海燈逃亡這行為不只帶有詩意畢竟生命就是很久以前從那些海燈的凶險肚腹中折衝出來的結果。

你跟我說過了。

有嗎？我忘了。在人們的回憶中夢境與生活因為詭異地融合而變得對等。我開始懷疑我們所走的道路與其說是我們的選擇還不如說是我們的想像。而在此同時我們甚至不太清楚的過去又回頭翻入我們的生命就像一筆可疑的回購投資。這些時代的歷史要釐清可花時間了，閣下。但若要說我們的理解有什麼共同的基石那就是我們都有缺陷。我們內心最深處明白的就是這件事。

你覺得我們憎恨自己。

我是。但當然啦，遠比不上我們應得的懲罰。可是沒錯。

所以世界有多糟糕？

多糟糕啊。世界的真相讓未來顯得如此駭人即便是歷史上最悲觀的預言家都相形失色。一旦你接受了這件事那麼這一切終將化為粉末飛散在一片虛空中的想法就不只是預言而是一種許諾。所以請讓我反過來問你這個問題：當我們和我們的所有成果都已消失連同我們對那些成果的記憶以及所有能將這些記憶編碼並儲存的機器也都消失而地球就連火山渣都不剩之後，這對誰來說是個悲劇？這樣一個生命會在哪裡被找到？被誰找到？

我**不**知道，約翰。

一個人的生命會像金屬套筒的開孔逐漸閉鎖。在最後一絲光線後什麼都沒有了。

我們之前應該多聊聊。

我們聊很多了。

我們的夢或許已經同步。就像姊妹會裡的月經一樣。雖然偶爾對你有些刻薄但不得不說我總是心懷怨懟地仰慕著你將喪親之痛推崇至高的姿態。你將那種哀慟提升到超越其哀悼內容本質的地位。不，閣下。聽我解釋。那是一個關於失落的抽象概念。這個概念將所有可能的失落吸納入其中。那是我們最原始的恐懼，你可以為其賦予任何意義。這個概念**沒**有入侵你的生活。但始終存在。這個概念等待著你的遷就。等待著你的讓步。但我還是覺得我低估你了。至於說到要如何把你的故事跟一般人區分開來。如果跟憂傷相比我們可以確定喜悅沒有類似的集體領域。你**無**法確定另一個男人的快樂跟你的快樂類似。可是就痛苦的集體感受這件事卻很少有人懷疑。如果我們不是在追求一切事物的本質，閣下，那我們在追求什麼？關於你認為我們無法在不留下印記的情況下揭露此事的看法我願意聽從你的意見。我甚至願意承認你或許是抽到了比較慘烈的牌面。可是聽我說，閣下。當事物的本質無法確定時形式幾乎難以站得住腳。所有現實都已失去，所有失去都是永恆。沒有其他種類。而我們探詢的那個現實首先必須包含我們自己。而我們是什麼？百分之十的生物學和百分之九十的**晚間謠言**。

另一個夢是什麼？

另一個夢是這樣。有匹沒有騎士的馬在破曉時分站在柵門口。那是在另一個國家、另一個時代。這匹馬帶來的消息只可能發生在一天的路程內，不可能更遠了。之前這匹馬的夢中都是母馬、草地和水。還有太陽。可是再也沒有這些夢了。這匹公馬的夢成為一個充滿血腥、屠殺以及男人與動物都在尖叫的世界而這一切對牠來說實在很難理解。這匹馬站在柵門口低垂著頭而天色剛剛亮起。牠身上穿的編織鎖甲上有暗色血跡一隻前蹄斜斜地踩在碎石上。沒有人來。沒有消息抵達。這個場景可能來自一幅畫。我不知道。我不知道有什麼意義。或許我是在一本書見到的。小時候吧。可是這就是我夢到的內容。真希望我能換個方式跟你說，閣下。所謂為任何奮鬥做好準備基本上就是要放下包袱。如果你把過去帶進你的戰鬥那就是一路騎馬衝向死亡。保持樸素可以讓你提振心神、視野清晰。輕裝上陣吧。帶著幾個想法就夠了。所有試圖解決孤獨的藥方都只是在延後孤獨。而你的孤獨變得無藥可救的那天終將到來。我祝福你的人生船行一路平順，閣下。我總是這麼盼望。

謝謝你，約翰。

我得走了。我們最好**別**再見面了。

我知道。我很抱歉。

我也是。**別**讓他們議論我，閣下。他們嘴巴很壞。

我知道。我會再想想辦法。

他站在木製的小吧檯旁而若奧正在為他倒葡萄酒。他的貓因為吃了龍血樹的葉子死了。他把瓶子放在吧檯上把威斯特恩放在吧檯面上的比塞塔幣推回去。Salud，他說。

Salud。Gracias[216]。

我該對老保羅好一點的。我一直在想他。

216 西班牙文：謝謝。

我不覺得你有對他不好啊。

沒有人可以代表死者發言。誰真的清楚他們的人生呢？總之人的天性就是會去想像落敗者一定是幹了什麼好事才會活該淪落至此。人們希望世界是公正的。可是世界在這個議題上保持沉默。在一場戰爭或革命中獲勝並不代表其中追求的信念能被合理化。你知道我在說什麼嗎？

知道。

你知道卡羅斯・羅切做了什麼嗎？

不知道。

他是我的兄弟。年紀比我大。他死在戰爭中。

我很遺憾。

沒關係。他算幸運的。

因為死在戰爭中？

因為死在戰爭中。而且死時還能抱持信仰。沒錯。

信仰什麼？

信仰什麼啊。這要怎麼說呢。他的信仰就是為了所愛的人民以及這些人民的祖先還有他們的詩歌他們的痛苦和他們的神在一片土地上備戰。

我想你沒有這種信仰。

沒有。

有任何其他信仰嗎？

若奧抿起嘴唇。他擦了擦吧檯檯面。嗯。當然只要是人就有信仰。可是我**不**相信鬼的存在。我相信世界的現實。世界的稜角愈堅硬分明就愈讓人相信。世界就在這裡。不在任何其他地方。我不相信四處漫遊。我相信死者埋在地裡。我想我有一度跟老保羅很像。我等待著神跟我說話卻始終沒聽見。不過他還是抱持信仰我卻沒有。他以前會對我搖搖手。說沒有神的生命無法準備好面對沒有神的死亡。對此我無言以對。

我也是。我得走了。

Hasta luego，compadre[217]。

有頭小騾子在花叢裡跳舞。他停下腳步看。牠像山羊神薩特一樣用後腿站起來用力搖晃腦袋。牠又是嘶鳴又是拖扯身上的繩索又是踢腿然後停下來張開四條腿站定盯著威斯特恩接著再次開始又跳又叫。牠不小心掃過一個黃蜂窩可是威斯特恩不知如何幫牠所以只是繼續走。

他在沙灘上找到一枚硬幣。這枚形狀不工整的青銅圓幣經過好幾千年的沖刷後只餘下貧瘠的氣息。他把硬幣放進口袋。在這些瀕臨絕跡的事物中存在著消失世界的殘餘。就像留在偏遠北海岩石中的船樑骨。或是人的骸骨。

他寄信去巴黎索取一系列格羅滕迪克的論文然後坐在燈光下研究那些難題。過了一陣子後那些問題逐漸變得可以理解，但那不是重點。法文也不是重點。重點在於用數字去理解世界的核心。他努力往回追溯。試圖找到一個合理的源頭。黎曼晦澀難懂的幾何學。她曾說他筆下的那些都是**天殺見鬼**的符號。還有哥德爾用加貝爾斯貝格速記法記下的一盒盒筆記。

天氣已經轉暖於是他會在夜晚脫光衣服摺好放在他留在沙灘的涼鞋上然後涉入柔軟黑暗的水中往下潛游過緩慢跳動的海浪轉身閒散地仰躺在起伏的海面望向星空其中有幾顆星星掙脫了繫住自己的索具畫過寬廣的午夜大廳從黑暗墜向黑暗。

他沒有她的照片。他努力想看見她的臉但知道自己正在失去她。他想到某個尚未出生的陌生人之後可能會在某間堆滿灰塵的店鋪裡找到一本校友紀念冊因此偶然看到她的照片並因為她的美而震驚地駐足良久。甚至還會翻回來再看一次。只為了再一次看著那雙眼睛。看著那個古老且不復存在的世界。她離開採石場後他獨自坐在原地直到那些錫罐中的小小火焰一個個在搖曳中滅去。然後只剩下鄉間的黑暗，以及其中的靜默。外頭高速公路上卡車發出微弱的嗡鳴聲響。

他藉著油燈火光在小小的黑色本子裡寫字。寬容只是個人職責。世間有集體仇恨、有集體哀慟。還有集體復仇，甚至是集體自殺。可是卻沒有集體原諒。你只有你。

我們在孩子身上淋水然後命名。但不是為了將孩子刻在我們心底而是想要掌握在手中。所有人類的女兒坐在昏暗的衣櫥裡將所有訊息用刀片銘記在她們的手臂上而睡眠早已離開她們的生命。

漫長乾燥的夏季過去後有天晚上他醒來在一片黑暗中看見**穀物磨坊**的牆面浮現一扇高窗。然後再一次的。他坐在窗邊往外望向那片最黑的海看見無聲的雷與顫動的光落在邊緣被打亮的雲層後方。

他坐在雜貨店裡那張被用力擦洗過的小木桌邊。讀著維斯用船從伊比薩送來的報紙。若奧走向吧檯拿了另一封信過來遞給威斯特恩。威斯特恩坐著看向那封信。那封髒兮兮的信上滿是污痕還有來自俄亥俄州阿克倫的郵戳而且似乎曾被人踩過。Un momento[218]，他說。若奧轉過身時他把信遞回去。

No es suyo[219]？

不是。

---

217 西班牙文：再見，夥伴。
218 西班牙文：等一下。
219 西班牙文：不是你的嗎？

他翻過那封信仔細檢視。**Es su nombre**[220]，他說。

威斯特恩往後靠向椅背。他說他在美國已經沒有認識的人也不想要任何來自他們的 **cartas**[221]。若奧在手中惦了惦那封信的重量。用手掌輕拍那封信。終於他說他會把信留著畢竟任何人都有可能回心轉意。

他在暮色中踩著腳踏車回家。他走進塔樓把腳踏車靠牆放好時裡頭又黑又潮濕。他提著油燈走上樓梯把燈放在桌上坐下聆聽一片寂靜。有時到了夜晚大量的風朝岬角地席捲而來他可以感覺有什麼在古老建築的深處移動厚重的橄欖木結構中傳出一陣低吟然後又是靜默只剩風在塔樓中兜轉以及頭頂上方有稻草在窸窣的聲響。

某天晚上已經很晚了他在眼前的海灘上看見一個身上披著斗篷抵擋寒冷的矮小身影。他加快腳步靠近但那只是一個在海灘上走路的老太太。身高幾乎不到一百二十公分。他經過她身邊祝福她有個美好夜晚然後停下腳步問她是否需要幫忙但她說自己沒問題。她說她要去拜訪她的女兒於是他點點頭繼續往前走。他知道他還是希望那個已經被他半是遺忘的小小身影可以跟在他身邊。雙手插在口袋裡迎著帶鹽的海風衣服翻飛。他曾在一個夢中最後一次見過他。那位專屬於神的拾荒者身披斗篷跋涉前行喃喃自語在某個無名荒僻處的貧瘠邊緣地帶寒冷的恆星海水拍打又翻騰暴風從一片黑暗起伏如同煉金萬用溶劑的太虛中呼嘯而來。就這樣在宇宙的碎石堆上跋涉，他細瘦的肩膀抵禦著星風以及像石頭一樣黑的外星月亮引力。這樣一個孤獨的**海岸漫遊者**抵抗著夜晚的流逝快步前進，矮小、沒有朋友相伴但又勇敢。

他爬上閣樓坐在塔樓窗邊身上裹著毛毯。一簇簇細小的雨潑濺到窗台上。遠方的海面上有夏季閃電。像是一段距離外由野戰砲打出的火光。床鋪上方拉開的防水布上發出啪噠啪噠的音響。他把手肘邊的油燈燈芯往上調從盒子裡取出筆記本翻開。然後他停止動作。坐在那裡好一段時間。到頭來，她說，世上不會再有無法被模擬出來的事物。這將是特權的最終限縮。這是即將到來的世界。不可能是其他世界的樣子。唯一不同的可能性是燒灼在混凝土上那些古怪形狀帶來的驚喜。

人類的一個個時代就是從墳墓綿延到墳墓。是在石板上的描述。是鮮血、是黑暗。是在一塊板子上刷洗死去的孩童。是在世界一層層壓下的岩石之間有著認不出形貌及數量的化石印痕。是我父親在近代造出的那些岩刻畫是人們在道路上裸著身體嚎哭。

暴風雨過去黑暗的海面冰冷而沉重地鋪展開來。在帶有金屬質地的冰涼海水中有許多形體彷彿是由鎚子打造出來的大魚。波浪中有顆熔融火流星的倒影彷彿一列燃燒火車艱難地穿越蒼穹。

他在油燈的光線中專注研究語法書。頭頂上的**鐘形**稻草屋頂在黑暗中嘶嘶作響而他的影子投射在**粗糙塗抹**的泥壁上。如同那些古代學者一樣在冰冷的房間內奮力研究那些卷軸。他們的油燈燈罩是把龜殼煮沸削刮壓製成形而透過它們偶然投射在塔樓牆上的地形圖是對所有人類或他們的神而言都一樣的未知土地。

終於他靠過去用一隻手包住玻璃燈罩吹熄油燈然後在黑暗中躺下。他知道他會在死去那天看見她的臉並可以寄望帶著那份美麗一起走入黑暗，於是這位地球上最後的異教徒躺在稻草床墊上，輕柔哼唱著一種未知的語言。

---

220 西班牙文：是你的名字。

221 西班牙文：信。

戈馬克・麥卡錫年表

一九三三年	七月二十日出生於美國羅德島州普洛維登斯。本名查爾斯・麥卡錫（Charles McCarthy）。
一九三七年	隨家人遷居至美國田納西州諾克斯維爾。在此地就讀諾克斯維爾天主教中學，並於當地的聖母無原罪主教堂擔任祭壇助手。
一九五一年	進入田納西大學就讀，一度中斷學業，直到一九五九年離開學校為止，始終未完成學業。
一九五三年	離開大學加入美國空軍，四年後退伍，重返校園。
一九五九年	大學期間於文學雜誌發表短篇小說《叫醒蘇珊》（*Wake for Susan*）、《溺水事件》（*A Drowning Incident*），寫作成績獲英格朗梅里爾基金會（Ingram Merrill Foundation）授獎肯定。
一九六〇年	決心以寫作為志業，以愛爾蘭中世紀兩位君主Cormac mac Airt、Cormac mac Cuilennáin之名，為自己取筆名。
一九六一年	與第一任妻子李・霍曼（Lee Holleman）結婚，兩人於次年離異，長子柯倫・麥卡錫（Cullen McCarthy）誕生。
一九六五年	出版首部小說《果園守護者》（*The Orchard Keeper*），翌年獲威廉福克納基金會獎。

一九六六年　獲洛克斐勒基金會贊助，旅居歐洲，創作小說《境外之黑》（*Outer Dark*）。

一九六七年　與第二任妻子安妮·迪萊爾（Annie DeLisle）結婚。

一九六八年　出版《境外之黑》。

一九六九年　獲古根漢基金會藝術獎助金。遷居至田納西州路易斯威爾，創作小說《上帝之子》（*Child of God*）。

一九七三年　出版《上帝之子》。

一九七六年　與迪萊爾分居，遷至德克薩斯州艾爾帕索。

一九七九年　出版寫了二十年之久的半自傳體小說《沙崔》（*Suttree*）。

一九八一年　與迪萊爾離異。同年獲麥克阿瑟基金會獎助金。

一九八五年　出版小說《血色子午線》（*Blood Meridian*）。受到高度評價，獲《時代》雜誌列入一九二三年至二〇〇五年最好英語小說前一百名書單。

一九九二年　出版小說《所有漂亮的馬》（*All the Pretty Horses*），憑該作獲頒美國國家圖書獎、美國國家書評獎。二〇〇〇年由比利·鮑伯·松頓執導，改編為電影。

一九九四年　出版小說《穿越》（*The Crossing*）。入圍國際都柏林文學獎。

一九九六年　出版小說《平原之城》（*Cities of the Plain*），入圍國際都柏林文學獎。《平原之城》與《所有漂亮的馬》、《穿越》為「邊境三部曲」系列作。

一九九七年	與第三任妻子珍妮佛・溫克利（Jennifer Winkley）結婚，兩人定居於新墨西哥州。
一九九九年	次子約翰・法蘭西斯・麥卡錫（John Francis McCarthy）誕生。
二〇〇五年	出版小說《險路》。進入國際都柏林文學獎決選名單。二〇〇七年由柯恩兄弟執導，改編為電影《險路勿近》，於第八十屆奧斯卡金像獎拿下四項大獎。
二〇〇六年	出版小說《長路》，憑該作獲頒普立茲小說獎、詹姆斯泰特布萊克紀念小說獎、美國鵝毛筆獎，入圍國際都柏林文學獎。與溫克利離異。
二〇〇八年	獲頒美國筆會索爾貝婁獎。
二〇〇九年	《長路》由約翰・希爾寇特改編電影《末路浩劫》。
二〇一二年	詹姆斯泰特布萊克紀念小說獎評選歷年最佳小說獎，《長路》進入決選名單。
二〇一四年	於全球最大科技智庫之一聖塔菲智庫中心（Santa Fe Institute）擔任終身研究員。
二〇一七年	於《鸚鵡螺》發表分析潛意識與語言系統的哲學散文《凱庫勒問題》（*The Kekulé Problem*）。
二〇二二年	《乘客》、《海星聖母》相隔六週問世。
二〇二三年	逝世於聖塔菲智庫中心，享壽八十九歲。

Litterateur 14

乘客

The Passenger

•原著書名：The Passenger•作者：戈馬克．麥卡錫（Cormac McCarthy）•翻譯：葉佳怡•封面設計：王瓊瑤•排版：李秀菊•責任編輯：徐凡•國際版權：吳玲緯、楊靜•行銷：闕志勳、吳宇軒、余一霞•業務：李再星、李振東、陳美燕•總編輯：巫維珍•編輯總監：劉麗真•事業群總經理：謝至平•發行人：何飛鵬•出版社：麥田出版／城邦文化事業股份有限公司／115台北市南港區昆陽街16號4樓／電話：(02) 25007696／傳真：(02) 25001966、發行：英屬蓋曼群島商家庭傳媒股份有限公司城邦分公司／115台北市南港區昆陽街16號8樓／書虫客戶服務專線：(02) 25007718；25007719／24小時傳真服務：(02) 25001990；25001991／讀者服務信箱：service@readingclub.com.tw／劃撥帳號：19863813／戶名：書虫股份有限公司•香港發行所：城邦（香港）出版集團有限公司／香港灣仔駱克道193號東超商業中心1樓／電話：(852) 25086231／傳真：(852) 25789337•馬新發行所／城邦（馬新）出版集團【Cite(M) Sdn. Bhd.】／41-3, Jalan Radin Anum, Bandar Baru Sri Petaling, 57000 Kuala Lumpur, Malaysia.／電話：+603-9056-3833／傳真：+603-9057-6622／讀者服務信箱：services@cite.my•印刷：前進彩藝有限公司•2024年12月初版一刷•定價720元

國家圖書館出版品預行編目資料

乘客／戈馬克．麥卡錫（Cormac McCarthy）著；葉佳怡譯. -- 初版. -- 臺北市：麥田出版：家庭傳媒城邦分公司發行, 2024.12
面；　公分. -- (litterateur；RE7014)
譯自：The Passenger
ISBN 978-626-310-770-0（平裝）
EISBN 978-626-310-763-2（EPUB）
874.57　　113014725

城邦讀書花園
www.cite.com.tw

The Passenger by Cormac McCarthy
Copyright © 2022 by M-71 Ltd.
Complex Chinese translation copyright © 2024 by Rye Field Publications, a division of Cite Publishing Ltd.
Published by arrangement with M-71 Ltd. care of Creative Artists Agency
though Bardon-Chinese Media Agency
ALL RIGHTS RESERVED